B

D0363569

Wervelstorm

Van Virginia Andrews® zijn de volgende boeken verschenen:

De Dollanganger-serie: Bloemen op zolder, Bloemen in de wind, Als er doornen zijn, Het zaad van gisteren, Schaduwen in de tuin

De 'losse' titel: M'n lieve Audrina

De Casteel-serie: Hemel zonder engelen, De duistere engel, De gevallen engel, Een engel voor het paradijs, De droom van een engel

De Dawn-serie: Het geheim, Mysteries van de morgen, Het kind van de schemering, Gefluister in de nacht, Zwart is de nacht

De Ruby-serie: Ruby, Parel in de mist, Alles wat schittert, Verborgen juweel, Het gouden web

De Melody-serie: Melody, Lied van verlangen, Onvoltooide symfonie, Middernachtmuziek, Verstilde stemmen

De Weeskinderen-serie: Butterfly, Crystal, Brooke, Raven, Vlucht uit het weeshuis

De Wilde bloemen-serie: Misty, Star, Jade, Cat, Het geheim van de wilde bloemen

De Hudson-serie: Als een regenbui, Een bliksemflits, Het oog van de storm, Voorbij de regenboog

De Stralende sterren-serie: Cinnamon, Ice, Rose, Honey, Vallende sterren

De Willow-serie: De inleiding: Duister zaad, Willow, Verdorven woud, Verwrongen wortels, Diep in het woud, Verborgen blad

De Gebroken vleugels-serie: Gebroken vleugels, Vlucht in de nacht

De Celeste-serie: Celeste, Zwarte kat, Kind van de duisternis

De Schaduw-serie: April, Meisje in de schaduw

De Lente-serie: Vertrapte bloem, Verwaaide bladeren

De Geheimen-serie: Geheimen op zolder, Geheimen in het duister

De Delia-serie: Delia's vlucht, Delia's geluk, Delia's gave

De Heavenstone-serie: De geheimen van Heavenstone, Gefluister in de nacht

De 'losse' titel: Dochter van de duisternis

De Sasha-serie: Wervelstorm

Virginia
ANDREWS®

Wervelstorm

Het eerste deel in de Sasha-serie

DE KERN

Sinds de dood van Virginia Andrews werkt haar familie met een zorgvuldig uitgekozen auteur aan de voltooiing van haar nagelaten verhalen en ideeën en aan het schrijven van nieuwe romans, waartoe ook deze behoort, die zijn geïnspireerd op haar vertelkunst.

Alle namen, personen, plaatsen en gebeurtenissen in dit boek zijn bedacht door de auteur. Elke gelijkenis met feitelijke gebeurtenissen of bestaande personen, nog in leven of overleden, berust op puur toeval.

Oorspronkelijke titel: *Family Storms*
Original English language edition © 2011 by The Vanda General Partnership
All rights reserved including the right of reproduction in whole or in part in any form
This edition published by arrangement with the original publisher, Gallery Books, a division of Simon & Schuster, Inc., New York
V.C. ANDREWS® and VIRGINIA ANDREWS® are registered trademarks of The Vanda General Partnership
Vertaling: Parma van Loon
Copyright © 2012 voor deze uitgave:
De Kern, een imprint van Uitgeverij De Fontein, Utrecht
Vertaling: Parma van Loon
Omslagontwerp: Wil Immink Design
Omslagillustratie: Nikki Smith / Arcangel Images
Opmaak binnenwerk: ZetSpiegel, Best
ISBN 978 90 325 1297 2
ISBN e-boek 978 90 325 1318 4
NUR 335

www.virginia-andrews.nl
www.dekern.nl

Proloog

'We moeten verder,' zei mama.

Ik had net mijn ogen gesloten en me als een rups opgerold in de dikke wollen deken. In de afgelopen paar maanden was ik immuun geraakt voor de diverse onaangename geuren die erin verweven waren. Ik denk dat ik de meeste nachten mijn adem inhield, voor zover ik al lucht kreeg. Ik verwachtte altijd dat ik door iets afschuwelijks gewekt zou worden, dus kwam mijn slaap nooit veel verder dan tot aan de rand van bewustzijnsverlies. Mijn oren waren nog open, mijn oogleden trilden en de dromen kwamen muisstil binnengeslopen.

Het ging harder regenen en de zeewind maakte het onmogelijk droog te blijven onder het kartonnen dak dat mama geïmproviseerd had met behulp van een paar goede dozen die ze in de afvalcontainer achter de supermarkt had gevonden. In het begin rilde ik van schaamte als ze in vuilnisbakken rommelde. Nu stond ik er kalm bij te kijken en te wachten, net zo ongeïnteresseerd alsof ik aan geheugenverlies leed. Ik leerde hoe ik de wereld moest buitensluiten, om niet te horen hoe andere mensen over ons praatten of in het voorbijgaan nieuwsgierig naar ons keken. Het leek bijna alsof het iemand anders overkwam, iemand die mijn veertienjarige lichaam had geleend om erin te lijden en te overleven.

'Waar gaan we naartoe, mama?' vroeg ik.

'Naar huis,' mompelde ze.

'Naar huis? Waar is dat?'

Ze gaf geen antwoord. Soms dacht ik dat ze haar woorden oppotte, zoals een eekhoorn eikels vergaart, omdat ze bang was dat

5

elk moment de dag kon komen waarop ze niets meer zou kunnen zeggen. De laatste tijd zei ze steeds minder, zelfs tegen mij. Als ik aandrong dat ze tegen me moest praten, keek ze zo geschrokken als iemand in de woestijn die gevraagd wordt zijn laatste slok water met een ander te delen. Het gevolg was dat ik ook niet veel zei, tegen niemand. We zeiden allebei alleen wat noodzakelijk was. Iemand die ons een tijdje zou gadeslaan, zou waarschijnlijk denken dat we actrices waren in een stomme film. Ik beschermde mijn gezicht tegen de druilregen en ging overeind zitten. Mama was al bezig haar beddengoed in haar koffer te bergen, propte het erin alsof het schreeuwend vocht om niet te worden opgesloten. Ze deed de koffer dicht en wachtte. Het begon nog harder te regenen, maar ze bleef met opgeheven gezicht staan, alsof we in de stralende zon stonden en ons insmeerden met zonnebrandolie op het strand van Santa Monica Beach, zoals we jaren geleden deden, toen papa nog bij ons was. Ik wist dat ze naar de zee keek, in de verwachting dat er een boot zou aankomen om ons te redden. In de afgelopen dagen had ze me een paar keer verteld dat ze zo'n boot verwachtte, als we over het strand slenterden, op zoek naar een plek waar ze zich kon installeren met haar Chinese kalligrafie. De meeste mensen die iets kochten wilden hun naam in Chinese karakters en geloofden mama op haar woord dat ze dat ook deed. Wisten zij veel, ze had wel *toilet* kunnen schrijven.

Terwijl zij deskundig lijnen tekende, zat ik naast haar en vlocht sleutelhangers van veelkleurig koord, die ik voor twee dollar per stuk verkocht. Meestal begon ik de dag met een stuk of twintig, dertig sleutelhangers, die ik de vorige avond had gemaakt. Samen verdienden we genoeg voor twee, soms drie, maaltijden en nu en dan hadden we genoeg om wat kleren of oude schoenen te kopen in een tweedehandswinkel. Dat deden we nu al bijna een jaar, sinds we twee jaar geleden uit onze flat en daarna uit het hotel waren gezet, nadat mijn vader ons in de steek had gelaten.

Nu en dan vroeg iemand me wel eens waarom ik niet op school zat. Dan zei ik dat ik vakantie had of naar een andere plaats ging verhuizen en ik daar naar een nieuwe school zou gaan. De meesten begrepen dat ik loog, maar haalden hun schouders erover op, en als een politieagent zijn hoofd in onze richting draaide, leek het alsof hij door ons heen keek of dat het ook hem onverschillig liet. Soms dacht ik dat we misschien onzichtbaar waren geworden en de mensen dwars door ons heen konden kijken. Misschien vonden ze het pijnlijk ons te zien. We waren er allang overheen het zelf erg pijnlijk te vinden.

In het begin, toen mijn vader pas weg was, had mama het hoofd boven water weten te houden. Eerst werkte ze als receptioniste in een restaurant, maar haar depressie leidde ertoe dat ze steeds meer begon te drinken en ze moeilijk aan werk kon komen. Een enkele keer verkocht ze een of twee van haar kalligrafische kunstwerken aan een winkel voor handenarbeid. Een bekende bar, de Gravediggers, had er eentje op een in het oog vallende plaats aan de muur hangen, rechts van de bar. Mama vertelde me dat er *heaven* stond.

'De Gravediggers, die doodgravers, zullen je naar de hemel voeren,' grapte ze.

Ik had haar nooit ontmoet, maar mijn oma van moederskant had mama leren kalligraferen. Ze woonden toen in Portland, Oregon. Mijn grootouders kregen mama pas op latere leeftijd, en mijn opa, die visser was, verongelukte tijdens een hevige storm. Net als wij, bleven mama en haar moeder alleen achter en moesten ze zich zelf zien te redden. Mijn beide grootouders van moederskant waren gestorven voordat ik geboren was, dus had ik ook mijn opa nooit in levenden lijve gezien. Ik had slechts een paar oude foto's die mama had bewaard. Ze vertelde me dat ze genomen waren toen ze tien was, maar haar ouders hadden wel haar grootouders kunnen zijn.

Mama zei dat de strijd om het bestaan, zoals ze hun leven na de dood van hun vader noemde, de oorzaak was van de veroudering en de dood van haar moeder. Haar vader had niet veel geld verdiend en had maar een heel lage levensverzekering.

Ondanks ons moeilijke bestaan zei mama altijd dat het feit dat papa ons in de steek had gelaten geen groot verlies betekende. Ik wist dat ze alleen maar uit woede sprak. Toen hij nog bij ons was, hadden we in ieder geval te eten en een dak boven ons hoofd. Veel meer hadden we eigenlijk nooit verwacht. Papa kwam nog maar net van de middelbare school toen hij in militaire dienst ging, waar hij wat technische vaardigheden leerde, die hem een baan bezorgden als onderhoudsmonteur toen hij afzwaaide. In die hoedanigheid werkte hij toen hij mama leerde kennen in een bar in Venice Beach, Californië.

Mama was samen met een vriendin meteen na de middelbare school uit Portland vertrokken omdat haar leraar Engels en leider van de toneelclub haar zoveel lof toezwaaide voor haar acteertalent, dat ze dacht dat een carrière als filmster voor het grijpen lag. Vanaf het begin van de middelbare school had ze in elke toneelvoorstelling van school gespeeld.

Natuurlijk, na eindeloze afwijzingen en kleine onbelangrijke bij-rolletjes, beschuldigde ze haar leraar ervan dat hij haar leven ver-woest had. 'Hij wist het zo overtuigend te brengen, dat ik hem op zijn woord geloofde, Sasha,' zei ze. Volgens haar was hij, na papa, de oorzaak van al onze problemen. 'Pas op voor complimentjes,' zei ze tegen me. 'Heel vaak geven mensen je een compliment omdat ze willen dat je hén aardiger zult vinden, niet jezelf.'

Zij en haar vriendin waren serveersters in de bar waar ze papa leerde kennen. Haar vriendin had al een serieuze relatie met iemand die ze daar ontmoet had, en volgens mijn moeder was het 'een teken aan de wand. Straks zou ik alleen komen te staan, en met mijn sa-laris was dat bijna onmogelijk. De reële mogelijkheid dat ik terug zou moeten naar huis, terug naar mama Pearl, hing dreigend boven mijn hoofd. Daarom werd ik zo snel verliefd op een ruggengraat-loze slappeling als je vader.'

Ze gaf toe, of liever gezegd gebruikte het als excuus, dat papa een heel knappe man was, met zijn kristalheldere, kobaltblauwe ogen, ferme lippen en golvend lichtbruin haar. Ik had zijn ogen geërfd, maar mama's haar, dat me, zoals ze zei, nog mooier maakte dan zij vroeger was.

'Toen ik hem voor het eerst ontmoette,' zei ze, 'leek hij wel een filmster. Hij had een heel sexy glimlach, het soort dat de kuisheids-gordel van elke vrouw zou kunnen ontsluiten.'

'Wat is een kuisheidsgordel?'

'Laat maar,' zei ze. 'In die tijd had hij ook het figuur van een Griekse god, maar ik zag zijn zwijgen aan voor een sterke geest. Het duurde een tijdje voordat ik besefte dat hij het grootste deel van de tijd zweeg omdat hij gewoon niet wist wat hij moest zeggen. Hij las nooit iets, praatte elke uitspraak na die hij op de televisie had gehoord, en ging zelden naar een film. Toen we elkaar voor het eerst ontmoetten was hij nog nooit naar een schouwburg geweest. Achteraf gezien, Sasha, moet ik volslagen krankzinnig zijn geweest.'

Uiteindelijk vertelde ze me dat hij haar zwanger had gemaakt van mij, en toen hij haar ten huwelijk vroeg, dacht ze dat het mis-schien beter was een rustig bestaan te gaan leiden als vrouw en moeder. Ze probeerde het te laten klinken alsof ik niet zomaar een vergissing was geweest. Ze zei dat ze nooit de beroemde filmster zou worden, zoals ze gehoopt had, en dat ze niet lang genoeg was om als model te kunnen werken.

'Moeder worden leek de enig juiste beslissing. Bovendien had ik je nodig. Ik had íemand nodig. Je vader was niet bepaald ideaal gezelschap.'

Maar het stond buiten kijf dat ze vroeger erg mooi was geweest. Haar half-Aziatische uiterlijk was heel exotisch, en ze had zijde-achtig glanzend, lang zwart haar dat tot over haar schouders hing. Zowel mannen als vrouwen keken haar na op straat. Toen was ik er trots op dat ik naast haar mocht lopen. Ze liep als een engel, bijna zwevend, en haar glimlach maakte een onvergetelijke indruk op de mannen, die haar beslist vaak zagen in hun dromen. Ik wilde in haar aura thuishoren, om net zo'n bijzondere vrouw te worden als ik opgroeide.

'Als ik zo verstandig was geweest om ergens te gaan werken waar meer welgestelde jonge mannen kwamen, had ik vast wel een echt goede partij aan de haak kunnen slaan in plaats van een minder-waardige slappeling. Bijna zodra we getrouwd waren, begon hij me te bedriegen. Hij heeft me nooit echt geholpen met de zorg voor jou. Hij had er een hekel aan om thuis te blijven, dus deed hij een tijdlang net alsof hij met iemand had afgesproken om over een beter betaalde baan te praten of zoiets, en kwam dan pas midden in de nacht thuis en soms pas in de ochtend, en rook naar het parfum van een andere vrouw.'

'Waarom ging je niet terug naar Portland?' vroeg ik. 'Je zei dat de zus van Mama Pearl daar nog woonde. Had zij je niet kunnen helpen?'

'Zij had haar eigen problemen en was vijftien jaar ouder dan mijn moeder. Ze was een oude vrouw, en de familie van mijn moeder was er niet blij mee dat ze met mijn vader was getrouwd. En zijn familie was er niet blij mee dat hij met mijn moeder was getrouwd. Iedereen verwacht dat hun kinderen hen gelukkig zullen maken,' ging ze verder met een ironisch lachje, dat altijd uitdraaide op een huilbui, waarna ik me schuldig voelde dat ik ernaar gevraagd had.

Ik was bijna elf. Papa had ons pas kortgeleden verlaten, maar ik kreeg er genoeg van mijn moeder voortdurend over hem te horen klagen. Niet dat ik hem wilde verdedigen. Toen ik pas zeven was, besefte ik al dat mijn vader niet zo was als de vaders van de andere meisjes op school. Om te beginnen kwam hij nooit op een ouderavond en toonde hij nooit enige belangstelling voor mijn schoolwerk. Soms dacht ik dat hij gewoon geen enkele belangstelling had voor *mij*. Eén keer, toen hij en mijn moeder ruzie hadden, wat meestal het geval was, hoorde ik hem zeggen: 'Kinderen zijn de straf voor begane zonden.'

'Dat lijkt me goed opgemerkt wat jóuw ouders betreft,' zei mama daarop tegen hem. Hij praatte nooit over zijn ouders of zijn zus, en niemand van zijn familie kwam ooit op bezoek, of belde, of toonde enige belangstelling voor hem – of voor een van ons.

De ruzies tussen mama en papa eindigden er bijna altijd mee dat papa hard op een tafel of tegen een muur sloeg en soms iets stukgooide, waarna hij het huis uitholde, en haar scheldwoorden hem volgden als de stinkende uitlaatgassen van een auto.

Ik zal nooit de dag vergeten waarop we uit onze flat werden gezet. Ik was twaalf, bijna dertien, en was niet naar school omdat ik erg hoestte. We hadden geen ziekteverzekering, zodat mama altijd probeerde me te genezen met medicijnen die ze bij de drogist kocht. En vaak zei ze alleen maar dat ik wat moest slapen of in de zon zitten. In die tijd was ze zo vaak niet thuis, dat ze het nauwelijks merkte als ik ziek was, en ze zorgde ook niet goed voor zichzelf. Ik wist dat ze vaak met verschillende mannen samen was en te veel dronk. Ik vond het vreselijk als ze 's avonds laat thuiskwam en onsamenhangend begon te praten en te huilen. Dan struikelde ze en viel over dingen, en ik verborg mijn gezicht in mijn kussen en weigerde haar te helpen.

Uiteindelijk begon haar mooie gezicht te verwelken als een roos van een week oud. Haar haar verloor de mooie, zachte glans en hing steil omlaag. De punten waren droog en gespleten en ze waste het nog maar zelden. Ten slotte besloot ze het zelf te knippen. Toen ze klaar was, leek het of iemand er met een broodmes in had staan hakken, maar ook als ze het niet had gedaan op een moment dat ze dronken was van goedkope gin, zou ze er niets van terecht hebben gebracht.

En het waren niet alleen haar haar en huid die er zo slecht aan toe waren. Haar figuur leek uit te zakken en op te zwellen als een met water gevulde ballon. Ze paste niet meer in haar jeans en moest flodderige rokken dragen. Omdat we geen auto hadden en ons geen taxi's konden veroorloven, liep ze zo vaak op oude schoenen dat haar voeten altijd pijn deden of onder de stukgelopen blaren zaten. Ze ging gymschoenen dragen die een maat te groot waren.

Ik herinner me dat ik een keer uit het raam keek en een vrouw op straat zag lopen, met glazige ogen en wankelend, en dat ik dacht: Wat zielig. Moet je die voddenraapster zien. Toen ze dichterbij kwam, besefte ik dat het mijn moeder was en keek ik haar volkomen verbijsterd aan.

Maar voornamelijk was ik bang. Het weinige dat nog over was van mijn eigen wereld, verbrokkelde. Ik was er al lang geleden mee opgehouden vriendinnen uit te nodigen, en niemand nodigde mij uit. Op school kon ik me slecht concentreren. Ik soesde te vaak weg en was zelden of nooit trots op mijn werk. Mijn cijfers werden steeds slechter. Mijn leraren zeiden dat ik aandachtsstoornis had, wat ertoe bijdroeg dat ik me nog meer voelde verschillen van de andere leerlingen. De leraren vroegen me voortdurend of ik mijn moeder een keer mee wilde nemen. We hadden toen geen telefoon meer, dus belden ze niet, en brieven hadden geen enkele zin. Ze zag alles aan voor een rekening en las geen enkele brief.

Nu ik eraan terugdenk, besef ik dat mijn moeder volkomen van de kaart was. Ze moet op een ochtend wakker zijn geworden en zich gerealiseerd hebben hoe erg we eraan toe waren en hoe hulpeloos ze was. In plaats dat het haar aanspoorde meer haar best te doen om een oplossing te vinden, zocht ze haar heil bij gin en whisky. Het deed er bijna niet toe wat het was, zolang het maar alcohol was en haar gedachten en angsten zo bedwelmd raakten dat niets haar meer scheen te deren.

Toch zie ik haar nog steeds niet als een alcoholiste. Ik geloof dat ze echt had kunnen stoppen als ze dat gewild had. Ze bracht de moed niet op. Ze vond het gemakkelijker om in de spiegel te kijken en iemand te zien die ze niet herkende. Anders zou ze zelfmoord hebben gepleegd.

Ik denk dat als we ons toen een psychotherapeut hadden kunnen permitteren, ze als een schizofreen grensgeval zou zijn gediagnosticeerd. In haar hoofd vond iets plaats dat zo subtiel was begonnen dat het niet onmiddellijk tot me doordrong. Soms dacht ik dat ze tegen iemand anders praatte. Eerst dacht ik dat ze dat alleen maar deed als ze dronken was, maar algauw besefte ik dat ze het ook deed als ze broodnuchter was. Ik denk dat degene tegen wie ze sprak zijzelf was, de vrouw die ze was voordat ik geboren was, en zelfs voordat ze papa had leren kennen. Uit wat ik hoorde en kon begrijpen, leidde ik af dat ze haar jeugdige ik waarschuwde om niet uit huis te gaan, want dat ze dan zou kunnen worden zoals ze nu was.

Natuurlijk kon ik er geen touw aan vastknopen, en als ik haar vroeg wat ze deed of tegen wie ze praatte, keek ze me kwaad aan, alsof ik een heel intiem gesprek onderbrak.

'Gaat je niks aan,' kon ze dan zeggen, of: 'Dat is niet voor jouw oren bestemd.'

Voor wiens oren dan wel? wilde ik vragen. Er is hier niemand anders.

Maar ik hield mijn mond. Eigenlijk was ik te bang om erop in te gaan. Wie weet wat er dan zou kunnen gebeuren, en er was al genoeg gebeurd.

Ze was niet thuis op de dag dat de politie in de flat kwam toen we het huis uit werden gezet. De verhuurder had alle noodzakelijke wettelijke procedures gevolgd, maar mama had ze allemaal genegeerd. Ik was ziek thuis. Ik deed open en zag twee forse politieagenten voor me staan. Een van hen nam zijn pet af en kamde met zijn vingers door zijn haar alsof hij een verloren gedachte zocht. Hij leek het erger te vinden dan zijn collega wat ze op het punt stonden te doen.

'Is je moeder thuis?' vroeg hij.

'Nee,' zei ik.

'Waar is ze?' vroeg de andere man.

'Weet ik niet,' antwoordde ik, en hoestte zo hevig en lang, dat ze allebei een stap achteruit deden, uit angst besmet te worden.

'Verdorie,' mompelde de eerste politieman.

'Weet je hoe laat ze thuiskomt?' vroeg de ander.

Ik schudde mijn hoofd.

'We wachten wel in de auto.'

Ze draaiden zich om en liepen naar hun auto die vlak voor onze op de eerste verdieping gelegen flat geparkeerd stond. Op dat moment wist ik niet waarom ze daar waren. Ik dacht dat ze misschien mijn vader hadden gevonden en het mijn moeder kwamen vertellen.

Toen ik de deur dicht had gedaan, ging ik naar het raam aan de voorkant en wachtte, turend naar de straat. Eindelijk zag ik haar aankomen. Ze leek niet dronken. Ze liep snel, zwaaiend met haar armen, en hield haar tas als een soort schild voor haar lichaam. Ze had me eens verteld dat ze dat deed om te voorkomen dat hij gestolen zou worden. 'Niet dat er veel in zit,' had ze eraan toegevoegd.

De beide politiemannen zagen dat ze in onze richting liep en stapten uit de auto om naar haar toe te gaan. Ze stond naar hen te luisteren, knikte toen zonder iets te zeggen en liep verder naar de voordeur. Toen ze binnenkwam, zag ze mij bij het raam staan en schudde haar hoofd.

'Hier kun je later je vader voor bedanken,' zei ze. 'Pak in wat je echt nodig hebt. We kunnen niet te veel meenemen. Ik heb geen geld voor een taxi.'

'Waarom gaan we weg?'

'We kunnen hier niet blijven wonen. De huisbaas heeft de politie op ons afgestuurd.'

'Waar gaan we naartoe?'

'Naar een hotel hier vlakbij.'

Het klonk goed, maar toen we er waren, zag ik hoe klein en haveloos het hotel was. De hal was niet veel groter dan onze voormalige zitkamer, en we hadden één kamer met twee tweepersoonsbedden en een badkamer.

'Waar is de keuken?' vroeg ik.

'We eten buitenshuis als we warm willen eten. Voorlopig zullen we het hiermee moeten doen.'

Ze hoopte erop dat 'voorlopig' voorgoed zou zijn, maar dat wist ik niet. Ik wist niet hoe ernstig haar hersens bezig waren af te sterven. Omdat we in dezelfde kamer sliepen, werd ik vaak wakker bij het horen van haar nachtelijke gesprekken met haar onzichtbare alter ego. Meestal fluisterde ze, maar vaak ving ik een of twee woorden op, waar ik geen wijs uit kon worden. Misschien droomt ze hardop, dacht ik, en ging weer slapen.

Ze deed het nu ook weer, nu we over het strand sjokten. De regendruppels leken inmiddels op hagelstenen. Ik hield mijn hoofd gebogen en sloeg mijn ogen net ver genoeg op om haar doorweekte oude gymschoenen te zien, die bedekt met zand en modder verder ploeterden.

'Waar gaan we naartoe?' riep ik. Ik was moe en zou met alle liefde in de regen op de grond zijn gaan liggen om te slapen.

Ze gaf geen antwoord, maar aan de manier waarop ze haar armen en handen bewoog, kon ik merken dat ze praatte tegen haar denkbeeldige ik. Ik kon de dop van een fles gin zien in haar haveloze jaszak. Er was niemand anders op het strand dan wij, dus kon ik niemand om hulp vragen. Ik voelde me ellendiger dan ooit. Het enige waaraan ik merkte dat ik huilde, was aan het schokken van mijn schouders. Mijn tranen vermengden zich met de regen. Mama draaide zich plotseling om en liep naar het voetpad. Haastig haalde ik haar in. Moeizaam zeulde ze haar koffer, die ze door het zand leek te slepen. Al was ik zelf ook uitgeput, toch wilde ik haar helpen en de koffer van haar overnemen, maar ze weigerde het handvat los te laten.

'Ik draag hem wel!' riep ik.

'Nee, nee, dit is alles wat ik heb. Laat los,' zei ze. De manier waarop ze me aankeek deed een steek door mijn hart gaan. Ze herkent me niet, dacht ik. Mijn eigen moeder weet niet wie ik ben. Ze denkt dat ik een vreemde ben die probeert haar te beroven.

'Mama, ik ben het, Sasha. Laat los, dan zal ik je helpen.'

'Nee!' gilde ze, en rukte de koffer uit mijn hand.

Staande in de regen staarden we elkaar even aan. Misschien besefte ze haar tijdelijke geheugenverlies en joeg het haar net zoveel angst aan als mij. Hoe dan ook, ze draaide zich om en rende naar voren.

Ik ging sneller lopen om haar bij te houden. We kwamen bij een verkeerslicht op de Pacific Coast Highway, dat op groen sprong voor voetgangers, en ik ging naast haar lopen. We waren bijna aan de overkant toen ik autobanden hoorde piepen. Ik keek naar rechts.

De auto raakte eerst mama en smeet haar letterlijk over mijn hoofd heen voordat hij hard tegen mijn rechterdijbeen botste. Ik zag mama met een smak neerkomen op het plaveisel, vlak voordat ik viel en in haar richting schoof.

Zo begon mijn leven.

I

Het ongeluk

De pijn was hevig. Hoewel ik met mijn gezicht omhoog op de weg lag en de regen in een stortbui op me neerkwam, had ik het niet koud. Het leek of er elektrische kachels om me heen waren geplaatst. Ik hoorde mezelf kreunen, maar het leek van iemand anders te komen. Mijn eerste gedachte was dat ik dood was en dit de manier was waarop een ziel het lichaam verliet. Ik verwachtte elk moment op mezelf neer te kijken en me te zien liggen op straat, in shock, mijn ogen twee blauwglazen bollen, mijn mond open in een stille schreeuw. Zielen huilen niet, zielen lachen niet, maar ze kunnen verbaasd zijn als ze beseffen dat ze niet langer deel uitmaken van hun lichaam.

Auto's begonnen te stoppen, sommige botsten bijna tegen de achterkant van de wagens die vóór hen gestopt waren. Ik keek door wat me een gazen gordijn leek, en kon een paar mannen zien die het verkeer regelden, schreeuwden tegen bestuurders, nieuws-gierigen wegjoegen. Ik wilde me bewegen, maar de pijn schoot zo snel en hevig door de achterkant van mijn been, omhoog langs mijn rug, naar mijn nek, dat ik onmiddellijk stil bleef liggen en mijn ogen sloot. Ik was me vaag bewust dat er iemand naast me zat en mijn hand vasthield. Ik hoorde de stem van een man en toen van een vrouw. Ik besefte dat de vrouw probeerde me iets te laten zeg-gen. Ik hoorde meer geschreeuw. Ik probeerde mijn ogen te openen, maar ze weigerden. Het lawaai stierf weg, maar kwam toen terug in een golf van sirenes.

'Mama,' dacht ik eindelijk te fluisteren. Ik wist niet zeker of ik het gezegd had. Ik zakte weer weg en deed mijn ogen pas weer open toen ik voelde dat ik werd opgetild. Toen ze me in de ambulance schoven, kwam er een rare gedachte bij me op. Ik kreeg een visioen van een vers bereide pizza die in de oven werd geschoven. Pizzapunten vormden een groot bestanddeel van onze lunch en waren soms alles wat we 's avonds te eten kregen. Ik keek achterom en zag nog een ambulance. Ze halen mama op, dacht ik, en dat troostte me een beetje. Iemand van het ambulancepersoneel naast me zei sussende woordjes tegen me en nam mijn bloeddruk op. Er heerste zoveel verwarrend lawaai – mompelende stemmen, auto's, mensen die nog steeds schreeuwden – dat ik weinig kon verstaan van wat hij zei. Ten slotte gingen de deuren dicht, en ik hoorde weer de sirene toen we in beweging kwamen.

'Pijn,' zei ik, en ik verloor het bewustzijn.

Ik kwam bij in de gang van de spoedeisende hulp van een ziekenhuis. Mijn kleren waren weggenomen en ik had een ziekenhuishemd aan. Ik zag dat er een infuusstandaard naast me stond. De slang was bevestigd aan mijn rechterarm. Er lag een deken over me heen, maar er was geen arts en ook geen verpleegster die voor me zorgde. Mensen holden heen en weer. Iemand zei iets tegen me. Ander ambulancepersoneel reed nog een brancard naar binnen, en ik dacht: Misschien is dat mama, maar het bleek een oudere man te zijn met zuurstofslangetjes in zijn neus. Zijn ogen waren wijd opengesperd, zo wijd als iemand die zijn eigen naderende dood ziet. Ze reden hem langs me heen zonder zelfs maar naar me te kijken, maar het maakte me bang.

'Mama!' riep ik. Ik wachtte, maar niemand scheen me te horen of tijd te hebben om antwoord te geven. Ik kon weinig anders doen dan daar blijven liggen en wachten. Mijn armen, schouders, benen en nek klopten zo hevig, dat ik het gevoel had dat ik in een drumstel was veranderd. Mijn oren vulden zich met het bonzen van mijn hart en het bonken van mijn bloed door mijn aderen. Toen ik een verpleegster haastig door de gang zag lopen, riep ik haar zo hard ik kon. Ze bleef even staan, maar voor ik haar iets kon vertellen of vragen, zei ze: 'Er komt straks iemand bij je. Geduld.'

Ik sloot mijn ogen en probeerde me te herinneren wat er precies gebeurd was. Het was allemaal zo snel gegaan. Mama holde in de regen alsof ze een dringende afspraak had. Ik kwam vlak achter haar aan en bleef haar roepen. Ik was maar een paar stappen van haar verwijderd toen ik de piepende banden hoorde. Ik kon me de motorkap van een auto voor de geest halen, maar niet veel meer. Waar was mama nu? Waarom hadden ze me achtergelaten in een gang? Wie had me daar neergezet? Wie zorgde er voor me? Toen ik probeerde mijn hoofd op te tillen, draaide de hele gang om me heen, en ik werd prompt misselijk. Ik hield mijn ogen stijf dicht en wachtte tot de duizeligheid voorbij was. Toen deed ik mijn ogen langzaam weer open en haalde diep adem. Ik kon alleen maar afwachten.

Ten slotte voelde ik een beweging en toen ik naar mijn voeten keek, zag ik dat een andere verpleegster de brancard voortduwde. Ze zag er jonger uit dan de eerste en een dikke bos bruin haar viel onder haar kapje uit over haar rechteroog. Terwijl ze de brancard duwde, blies ze de loshangende haarlok uit haar oog.

'Wat gebeurt er met me?' vroeg ik.

'Je gaat naar de röntgenafdeling. Relax.'

'Waar is mijn moeder?'

'Je gaat naar de röntgenafdeling.'

Had ze mijn vraag niet begrepen?

'Mijn moeder,' zei ik.

'Ontspan je nu maar. Het is ontzettend druk vanavond. We doen ons best iedereen zo snel mogelijk te helpen. Ik moet jou eerst behandelen voordat ik me om iemand of iets anders kan bekommeren.'

Behandelen? Wat bedoelde ze daarmee? Met al die pijn die ik had was het moeilijk om te blijven praten en vragen te stellen, en ze leek zelf ook weinig zin te hebben om te praten.

Ik voelde dat ik door de gang naar een lift werd gereden. In de lift hoopte ik dat ze me wat meer zou vertellen nu we uit de herrie waren, maar er stond nog een andere verpleegster, en ze begonnen een gesprek over mijn hoofd heen, alsof ik er helemaal niet bij was. Ik hoorde dat ze klaagden over een dokter die niet was komen opdagen en een zuster die altijd te laat was.

'Alsof iemand hier op tijd wil zijn!' merkte mijn verpleegster op. Toen de liftdeur openging, hielp de andere zuster me naar buiten te duwen en liep toen een andere kant op. Voor Radiologie stonden nog twee brancards, een met een jongeman met een bebloed gezicht en een stevig verbonden arm, en de andere met een bejaarde Afro-Amerikaanse vrouw. Een jongere Afro-Amerikaanse stond naast haar en hield haar hand vast.

'Probeer je te ontspannen,' zei mijn verpleegster en legde een klembord op mijn voeteneind. 'Je wordt direct door iemand gehaald.'

'En mijn moeder?' vroeg ik.

Ze liep weg zonder te antwoorden. Ik begon me af te vragen of iemand me wel kon verstaan. Misschien dacht ik dat ik praatte, maar was dat niet zo. De jonge Afro-Amerikaanse keek naar me en glimlachte. De deur van de röntgenkamer ging open en een patiënt werd in een rolstoel naar buiten gereden. Het was een bejaarde man in hemd en das, met een blauwe pet waarop in witte letters stond: 'uss Enterprise.' Hij zag er volkomen gezond uit, en zelfs verveeld. Een broeder duwde de rolstoel met de jongeman naar de radiologiekamer.

'Het duurt niet lang meer nu,' zei de jonge vrouw tegen de oude vrouw.

'Dat hoop je,' zei de oude vrouw. 'Als we hier weg zijn, ben jij ook aan je pensioen toe.'

De jonge vrouw lachte. Toen keek ze weer naar mij. 'Wat is er met jou gebeurd, kind?'

'We zijn aangereden door een auto,' zei ik. 'Mijn moeder en ik, maar ik weet niet waar mijn moeder is.'

'Die zit natuurlijk beneden te wachten,' zei ze. 'We hebben er vijf uur over gedaan om bij de röntgenkamer te komen.'

Ik voelde me opgelucht dat ze me gehoord had. 'Ik weet niet hoe lang ik hier ben.'

'Al heel lang,' zei de oude dame. 'Je druppelt als stroop door dit ziekenhuis.'

De jonge vrouw draaide zich naar me om en schudde glimlachend haar hoofd om me duidelijk te maken dat ik er geen aandacht aan moest schenken. 'Het komt allemaal in orde,' zei ze, en keek toen strak naar de gesloten deur alsof ze die wilde dwingen open te gaan. Ik deed mijn ogen weer dicht. Toen ik ze opendeed, besefte ik dat ik in slaap moest zijn gevallen, want de twee vrouwen waren weg en er stonden twee andere brancards achter me. Ten slotte ging de deur weer open en de Afro-Amerikaanse vrouw werd naar buiten gereden, waarop ik naar binnen werd geduwd. De jongeman die me naar het röntgenapparaat bracht, was de aardigste en vriendelijkste van iedereen die ik hier tot dusver ontmoet had. Hij verzekerde me dat hij alles zou doen om het me zo gemakkelijk en comfortabel mogelijk te maken.

'Weet u waar mijn moeder is?' vroeg ik hem. Omdat hij zo aardig was, dacht ik dat hij me wel antwoord zou geven.

'Sorry,' zei hij. 'Ik werk alleen met de röntgenapparatuur. Maar iemand zal er zeker voor zorgen dat je moeder later op bezoek komt.'

'Zij is ook aangereden door die auto,' zei ik. 'Is ze hier al geweest?'

Hij zweeg even, dacht na en schudde zijn hoofd. 'Waarschijnlijk is ze nu bij een andere arts,' antwoordde hij. 'Kom, we gaan aan de slag.'

Toen de röntgenfoto's waren gemaakt, kwam een andere zuster me halen om me weer naar de lift te brengen.

'Waar ga ik naartoe?' vroeg ik.

'Je moet op de dokter wachten. Hij zal eerst je röntgenfoto's willen bekijken. We hebben een onderzoekkamer voor je vrijgehouden en ik wil je erheen brengen voordat iemand anders er beslag op legt.'

'Maar hoe is het met mijn moeder? Zij was ook bij het ongeluk.'

'Ik zou het niet weten,' antwoordde ze. 'Mijn dienst is net begonnen.'

Ze bracht me met de lift naar een andere onderzoekkamer. Ik weet niet hoe lang ik daar lag voordat de dokter kwam, maar ik weet dat ik nu en dan in slaap sukkelde en dat ik erge dorst had. Ik riep iemand om me alsjeblieft wat water te geven, maar iedereen scheen het te druk te hebben om me te horen.

Toen de dokter eindelijk kwam, verbaasde het me dat hij er zo jong uitzag. Hij had lichtbruin krulhaar en een rond gezicht met dunne lippen en een kleine neus, zo klein, dat het leek of hij nog niet helemaal tevoorschijn was gekomen. Zijn gelaatstrekken schenen bijna weg te zakken in zijn schedel. Zijn huid was zo zacht en fris als van een kleine jongen. Misschien was hij nog niet eens begonnen zich te scheren, dacht ik, maar dat was mal natuurlijk, besefte ik daarop.

'Oké,' zei hij, op een toon alsof we een gesprek hadden gevoerd dat onderbroken was. 'Ik ben dokter Decker, een van de artsen van de spoedeisende hulp. Ik heb dokter Milan gevraagd je te onderzoeken. Hij is een orthopedist. De reden is dat je een ernstige breuk van de femur hebt.'

'Ik weet niet wat dat is.'

'Je dijbeen.'

Hij hield de röntgenfoto omhoog om het me te laten zien en wees naar mijn rechterbeen.

'Dit is je dijbeen. Het bestaat uit vier delen, en het letsel zit in het bovenste deel, zie je?' zei hij, alsof hij stond te doceren voor een klas. 'Kijk maar naar mijn vinger.'

Ik knikte, al had ik geen idee waar hij naar wees. 'Ernstig voor iemand van jouw leeftijd is dat het invloed kan – en waarschijnlijk ook zal – hebben op de groeischijf, het zachte gebied van het bot bij de epifyse naast de kop van de femur. Als gevolg hiervan zou je rechterbeen iets korter kunnen worden dan het linker. Dus willen we dat een specialist het gips aanbrengt, oké? Het kan wel even duren.'

'Mijn hoofd doet ook pijn, en mijn arm en nek en schouders.'

'Ze hebben je goed te pakken gehad. Gelukkig is er verder niets gebroken, maar je hebt een lichte hersenschudding. Daarom voel je je misselijk en duizelig. Het verbaast me dat je geen gebroken arm hebt.'

Hij tilde mijn rechterarm op, en ik zag de blauwe plekken. Ze waren akelig en angstwekkend en onwillekeurig begon ik te huilen.

'Rustig maar,' zei hij. 'Ik zal tegen de zuster zeggen dat ze je iets geeft tegen de misselijkheid. Ik wil je verder niets voorschrijven voordat dokter Milan hier geweest is. Oké?'

'En mijn moeder?'

'Je moeder? Wat is er met haar?'

'Zij werd het eerst door de auto aangereden.'

Hij knikte. 'Ik zal het navragen,' zei hij. Hij gaf een klopje op mijn hand en ging weg.

Ik verwachtte dat de zuster gauw haar opwachting zou maken, maar het duurde heel lang voor er iemand kwam, en het was geen verpleegster. Ze droeg geen uniform. Het was een oudere dame met kort grijs haar, dat rond haar hoofd geplakt leek. Ze droeg een bril met zulke dikke glazen dat hij meer op de veiligheidsbril van een monteur leek. Ze kwam naar me toe en hief haar klembord op.

'Ik ben mevrouw Muller. Ik werk bij Opname. Je hebt tegen iemand van het ambulancepersoneel gezegd dat je Sasha Porter heet, klopt dat?'

Ik kon me niet herinneren dat ik iemand iets over mijzelf verteld had. Misschien had ik liggen praten in mijn slaap.

'Ik heet Sasha Fawne Porter, ja. Fawne met een *e* aan het eind. Zo spelde mijn grootmoeder haar Chinese naam.'

'Je zei dat je dertien bent?'

'Over twee maanden word ik veertien.'

Ze boog haar hoofd en keek me over haar bril aan alsof ik iets belachelijks had gezegd. 'Wat is je huidige adres? Waar woon je?' ging ze haastig verder, alsof ze het voor me vertaalde.

Misschien had ik haar niet moeten laten weten dat mijn grootmoeder Chinees was. Ze bleef afwachtend zitten met haar pen en keek me niet aan, tot ze besefte dat ik haar vraag niet beantwoordde.

'Weet je niet waar je woont? Wat is je adres?'

'We hebben geen adres.'

'Hoe bedoel je, jullie hebben geen adres? Ik vroeg je waar je woont.' Ze kwam op een idee. 'Op een boot?'

'Nee. We wonen op straat, slapen op het strand.'

Ze staarde me aan en perste haar onderlip over haar bovenlip.

Het maakte dat het bruine vlekje onder op haar kin meer op een traan leek. 'Hoe lang is dat al aan de gang?' vroeg ze, alsof het mijn schuld was.

'Ik weet niet precies hoe lang. Een jaar, denk ik.'

'Naar welke school ga je?'

'Ik ga op het ogenblik niet naar school.'

Haar gezicht vertrok even en ze schudde haar hoofd. 'Waar is je vader?'

'Weet ik niet. We weten het niet precies. We denken dat hij naar Hawaï is gegaan.'

'Hawaï? Dus je ouders zijn gescheiden?'

'Nee. Hij is gewoon vertrokken.'

'Gewoon vertrokken?' Ze knikte, alsof ze hem kende, en tikte met haar pen op het klembord. 'Oké. En je andere familieleden hier?'

'We hebben hier geen familie. Mijn moeder heeft een tante en nichten en neven in Portland, Oregon. De familie van mijn vader woont in Ohio, maar daar praten we niet mee. Ik weet zelfs niet hoe ze heten. Zijn ouders zijn lang geleden gestorven. Hij heeft een zuster, maar ze praat al een hele tijd niet meer met hem, of hij niet met haar.' Ik knikte. Misschien waren deze bijzonderheden belangrijk. 'Ja, mama zei dat hij niet meer met haar sprak.'

'Dus er is niemand die de verantwoordelijkheid voor je heeft?'

'Alleen mijn moeder.'

'Daar schieten we niet veel mee op,' mompelde ze. Ze controleerde iets op haar klembord en liep toen weg.

'Waar is mijn moeder?' riep ik.

Ze bleef staan en draaide zich weer naar me om. 'Heeft niemand je dat verteld?'

'Nee.'

'Je moeder is er niet meer. Ze was op slag dood en is regelrecht naar het mortuarium gebracht.'

2

Alleen

De zuster die ten slotte kwam om me het medicijn te geven dat dokter Decker had beloofd, begon met mijn pols te voelen en mijn bloeddruk op te nemen, gaf me toen een eetlepel met een of andere siroop tegen de misselijkheid, en zei dat dat alles was wat ze op het ogenblik voor me kon doen. Ik begon weer te huilen en ze zei dat ik een grote meid moest zijn.

'Die vrouw zei dat mijn moeder dood is,' zei ik door mijn tranen heen.

'Ja, dat is heel erg, maar je moet nu een flinke meid zijn. Dan gaat alles een stuk gemakkelijker.'

Een flinke meid? Hoe reageert een flinke meid op het nieuws van de dood van haar moeder? wilde ik haar vragen. Huilt die niet?

De zuster keek op toen dokter Decker haastig binnenkwam. 'Wat is er aan de hand?' vroeg ze hem. Haar stem klonk een beetje geërgerd.

'Milan komt niet. Toen hij hoorde dat ze niet verzekerd is, had hij plotseling een ander spoedgeval.'

'En?'

'Ik zet het been wel. We moeten verder. Er is een hele rij wachtenden.'

'Vertel míj wat,' zei de zuster. 'We zouden een verkeersagent moeten hebben.'

'Oké, laten we aan de slag gaan.' Hij keek eindelijk naar mij. 'We zullen beginnen met jou beter te maken,' zei hij.

Hij probeerde alles stap voor stap uit te leggen, maar ik had alle belangstelling verloren en was me slechts vaag bewust van alle activiteiten om me heen.

'Dat kind verkeert praktisch in een shock,' zei de zuster. 'Afgezien van de verwondingen, heeft ze net te horen gekregen dat haar moeder gestorven is.'

'Hoe sneller ik hiermee klaar ben, hoe eerder ze er overheen is,' zei hij. Blijkbaar wilde hij niet blijven rondhangen en een gesprek voeren.

Waar overheen? vroeg ik me af. Verdriet of pijn? Ik kreunde, maar vanwege mijn lichte hersenschudding, zei dokter Decker, wilde hij me geen sterke pijnstillers geven. Hij zei dat hij me wat Tylenol zou voorschrijven; hij was ervan overtuigd dat dat wel iets zou helpen.

'Hou vol,' zei hij en liet een flitsende glimlach zien; het leek of er een springveer in zijn gezicht zat.

Toen mijn been gezet was, brachten ze me naar een zaal. Het was al bijna ochtend. Door het raam tegenover mijn bed kon ik het zonlicht langzaam aan de horizon zien verschijnen, alsof het bang was dat het door de nacht zou worden teruggeduwd. Alle anderen in de zaal, naar het scheen voornamelijk bejaarde vrouwen, leken nog te slapen. De enige verpleegster die de leiding had, mevrouw Stanton, kwam me net zo oud en ziek voor als de patiënten. Haar gezicht zag zo bleek en haar ogen waren zo waterig, dat ik dacht dat een van de patiënten uit bed was gekomen en een verpleegstersuniform had aangetrokken. Ze legde me in bed en zei dat ik moest proberen te slapen.

'Heb je ergens behoefte aan?' vroeg ze.

Wat een vraag, dacht ik. Ja, ik heb er behoefte aan dat mijn moeder niet dood is. Ik heb behoefte aan een thuis. En aan een school en eten en kleren. En ik wil me kunnen herinneren hoe je moet lachen. Ik zag aan haar gezicht dat, als ik iets in die trant had gezegd, zij degene kon zijn die zou lachen, dus hield ik mijn mond. Ik had tegen niemand iets gezegd sinds die vrouw me had verteld dat mijn moeder dood was en in het mortuarium lag. Ik had liggen kermen en huilen. Mevrouw Stanton liep weg naar een andere patiënte en ik sloot mijn ogen.

Ik slaap met tussenpozen. Het gerammel van serviesgoed wekte me toen het ontbijt kwam. Ik keek ernaar, maar wendde mijn gezicht af en at of dronk niets. De verpleegster die mevrouw Stanton had vervangen schudde me zachtjes heen en weer en zei dat ik moest proberen iets te eten. 'En je moet wat drinken. Ik wil niet dat je uitdroogt,' zei ze, alsof ik voor haar werkte. Ze wachtte tot ik mijn hand uitstak naar het glas sap en overhandigde het me toen. Ik dronk wat, en ze herhaalde dat ik moest proberen te eten. 'Als je je lichaam niet voedt, geneest het niet,' waarschuwde ze. Ze zei het op een toon alsof zij en de dokter daar niets tegen konden doen. Wat er ook gebeurd was en nu zou gaan gebeuren, het was allemaal mijn schuld. Het klonk alsof ze bedoelde dat het mijn schuld was dat ik geboren was.

Een andere dokter kwam binnen om de patiënten in de zaal te onderzoeken. Ik hoorde dat de zuster over mij klaagde. Hij las de kaart die aan het voeteneind van mijn bed bevestigd was en onderzocht toen mijn kneuzingen, controleerde mijn ogen, en luisterde door de stethoscoop naar mijn hart en longen. Op zijn naamplaatje stond 'Dr. Morton'. Hij zag er ouder uit dan dokter Decker, maar iets zei me dat hij dat niet was. Later hoorde ik dat hij coassistent was.

'Je lichaam heeft een flinke dreun gehad,' zei hij. Hij keek op mijn kaart en ging verder: 'Sasha. Je wilt toch eten en drinken om aan te sterken?'

Hij praatte tegen me als tegen een kind van vijf. Ik gaf geen antwoord, en hij draaide zich om naar de zuster en zei: 'Misschien moeten we de psycholoog erbij halen.'

'Is mijn moeder echt dood?' vroeg ik toen ik zag dat hij weg wilde gaan.

Hij keek naar de zuster.

'Haar moeder is door dezelfde auto aangereden,' antwoordde de zuster. 'Ze was op slag dood.'

'O. En hoe zit het met...' Hij knikte naar mij.

'Er zijn geen andere familieleden vermeld. Er zal beslist contact zijn opgenomen met de sociale dienst. Dakloos,' fluisterde ze, maar niet zacht genoeg dat ik het niet kon horen.

'Oké. Hou je taai, Sasha. We zullen goed voor je zorgen.'
Hij glimlachte naar me, gaf een klopje op mijn hand en liep verder naar de volgende patiënt. De verpleegster liep als een gehoorzaam hondje achter hem aan terwijl hij van bed naar bed ging. Voor me zorgen? Hoe wilden ze dat doen? vroeg ik me af. Hoe kon iemand dat? Ook al was ons leven de laatste jaren ellendig geweest, toch wilde ik dat mama en ik terug waren op de promenade langs het strand en mama haar kalligrafieën en ik mijn sleutelhangers verkocht. Ik wilde dat we terug waren in de strijd om het bestaan. In ieder geval waren we toen samen en had ik iemand bij me. En misschien was ze wel beter geworden. Misschien zou ze zijn gestopt met drinken en weer werk hebben gevonden, en had ik weer naar school gekund, welke school dan ook. Ik kreeg altijd tranen in mijn ogen als ik andere meisjes van mijn leeftijd in hun schooluniform zag lachen en praten op weg naar school of naar huis. Ze hoefden er nooit over te piekeren waar ze zouden slapen en wat ze zouden eten. Kon ik de tijd maar terugdraaien en alles veranderen.

Ik sloot mijn ogen en droomde erover. Mama was weer mooi, en ik had nieuwe kleren en vriendinnen. We hadden minstens zo'n mooie flat als vroeger met papa. Omdat mama werkte, zou ik beginnen met koken voordat ze thuiskwam. Ze zou trots zijn op me, en we zouden lachen en elkaar vertellen wat we die dag hadden beleefd. Ik kon haar mijn uitstekende cijfers laten zien, en dan mijn huiswerk gaan maken. Ze zou nog steeds kalligraferen, maar nu alleen voor haar eigen plezier. Omdat ze zich gelukkiger voelde als ze het deed, maakte ze uitvoerigere tekeningen, en na korte tijd zou zij ze verkopen aan kunstgalerieën, niet aan winkels of bars. We zouden meer geld hebben dan ooit, en mama zou beginnen over de aanschaf van een auto.

'We gaan elk weekend een uitstapje maken, gaan mooie dingen bekijken en onderweg in gezellige restaurants eten,' zou ze me vertellen. 'Ik heb het je toch gezegd? We kunnen best zonder hem, en het leven kan ons geen kwaad meer doen, want we zijn samen, partners, moeder en dochter, maar meer als zussen, goede vriendinnen.'

Ze zou me omhelzen en me in haar armen houden, en ik zou de zoete geur opsnuiven van haar parfum en haar haar, dat weer lang en glanzend was. De mannen zouden natuurlijk veel belangstelling voor haar hebben, maar deze keer zou ze veel voorzichtiger zijn en alleen maar uitgaan met mannen die hun verantwoordelijkheid kenden. Op een goede dag zou iemand haar ten huwelijk vragen en zou ons leven tienmaal beter worden. We zouden in een huis wonen, niet in een flat, en mama zou niet meer hoeven werken. Die wonderbaarlijke, rijke man zou van me houden en een echte vader voor me zijn. Hij zou op ouderavonden komen en huiswerk met me maken en me mooie dingen laten zien en me overal mee naartoe nemen, net als andere vaders met hun dochter zouden doen.

Ik vermoedde dat de meeste meisjes mijn dromen te simpel, te gewoon zouden vinden. Zij zouden ervan dromen een beroemde popzangeres of een film- en televisiester te worden. Ze zouden grote huizen en dure auto's verlangen, zelfs boten. Ze zouden dromen van juwelen en modieuze jurken en schoenen, liefdesrelaties en romantische avonturen.

'Zelfs je dromen zijn meelijwekkend, zielenpiet,' zouden ze zeggen en weigeren mijn vriendin te worden.

Ik zou heel voorzichtig moeten zijn met het opbiechten van mijn fantasieën. Ik zou net moeten doen of ik precies dezelfde dingen verlangde als zij. Ik zou veel dingen geheim moeten houden, vooral onze strijd om het bestaan. Wat ik beslist zou moeten doen was voor de dag komen met een goed verhaal. Toen ik dat in mijn droom uitlegde aan mama, knikte ze, begreep mijn probleem en zei: 'Je kunt ze het best vertellen dat je vader om het leven is gekomen bij een auto-ongeluk. Dan zullen ze medelijden met je hebben en niet de spot met je drijven.'

Precies, dacht ik. Papa was sowieso dood wat mij betrof. Het was bijna geen leugen.

Ik droomde zo intens dat het bijna werkelijkheid leek. Een tijdlang was ik gelukkig en voelde ik geen pijn of ongemak, maar toen begon iemand in een ander bed te gillen van de pijn, en werd ik uit mijn fantasie gerukt. Ik was weer terug in deze grauwe zaal, waar ik ontdekte dat ook de andere patiënten dakloos of verlaten waren. Een van de vrouwen zei tegen een ander dat we ons allemaal in de 'menselijke afvalcontainer' bevonden. Hoe lang zouden ze me hier laten? vroeg ik me af. Zou ik hier moeten blijven tot mijn been genezen was? En waar zouden ze me dan naartoe sturen? Wat hadden ze met mama gedaan? Zou ik haar ooit te zien krijgen, of zou ze domweg worden weggebracht en ergens begraven worden zonder dat er iemand bij was? Ze zei vaak dat ze zou eindigen in Potter's Field, een begraafplaats voor onbekenden, voor onbetekenende mensen.

'Waar is Potter's Field?' had ik haar gevraagd.

'Overal is wel een armenkerkhof.' Ze had me aangekeken, zich afvragend of ze me meer zou vertellen. Ik was toen dertien en ging niet naar school. Altijd als ze nuchter was, zei ze dat het haar speet dat ik niet naar school ging en probeerde ze me vaak dingen te leren.

'Het staat in de Bijbel,' ging ze verder. 'Mijn vader zat altijd met zijn neus in de Bijbel. Bijna elke avond als hij thuis was, las hij eruit voor. Je weet wie Judas was, hè?'

'Ja, hij verried Jezus voor dertig zilverlingen.'

'Goed. Nou, later had hij er spijt van en ging hij terug naar de hogepriesters die hem hadden betaald. Hij gooide het geld op de grond. Later hing hij zich op. De priesters vonden dat het geld bezoedeld was met bloed en gebruikten het om een armenkerkhof te stichten op een terrein waar ze klei ontgonnen voor potten. Je vader zei altijd stompzinnig dat informatie en anderhalve dollar genoeg waren voor een ritje met de bus.'

'Maar meer dan dat kost het ook niet.'

'Ha! Zo dacht je vader over wetenschap en kennis,' had ze geantwoord.

Het was bijna onmogelijk me mama te herinneren zoals ze vroeger was, nooit dronken. Voordat *z*e begon te drinken waren haar ogen helder; ze had een kaarsrechte rug en een vastberaden gezicht. Maar dat werd steeds minder de regel en steeds vaker de uitzondering.

Soms dacht ik dat een buitenaards wezen misschien bezit van haar had genomen, een wezen zonder de eigenwaarde en het zelf-respect van mama. Misschien was mama niet dood. Misschien was alleen dat buitenaardse wezen in haar op de snelweg gestorven, en zou ze ontwaken en bij me terugkomen. Ik staarde naar de deur van de zaal zoals mama altijd over zee tuurde naar de boot die zou komen om ons te redden, in de hoop dat ze plotseling glimlachend voor me zou staan.

'Het komt allemaal goed,' zou ze zeggen. 'Het is oké, Sasha. Ik ben terug.'

Ik knipperde met mijn ogen toen een lange vrouw in een modern designerbroekpak in de deuropening verscheen, en mijn droom als een luchtbel uiteenspatte.

Deze vrouw had dik, stijlvol gekapt lichtbruin haar tot op haar schouders en ze had een tas bij zich die paste bij haar outfit. Ze tuurde de zaal in, bekeek elke patiënte nauwkeurig, tot haar oog op mij viel. Toen ze me zag, leek ze te verstarren. Ze hield haar blik strak op me gericht, haar zachte volle lippen licht geopend. Op wie probeerde ze te lijken, Angelina Jolie?

Ik kon mijn ogen niet van haar afhouden. Ze zag eruit als een filmster met haar perfecte make-up en gladde perzikhuid. Maar op de een of andere manier maakte ze meer indruk dan een filmster. Haar vorstelijke houding gaf haar een uitstraling van autoriteit, zeggenschap en macht. De diamanten ring aan haar linkerhand was zo groot dat hij de lichtstraal opving die door het dichtstbijzijnde raam naar binnen viel en daardoor nog verblindender werd. Ze had ook lange diamanten oorhangers en een ketting van kleine parels.

Het duurde even voor ze de zaal binnenliep, en toen liep ze heel voorzichtig verder, zo voorzichtig als iemand die zich een weg moet banen door een modderpoel. Misschien dacht ze dat de pa-tiënten in de zaal besmettelijk waren. Ze scheen inderdaad haar adem in te houden. Ik wachtte af toen ze bij mijn bed bleef staan.

'Ben jij Sasha Fawne Porter?' vroeg ze.

Ze kon niet van de sociale dienst zijn, dacht ik. Of wel? Wie anders kon naar mij op zoek zijn? Wie anders kende mijn volledige naam?

'Ja,' zei ik.

Ze knikte, maakte haar tas open en haalde er een heel dun zakdoekje uit waarmee ze haar rechteroog bette. Ik zag niets. Misschien veegde ze denkbeeldige bacillen weg. Waarom zou het een traan zijn? Ze concentreerde zich op het deel van de deken waaronder mijn in gips verpakte been lag.

'Heb je veel pijn?' vroeg ze, knikkend naar mijn benen.

'Alleen als ik te veel beweeg,' antwoordde ik.

'Wat vreselijk voor je.'

Ik keek haar aan en vroeg me af waarom ze dat zo vreselijk zou vinden. 'Bent u van de sociale dienst?' Ze sperde haar ogen open.

'Niet bepaald, nee.' Ze aarzelde even en zei toen: 'Ik ben Jordan March. Mevrouw Donald March.'

De manier waarop ze haar naam zei – aankondigde, zou ik beter kunnen zeggen – maakte dat ik mijn hersens afpijnigde, in mijn geheugen zocht naar iets wat me zou vertellen wie ze was. Had ik haar gezien op de cover van een tijdschrift? Was ze een filmster, of een televisiester, iemand die bij wijze van liefdadigheid patiënten bezocht in ziekenhuizen? Waarom dacht ze dat ik zou weten wie ze was?

'Is het je rechterbeen dat is gebroken?' vroeg ze.

Ik sloeg de deken terug om haar het gips te laten zien. 'Mijn femur,' zei ik, denkend aan dokter Deckers beschrijving. 'De bovenkant.'

'Ja, ik weet het.'

Hoe wist ze dat? Was ze een speciale verpleegster? Of misschien een arts? Maar ze had zich niet dokter March genoemd. Zou een dokter zo praten?

'Je hebt verder niets gebroken, hè?'

'Nee.' Als ze een dokter was, zou ze dat hebben geweten, dacht ik.

'Maar je hebt een flinke klap gehad,' besloot ze, haar blik gericht op mijn armen die bont en blauw zagen.

'Ik heb ook een lichte hersenschudding. En mijn nek doet pijn, zodat ik moeite heb om mijn hoofd op te tillen.' Ik weet niet waarom ik haar dat allemaal vertelde. Misschien was het omdat niemand anders er belangstelling voor had.

'O, hemel, arm, arm kind!'

Arm is precies wat ik ben, dacht ik. Een paar anderen keken onze richting uit en luisterden. Ze glimlachte naar niemand. Ze leek zich in zichzelf terug te trekken en ademde uit door haar bijna gesloten lippen.

'Goed, dit kan zo niet langer,' zei ze. Ze leek het meer tegen zichzelf te zeggen dan tegen mij. 'Dit kan echt niet.' Ze draaide zich om en liep snel naar buiten.

'Was dat je moeder?' vroeg de vrouw naast me.

'O, nee,' zei ik. 'Mijn moeder is veel mooier.' Was mooier, dacht ik, en argumenteerde toen met mijzelf. Deze vrouw was mooi, dat viel niet te ontkennen, maar mama had dat exotische uiterlijk, en een natuurlijke schoonheid. Ze was niet alleen mooi, ze was anders. In Los Angeles waren vrouwen zoals deze vrouw niet ongewoon. Mama zei altijd: 'Het is de enige stad waar het vrouwen niet kan schelen dat schoonheid oppervlakkig is, er zijn er maar weinig die dieper willen gaan.'

Mevrouw March bleef bijna een halfuur weg en toen ze terugkwam, werd ze vergezeld van de zaalzuster en een broeder. De broeder duwde een brancard naast mijn bed. Mevrouw March keek toe.

'We verhuizen je,' zei de zuster.

'Waarheen?'

'Een kamer. Een privékamer,' voegde ze eraan toe, met omlaaggetrokken mondhoeken.

Zij en de broeder legden me voorzichtig op de brancard.

'Heeft ze nog bezittingen?' vroeg mevrouw March aan de zuster toen ze zich omdraaiden en me weg wilden rijden.

'Bezittingen? Nee, niks,' zei de zuster. 'Wat zou ze kunnen hebben?'

Het gezicht van mevrouw March gezicht vertrok even. 'Een horloge misschien? Sieraden? Deze mensen dragen altijd alles bij zich.'

'Voor zover ik weet had ze niks, en er staat nergens iets vermeld.'

'Dat mag ik hopen,' zei mevrouw March. 'Iemand die steelt van dit kind zouden ze moeten neerschieten.'

Ik keek naar de andere patiënten in de zaal. Enkelen keken nieuwsgierig en verbaasd toe. 'Relax,' zei de zuster, en ik boog afwachtend mijn hoofd terwijl ik werd voortgeduwd.

We gingen naar een lift. Mevrouw March volgde ons en bleef kalm in een hoek staan terwijl de lift omhoogging naar een veel hoger gelegen verdieping. Ze hield haar hoofd recht en keek strak voor zich uit, zonder me nog een blik te gunnen. Ze zei geen woord tegen de zaalzuster of de broeder.

De liftdeur ging open op een rustige gang met muren die er fris geschilderd uitzagen en een vloer die blonk in het zonlicht dat door een van de ramen naar binnen viel. Ik zag de verpleegstersbalie, waar minstens zes zusters druk bezig waren met hun diverse werkzaamheden. Aan het eind van de balie zat een verpleegster achter een paar computerschermen. Ik zag dat ze bezig was met een borduurwerkje. Hier viel niets te bekennen van de jachtige haast op de spoedeisende hulp.

Ik werd naar een deur gereden en vervolgens een kamer in, die mooier was dan enige slaapkamer die ik ooit had gehad. Links stond een grote kleerkast van licht esdoornhout, rechts een ladekast; naast het bed stonden tafeltjes, en tegenover het voeteneind een televisietoestel op een metalen plank. De kamer had twee grote ramen die uitkeken op de heuvels van Hollywood. Het bed was breder dan dat in de zaal beneden, en de deken en kussens leken splinternieuw. De broeder en de zuster legden me voorzichtig op het bed. De broeder ging de kamer uit met de brancard, en de zuster richtte zich tot mevrouw March.

'Ik zal haar papieren naar de balie brengen,' zei ze.

'Dank je,' zei mevrouw March.

De zuster vertrok en mevrouw March kwam naast het bed staan en keek naar me. 'Zo is het beter, hè?'

'Ja,' zei ik.

'Ik heb een privéverpleegster laten komen. Ze is er over een uur.

Ze heet Jackie Knee.' Ze boog zich naar me toe en fluisterde: 'Ze is jonger dan de meeste verpleegsters hier, meer ingesteld op meisjes van jouw leeftijd. Ze heeft gewerkt in een kliniek voor plastische chirurgie in Brentwood, maar nu is ze freelancer en neemt privé-opdrachten aan. Ik denk dat ze daarmee meer verdient.'

Ze richtte zich op en staarde me een paar seconden aan.

'Ik heb afgesproken dat je onderzocht wordt door een bekende orthopeed, dokter Milan.'

'Dokter Milan?'

'Je weet wie hij is?' vroeg ze met een vluchtig glimlachje.

'Hij had gisteravond mijn been moeten behandelen, maar hij kwam niet omdat ik geen ziekteverzekering heb, dus heeft dokter Decker het gedaan.'

'Heus? Is dat echt waar? Nou, vandaag komt hij,' zei ze vastberaden. 'Daar kun je zeker van zijn.'

'Wie betaalt dit allemaal?' vroeg ik.

'Dat doe ik. Dat wil zeggen, mijn man en ik.'

'Waarom?' vroeg ik, in de verwachting dat ze zou zeggen dat ze voorzitter was van een of andere liefdadigheidsinstelling.

Even keek ze alsof ze geen antwoord zou geven. Ze draaide haar hoofd om, keek uit het raam en toen weer naar mij.

'Het was mijn dochter Kiera, die jou en je moeder heeft aangereden,' zei ze.

3

Kiera's schuld

Ik wist niet wat ik moest zeggen toen mevrouw March me vertelde dat haar dochter mama en mij had aangereden, dus staarde ik haar alleen maar aan terwijl ze liep te ijsberen, haar handen bewoog alsof ze praatte. Ik denk dat ze probeerde de juiste woorden te vinden. Waren er juiste woorden?

Ze draaide zich om, perste haar lippen op elkaar. Toen haalde ze diep adem en ging verder. 'Ze was high door een van haar party drugs. Zo noemen ze die.' Ze zweeg even en draaide zich naar me om. 'Weet je wat dat zijn?'

Ik knikte.

'Maar jij gebruikt niet, hè?'

'Nee,' zei ik, maar wat zou dat in hemelsnaam voor verschil kunnen maken?

'Goed. We hebben onze handen vol gehad aan Kiera. Ze heeft alles wat een meisje van haar leeftijd maar kan verlangen. Mijn man, Donald, is een van de meest succesvolle aannemers in Zuid-Californië. De helft van de winkelcentra die je ziet zijn door hem gebouwd, en hij heeft het drukker dan ooit. Hij geeft alles wat hij kan aan onze dochter. Kiera heeft haar eigen auto. Ze is al twee keer in Europa geweest. Haar garderobe is groter dan die van mij, om nog maar te zwijgen over de hoeveelheid juwelen en horloges, waaronder een Arabische prinses zou bezwijken.'

Ze schudde haar hoofd. 'Je zou denken dat elk meisje dankbaar zou zijn voor het leven dat Kiera heeft, maar dit is niet de eerste keer dat ze in grote moeilijkheden is geraakt. Elke keer heeft mijn man haar uit de problemen geholpen, zijn kruiwagens gebruikt, haar gered. Het gevolg is dat ze nooit haar lesje heeft geleerd. Ik heb het hem gezegd. Ik heb hem gewaarschuwd dat er nog iets veel ergers zou gaan gebeuren, maar hij luisterde niet, en nu is hij alweer bezig haar voor de zoveelste keer te redden. Ik zei hem dat hij haar er deze keer voor moest laten boeten, maar hij wil er niets van horen. Hij heeft een topadvocaat in de arm genomen, maar dit is niet de eerste keer. Je hebt geen idee hoeveel geld we voor haar hebben uitgegeven aan advocaten.'

Ze sprak snel en opgewonden, en haar gezicht zag vuurrood. Toen haalde ze diep adem, keek uit het raam en ontspande haar schouders. 'Natuurlijk begrijp ik het wel,' zei ze. 'En je kunt het hem niet kwalijk nemen.'

Ze zat in de stoel naast het bed. Een paar ogenblikken bleef ze met gebogen hoofd zitten. Haar woorden en gedrag eisten mijn volle aandacht. Ik hield mijn adem in, wachtte op de volgende uitbarsting, maar ze ging met lage, zachte stem verder.

'Drie jaar geleden is onze jongste dochter, Alena, aan acute leukemie overleden. We zijn met haar naar de beste ziekenhuizen en specialisten in het land geweest, maar we konden haar niet redden. Je kunt al het geld ter wereld hebben, Sasha, en toch niet gelukkig zijn. In ieder geval wil Donald niet ook nog Kiera verliezen. Ik ook niet, maar ik denk dat de manier waarop hij haar wangedrag altijd weet te excuseren, daar juist toe zal leiden. Het is als een slopende ziekte, die steeds erger wordt. Waarschijnlijk ben je te jong om alles te begrijpen wat ik zeg,' voegde ze er met een zucht aan toe. 'Sorry dat ik je hier allemaal mee opzadel, vooral op het moment van je eigen verschrikkelijke ervaring.'

Ik zei niets.

Ze keek me met toegeknepen ogen aan. 'Misschien ben je ook níét te jong om te begrijpen wat ik zeg. Kinderen die een moeilijk leven hebben worden sneller volwassen. Ik weet zeker dat je meer dan je lief is hebt gezien van de schaduwkant van het leven, en kijk nu eens wat er met je gebeurd is. Het spijt me. Het spijt me echt, en ik zal alles doen wat ik kan om het een beetje beter te maken voor je.'

'Mijn moeder is dood,' zei ik. 'Ze zeiden dat ze op slag dood was.'

Haar hele gezicht leek te beven. Ze begreep dat ik bedoelde dat er geen manier was om mijn moeder beter te maken. Voor haar was er geen mooie kamer, waren er geen specialisten om haar wonden te genezen. Niemand kon haar meer iets beloven, dus kon mevrouw March de dingen niet veel beter maken voor me. Ze keek alsof ze zou gaan huilen, draaide zich om en bette haar ogen met haar zakdoekje.

Ik had geen medelijden met haar. Het interesseerde me niet hoe ongelukkig ze was of wat voor verschrikkelijke dingen haar waren overkomen. Misschien was het slecht van me, maar op dat ogenblik had ik met niemand medelijden behalve met mama en mijzelf. Verwachtte ze dat ik zou zeggen dat het niet de schuld van haar dochter was? Was ze hierheen gekomen en had ze dit alles voor me gedaan zodat ik haar dochter zou vergeven en haar gerust zou stellen?

'Het is verschrikkelijk, ik weet het,' zei ze, nog steeds met afgewend gezicht. 'Die arme vrouw. En dat na zo'n zware strijd om te overleven.' Ze zuchtte en draaide zich weer naar me om. 'Hoe kwam het dat jullie dakloos zijn geworden? Ik zie zoveel mensen die karretjes voortduwen, in tenten slapen of gewoon onder het een of ander. Sommigen zien er nog zo jong uit. Als ik naar ze kijk, vraag ik me altijd weer af hoe ze in vredesnaam op straat terecht zijn gekomen, vooral in dit geweldige land. Zijn er veel kinderen zoals jij in dit land?'

'Dat weet ik niet. Wij zijn nooit ergens anders geweest nadat we op straat werden gezet. Mama zei dat het overal hetzelfde zou zijn voor ons, waar we ook naartoe gingen, en hier was het tenminste niet vaak koud.'

Ze liet haar adem ontsnappen en schudde haar hoofd terwijl ze me aankeek. 'Je hoort naar school te gaan, naar feestjes, en je niet bezorgd hoeven te maken waar je volgende maaltijd vandaan moet komen of waar je moet slapen. Wat deden jullie, bedelen?'

'Nee. Mijn moeder wilde niet bedelen. Ze verkocht haar kalligrafieën, en ik verkocht gevlochten sleutelhangers op het strand. Die maakte ik zelf.'

'Kalligrafieën?'

'Chinees schrift.'

'O, ja.' Ze glimlachte.

Er werd op de deur geklopt. Een lange man in een zwart pak met een blauwe das stond op de drempel. Hij had dik grijs haar en heel donkere ogen, een zwart-met-grijs, keurig geknipt baardje, en een zongebruinde Hollywoodteint. Ik dacht dat hij haar man kon zijn. Hij zag er net zo rijk uit als zij.

'Ik ontving je bericht tijdens een orthopedisch congres in Shutters, Jordan. Ik ben zo gauw ik kon gekomen.'

'Dank je, Michael. Dit,' zei ze, zich weer naar mij omdraaiend, 'is het jonge meisje dat ik wil dat je behandelt, Sasha Porter.'

Hij knikte en liet mevrouw March een klembord zien dat hij in zijn rechterhand hield. 'Ik heb onderweg haar dossier opgevraagd.'

'Dit is dokter Milan, Sasha. Ik wil graag dat je je door hem laat onderzoeken.'

Hij liep mijn kamer in en trok zonder goedendag te zeggen of zelfs maar naar me te glimlachen, de deken van mijn rechterbeen en bekeek het gipsverband. Hoofdschuddend keek hij naar mevrouw March.

'Wat is er?' vroeg ze.

'Het is niet hoog genoeg gezet. Ik zie dat slordige werk helaas maar al te vaak. Ik zal het opnieuw moeten doen. Sorry.'

'Heb je de röntgenfoto's gezien, Michael?'

'Ja.'

'Hoe erg is het?'

'Nogal ernstig, en op een slechte plaats, Jordan. Ik zal mijn uiterste best doen, maar negen van de tien keer is er bij iemand van haar leeftijd een blijvend effect als de breuk zo hoog zit.'

'Doe wat je kunt, Michael. Ik meen het,' zei ze vastberaden. 'Denk aan haar als mijn dochter.'

Het verbaasde me dat ze zo streng tegen een dokter sprak, maar hij leek het zich niet aan te trekken. Hij knikte.

'Ik heb een privéverpleegster laten komen,' ging mevrouw March verder. Ze keek op haar horloge. 'Ze kan elk moment hier zijn. Dan kan ze je assisteren.'

'Ik ga me verkleden en dan kom ik terug,' zei hij. Haastig liep hij de kamer uit.

Ik was diep onder de indruk van het gemak waarmee mevrouw March mensen opdrachten gaf. Ik stelde me voor dat ze alles gedaan kon krijgen wat ze wilde.

'Weet u waar mijn moeder is?' vroeg ik haar.

'Ze zal wel in het mortuarium van het ziekenhuis liggen. Sorry.'

'Kan ik haar nog zien?'

'Het is niet prettig om een overleden vrouw te zien, vooral als ze nog jong is.' Ze haalde diep adem en knikte. 'Maar een dochter hoort afscheid te nemen van haar moeder. Ik zal ernaar informeren.'

'Ze was vroeger erg mooi,' zei ik.

'Tja, jij bent een heel knap meisje, dus ik weet zeker dat dat waar is. Maak je geen zorgen. Dokter Milan zal je sneller op de been hebben dan elke andere dokter hier.'

Ik wendde me af en keek uit het raam. Het was weer een zonnige Californische dag. Hoe kon de wereld zo mooi zijn nu mijn moeder was verongelukt? Het was niet mijn bedoeling, maar ik begon te huilen.

'O, god,' zei mevrouw March. Ze stond op en keek me wanhopig aan.

Op dat moment kwam de verpleegster binnen die ze in dienst had genomen. Mevrouw March wachtte niet tot ze zich had voorgesteld en sprong bijna op haar af.

'Dokter Milan gaat haar been nu meteen zetten,' zei ze tegen haar. 'Het gips was niet goed aangebracht. Maak het ons patiëntje zo comfortabel mogelijk. Ze heeft een afgrijselijke ervaring achter de rug, vooral voor iemand van haar leeftijd.'

De verpleegster knikte. Ze was jonger dan de verpleegsters die ik tot nu toe had gezien, jonger en dikker. Mama zou hebben gezegd dat ze een lijf had als een knol. Maar toen ze naar me glimlachte, zag ik dat ze ook aardiger en vriendelijker was dan een van de anderen. Ergens onder die bolle wangen school een knap gezichtje. Dat was ook iets dat mama zou hebben gezegd.

'Dit is Jackie,' zei mevrouw March.

'Hi, Sasha,' zei Jackie en kwam naar me toe om me een hand te geven.
Ze kende mijn naam zonder dat ze op haar klembord hoefde te kijken. Goed zo, dacht ik. Of ze het voor mevrouw March deed of voor mij, wist ik niet, maar ze begon met mijn kussen op te schudden en het voeteneind van het bed omhoog te krikken.
'Dit is de stand waarin je nu moet liggen,' zei ze. Toen bestudeerde ze mijn kaart. 'Ze heeft een lichte hersenschudding,' las Jackie voor en keek toen naar mevrouw March.
'Ik weet het,' zei ze.
'Ben je misselijk, Sasha?'
'Dat was ik wel, maar nu is het niet zo erg meer.'
'Ik zal haar vandaag laten onderzoeken door een neuroloog,' zei mevrouw March. Jackie knikte. Mevrouw March keek op haar horloge. 'Jij blijft tot acht uur?'
'Ja, mevrouw March.'
'Ik zal zorgen dat er dan een andere verpleegster komt.'
'Ik denk niet dat ze dag en nacht iemand nodig heeft, mevrouw March.'
'Ik zal zorgen voor een andere verpleegster,' herhaalde ze, en keek naar Jackie Knee alsof ze haar zou vermoorden als ze nog één woord erover zei. Ze knikte en glimlachte naar mij.
'Wees maar niet bang. We zullen het goed hebben samen,' zei ze.
In een blauw operatiepak kwam dokter Milan terug met een broeder die een brancard voortduwde.
'Ik moet haar meenemen naar een andere kamer,' zei hij tegen mevrouw March.
'Natuurlijk,' zei ze. 'Ik kom later terug,' ging ze verder tegen mij. 'Je doet je best om mee te werken met dokter Milan, oké, Sasha?'
Ik knikte. Wat kon ik anders? Ik kon niet overeind springen en naar buiten hollen, al zou ik niets liever willen.
'Ik zal proberen erachter te komen waar je moeder is,' beloofde ze voor ze wegging.
Later, terwijl dokter Milan een nieuw gipsverband aanbracht, pro-

beerde Jackie me af te leiden door me te vertellen over de keer dat zij haar enkel had gebroken.

'Mijn kleine broertje had een van zijn speelgoedauto's vlak voor de deur van mijn slaapkamer laten liggen. Ik was toen ongeveer zo oud als jij nu. Ik geloof dat ik drie meter de lucht in vloog. Ik was naar buiten gehold om een paar vriendinnen te ontmoeten. Natuurlijk signeerde iedereen mijn gipsverband en schreef er malle dingen op.'

Ik dacht niet dat dokter Milan enige aandacht schonk aan Jackies gebabbel, maar hij zei: 'Zij zal een hele novelle kunnen schrijven op dit verband.'

Na afloop werd ik teruggebracht naar mijn eigen kamer en zag ik dat mevrouw March bloemen had gestuurd om mijn omgeving wat op te vrolijken. Er stonden vijf verschillende boeketten. Jackie was opgetogen. Ik wist dat ze haar best deed om alles beter te laten schijnen dan het was. Ze zorgde ervoor dat ik het grootste deel van mijn lunch opat. Kort daarna kwam een andere dokter, de neuroloog, die ouder en aardiger was dan dokter Milan. Hij heette dokter Sander, en toen hij naar me keek en tegen me praatte, kreeg ik het gevoel dat hij me ook echt zag. Dokter Milan behandelde me alsof ik een grote lappenpop was.

'Hm,' zei dokter Sander, na mijn ogen te hebben bekeken, 'geen enkele hersenschudding is aangenaam of mag genegeerd worden, maar over een week of zo is het weer in orde. Ik kom binnenkort terug om het te controleren. Doe het voorlopig rustig aan. Je verpleegster heeft iets voor je als je weer misselijk mocht worden.' Hij ging verder tegen Jackie. 'Je weet waar je me kunt bereiken als je me nodig hebt,' zei hij. In tegenstelling tot dokter Milan zei hij goedendag toen hij wegging.

Het werd me allemaal een beetje te veel. Ik probeerde wakker te blijven, maar niet lang nadat dokter Sander vertrokken was, viel ik in slaap en werd pas wakker toen het tijd was om te eten. Jackie was bezig alles klaar te zetten. Op het tafeltje rechts van me zag ik een stapel boeken en tijdschriften en een grote doos.

'Wat is dat?' vroeg ik.

'O, je bent wakker. Mooi zo. Mevrouw March heeft een paar boeken en tijdschriften gestuurd waarvan ze dacht dat je ze wel leuk zou vinden. In de doos zit een dvd-speler, met een stuk of tien dvd's voor jouw leeftijd. Ze weet dat het niet erg gezellig is om hier te liggen wachten tot je beter wordt. Ik zal je bed opmaken, zodat je rustig kunt eten, en dan kun je alles bekijken, oké?'

Ze krikte het hoofdeind van het bed omhoog en schoof het dienstblad eroverheen.

'Ziet er goed uit,' zei ze terwijl ze de stolp van het bord tilde. 'Maar als het eten je niet bevalt, moet ik van mevrouw March iets laten komen waar je wél van houdt. Je hoeft geen dieet te volgen.'

'Het is goed,' zei ik zo nonchalant mogelijk.

Dieet? Mama en ik hadden een dieet, zoals sommige dagen niet meer dan twee keer iets eten. Toen mama en ik op straat leefden, zou een maal als dit op een kerstdiner lijken. Ze zou echt kwaad zijn als ik het niet at.

Jackies eten werd ook gebracht, en ze schoof haar stoel naar mijn tafeltje. Ze lachte naar me. 'Toen ik zo oud was als jij, at ik altijd heel vlug, om zo gauw mogelijk aan het dessert toe te komen. Mijn moeder had altijd iets erg lekkers. Deze chocoladetaart ziet er verrukkelijk uit.'

'Kende u mevrouw March al voor ze u vroeg hier te komen?' wilde ik weten.

'Ja. Ze had iets laten doen door de plastisch chirurg bij wie ik werkte. Ze was tevreden over de service die ik verleende. We hadden een speciale afdeling voor herstellende patiënten en ik ben vier keer haar privéverpleegster geweest na een operatie.'

'Vier keer?'

Ze lachte. 'Ik hoor niet uit de school te klappen, maar, ja, ze heeft een volledige facelift gehad, haar billen laten liften, haar borsten laten vergroten en haar maag verkleinen, om niet te spreken over haar lippen.'

'Alles tegelijk?'

'Nee,' zei ze, weer lachend. 'Verdeeld over ongeveer vier jaar, geloof ik. Ik durf niet te vertellen wat het allemaal gekost heeft.'

43

'Weet je waarom ze dit allemaal voor me doet?' vroeg ik.

'Ik weet dat ze veel doet voor diverse liefdadigheidsinstellingen. Ik vind dat heel nobel van haar. Er zijn hopen schatrijke mensen die niks voor anderen doen.' Ze glimlachte en begon weer te eten.

'Ik ben geen liefdadigheidsgeval,' zei ik.

'O?'

Even vroeg ik me af of ik iets zou zeggen. Misschien zou mevrouw March kwaad worden en zou ze niets meer voor me willen doen, maar toen dacht ik aan mama die in een mortuarium lag en aarzelde geen seconde meer.

'Haar dochter heeft mijn moeder gedood en mijn been gebroken,' zei ik. 'Ze was high van xtc.'

Ze hield op met eten. Even keek ze of zij in het ziekenhuisbed hoorde te liggen, niet ik.

4

Mensen met invloed

Ik weet dat Jackie het nog veel erger voor me vond omdat ik een dakloos kind was en niemand had die voor me zorgde, en dat ik daarom gedwongen was te accepteren wat mevrouw March bereid was me te geven en voor me te doen. Elk ander kind, dat wél familie had, zou waarschijnlijk zeggen dat ze kon doodvallen met haar dochter.

'Nou,' zei ze, toen ze even had nagedacht, 'neem gewoon aan wat ze je geeft. Je verdient het, nog meer zelfs. Misschien is haar man bang dat een of andere slimme advocaat je zal komen opzoeken en je overhalen de Marches een proces aan te doen. Er zou een hoop geld voor je opzijgezet kunnen worden tot je achttien bent. Wedden, dat je vader dan terug zou komen?'

'Zou het?'

'Ik denk van wel. Al zou hij waarschijnlijk alleen terugkomen om het geld in handen te krijgen. Hoe lang is hij al weg?'

'Drie jaar.'

'Drie jaar? Heeft hij je vaak gebeld?'

'Nooit.'

'Heeft hij je zelfs nooit geschreven of iets gestuurd?'

'We weten niet eens waar hij precies is.'

'Nou, maak je daar maar geen zorgen over. Je moet nu eerst beter zien te worden.'

'Misschien komt hij terug als hij hoort wat er gebeurd is.'

'Best mogelijk dat hij het nooit ontdekt. Ik lees de krant altijd van A tot Z, en ik heb niets over dit ongeluk gelezen. Maar het verbaast me niks dat de Marches het buiten het nieuws hebben kunnen

houden,' voegde ze eraan toe. 'Ze hebben wat je noemt "invloed".'
Daar hoefde ze mij niet van te overtuigen. Ik hoefde alleen maar
te denken aan wat mevrouw March in zo korte tijd allemaal voor
me had gedaan. Toen ik klaar was met eten, begon ik de tijdschriften en boeken
te bekijken. De meeste tijdschriften las ik altijd als ik ze te pakken
kon krijgen. Geen van de films die ze had gestuurd, had ik gezien,
en ik had nog nooit een dvd-speler gehad. Jackie controleerde mijn
bloeddruk en mijn temperatuur en ging toen zitten lezen.

De volgende twee dagen brachten we op deze manier door.
Mevrouw March kwam niet terug in die tijd, maar ik wist dat ze
Jackie vaak belde. Een andere verpleegster kwam toen Jackie was
vertrokken; ze was ouder en minder spraakzaam, althans tegen mij.
Het grootste deel van de nacht praatte ze met andere verpleegsters.
Ik vermoedde dat Jackie gelijk had. Ik had die tweede verpleegster
niet echt nodig, want ik sliep bijna de hele nacht zonder wakker te
worden. Ik begon me erop te verheugen Jackie de volgende ochtend
weer te zien.

Of ze echt graag over haar familie praatte of dat ze probeerde me
af te leiden, weet ik niet, maar Jackie vertelde me alles over haar
broers en zussen, haar ouders, hoe ze verpleegster was geworden
en haar enige teleurstellende liefdesavontuur. Ze ratelde door over
haar favoriete muziek en wat ze graag at. Het leek wel of er niets
was waar ze niet van hield. Ik luisterde graag naar haar als ze het
over haar familie had. Ik fantaseerde dat ik erbij hoorde.

Wat was trouwens een gezin? Kon je een moeder en een dochter samen een gezin noemen of moest je ook een vader hebben, en
tenminste één broer of zus? Een huis of appartement leek niet veel
voor te stellen als er geen gezin in woonde. Als Jackie haar huis beschreef, vooral toen al haar broers en zussen er nog woonden, had
ik het gevoel dat het huis leefde, een warme plek was die hen
omarmde en waar ze gelukkig en veilig waren. Wat een verschil
met de koude flat waar wij hadden gewoond, en die kleine hotelkamer. Hoe zou ik een van beide een thuis kunnen noemen?

Maar algauw, in plaats van te genieten van Jackies beschrijving van haar huis en gezinsleven, begon ik me triest te voelen. Het deed me denken aan alles wat ik gemist had en nu voorgoed zou missen. Wat voor vrouw kon ik worden? Ik zou iemand zonder verleden zijn. Hoe zou ik ooit kunnen doen wat Jackie deed, beschrijven wie mijn ouders waren, waar ik woonde? Ik zou op al die daklozen lijken die ik op het strand zag, die bedelden of probeerden iets te verkopen om te overleven. Hun gezichten waren ingevallen, maskers van wanhoop, met lege ogen, een glimlach die net zo moeilijk te vinden was als een fatsoenlijk maal of een plek om de nacht door te brengen. Het was voor hen, en voor mij, pijnlijk anderen te horen lachen. Als we er op een dag niet waren, zou niemand zich erom bekommeren, niemand ons zoeken. Soms wenste ik dat de vloed hoger zou komen en ons allemaal zou wegspoelen. Ik weet zeker dat veel mensen die ons zagen en hun hoofd schudden, hetzelfde wensten.

Ik keek om me heen in de mooie ziekenhuiskamer en vroeg me af waar ik straks naartoe zou moeten. Op een dag zouden de artsen me vertellen dat ik voldoende hersteld was om uit het ziekenhuis te worden ontslagen, maar waar moest ik heen? Een weeshuis? Een pleeggezin? Als ik daaraan dacht, zou ik bijna willen dat papa me kwam halen, ook al was het alleen maar om wat geld te krijgen. In ieder geval zou ik dan bij iemand zijn die geacht werd voor me te zorgen.

In de loop van de derde ochtend kwam mevrouw March en zei tegen Jackie dat ze mijn bezoek aan het mortuarium had geregeld.

Jackie verbleekte en draaide zich met een ruk naar me om. 'Weet je het zeker?

'Ik besef wel dat het heel moeilijk voor haar zal zijn,' zei mevrouw March, 'maar ze wil afscheid nemen. Ja toch, Sasha? We hoeven dit niet te doen als je je bedacht hebt. Jackie heeft gelijk dat ze zich bezorgd maakt. Het is echt iets vreselijks.'

'Kan me niet schelen. Ik wil haar zien,' zei ik. Ik zou mama nooit iets vreselijks vinden, dacht ik.

'Dan mag je erheen.'

Ze liep naar buiten en kwam terug met een broeder en een rolstoel. Ze hielpen me erin, en gevieren liepen we naar de lift. Niemand zei iets toen we omlaaggingen naar het mortuarium. Mijn hart bonsde en mijn ogen vulden zich zo snel met tranen dat ik moeite had om iets te zien toen ik door de gang naar een dubbele deur werd gereden. Een man in een witte laboratoriumjas wachtte binnen op ons en liet me met een ruk naar rechts draaien, om te voorkomen dat ik ook nog iets anders zou zien.

We kwamen in een koud vertrek. Ik zag geen lijken, alleen maar iets wat eruitzag als een gigantische ladekast.

'Blijf jij bij haar, Jackie,' zei mevrouw March. 'Wij wachten achterin.'

Ik keek naar haar en de broeder. Hij keek nogal ongelukkig, en zij leek over haar hele lichaam te beven. Jackie reed me verder de zaal in naar een van de ladekasten. De man in de laboratoriumjas keek naar mij, haalde toen een hendel over en schoof mama naar buiten. Ze lag onder een laken. Hij tilde het op, en iets in me brak als een versplinterend raam.

Ze leek niet op mama, en even hoopte ik dat ze het niet was. Misschien leefde ze nog en lag ze ergens in het ziekenhuis. Misschien was er een verschrikkelijke vergissing begaan. Ik keek naar Jackie, en ze schudde haar hoofd. Het had geen zin om te doen alsof, mezelf voor de gek te houden. Ik wist dat het mama was.

De tranen rolden over mijn wangen. 'Mama,' fluisterde ik. 'Ik hou van je. Ik zal altijd van je houden.'

Ik stak mijn hand uit om haar gezicht aan te raken en deinsde achteruit toen ik voelde hoe hard en koud het was. Plotseling voelde ik me kotsmisselijk en begon te kokhalzen. Jackie draaide me met een ruk om en leidde me weg. De broeder deed een stap naar voren.

'We moeten haar weer naar boven brengen,' zei mevrouw March. 'Gauw.'

Ik hield mijn ogen gesloten en mijn hoofd achterover tot ik boven was en weer in bed lag. Toen deed ik langzaam mijn ogen open en staarde naar het plafond.

Jackie wreef zachtjes over mijn arm. 'Denk niet aan haar zoals je haar beneden zag,' zei ze. 'Dat was je moeder niet meer. Denk maar dat ze nu ergens is waar het beter is, waar ze het altijd warm heeft, en gelukkig en veilig is, oké?'

'Oké,' zei ik, met zo'n benepen stemmetje dat ik dacht weer drie jaar te zijn. Ik deed mijn ogen dicht en viel in slaap.

Dagen gingen voorbij. Mevrouw March stuurde me nog meer cadeaus, tijdschriften en films en dozen chocola. Ik kon merken aan de manier waarop de andere zusters naar me keken dat ik als een curiositeit werd beschouwd. Ik had geen andere bezoekers dan artsen en privéverpleegsters. Ik was er zeker van dat er allerlei verhalen over me de ronde deden. Ondanks Jackie en de cadeaus voelde ik me steeds meer als opgesloten in een gevangenis of in een hok in een menselijke dierentuin.

Jackie probeerde me eroverheen te helpen. Als ze enigszins kon zette ze me in een rolstoel en reed me naar beneden naar een kleine patio, om wat frisse lucht en zon op te doen. Afgezien van een paar bezoekers, maakte alleen ziekenhuispersoneel gebruik van de patio. Sommigen aten hun lunch daar. Jackie kende een paar mensen en stelde me aan hen voor. Terwijl ik las of naar muziek luisterde op de nieuwe iPod die mevrouw March me gestuurd had, liep Jackie naar andere mensen toe en vertelde hun alles over mij. Aan de manier waarop ze daarna naar me keken, was duidelijk te merken dat ze hun geen gruwelijk detail had bespaard. Ik wist dat ze het niet kwaad bedoelde, maar algauw was ik dankzij al die medelijdende blikken niet zo verlangend meer om naar beneden te gaan.

Op een middag kwam mevrouw March terug. Ik zat rechtop in bed te lezen, met de koptelefoon op. Hij was aangesloten op de iPod, dus zag en hoorde ik haar niet, maar uit mijn ooghoek zag ik dat Jackie snel opstond en haar tijdschrift neerlegde. Ik keek op en zag Jordan March op de drempel staan. Ze was gekleed alsof ze zojuist een chique bezoek had afgelegd, en later vertelde ze me dat ze een liefdadigheidslunch had bijgewoond. Ze droeg een witte hoed met brede rand en een roze lint, en een mouwloze jurk met V-hals, opgevrolijkt met een roze sjaal.

Ik deed mijn koptelefoon af.

'Je kunt nu even pauze nemen, Jackie,' zei mevrouw March.

Jackie knikte, glimlachte naar mij en liep de kamer uit. Mevrouw March kwam glimlachend naar het bed.

'Ik krijg goede berichten van de artsen,' begon ze. 'Je kneuzingen helen, de hersenschudding verbetert, en je ziet er een stuk sterker uit. Hoe voel je je?'

'Het gipsverband jeukt. Het is moeilijk om eraan te wennen.'

'Ja, dat kan ik me voorstellen. Dokter Milan zegt dat het nog te vroeg is om te weten hoe de invloed van de breuk zal zijn op de groei van je been, maar we moeten hoop houden, dat is belangrijk. Hij is een van de beste specialisten in heel Zuid-Californië. Natuurlijk zul je fysiotherapie nodig hebben als het gips is verwijderd. Dat heb ik al geregeld.'

'Waar moet ik heen?'

'We zien wel,' zei ze en wendde een paar seconden haar hoofd af. Toen ze zich weer naar me omdraaide, was het met een bedroefd gezicht, net zoals toen ik haar voor het eerst ontmoette en ze me vertelde over het verlies van haar jongste dochter. Ik zag dat de tranen in haar ogen sprongen. Ze haalde diep adem. 'Ik wil dat je weet dat ik goed gezorgd heb voor je moeder,' zei ze.

Goed gezorgd voor mijn moeder? Ze zei het alsof ze bedoelde dat mijn moeder niet gestorven was. Misschien was het echt mama niet geweest die ik in het mortuarium had gezien. Misschien hield ik mezelf niet voor de gek. Ik hield mijn adem in. Ik denk dat ze zag dat ik haar verkeerd begreep.

'Wat ik wil zeggen is dat ik een graf voor haar heb gekocht op het Greenlawn kerkhof. Ik wilde dat mijn man mijn dochter zou dwingen de begrafenis bij te wonen, maar dat wilde hij niet, dus ben ik er zelf heen gegaan en heb alles zo waardig mogelijk laten verlopen. Ik zal ervoor zorgen dat je naar het graf wordt gebracht zodra je daartoe in staat bent. Ik heb nog geen grafsteen laten plaatsen. Ik dacht dat je misschien behalve haar naam en geboorte- en sterfdatum nog een korte tekst zou willen. Misschien iets als "Innig Geliefde Moeder", of wat dan ook. Daar hoef je nu nog niet over te denken.'

In ieder geval lag mama niet waar ze gevreesd had dat ze terecht zou komen, op het armenkerkhof, dacht ik.

'Ik heb een van mijn advocaten opdracht gegeven navraag te doen naar de familie van je moeder en iedereen te bellen die we konden opsporen, maar niemand wilde op de begrafenis komen. Je vader was moeilijker te vinden. Hij was een tijdje in Honolulu en daarna is hij... nou ja, hij is met iemand naar Australië vertrokken. Hij heeft niet gereageerd op enig telefoontje of bericht. Uit betrouwbare bron hebben we vernomen dat hij nog een dochter heeft met deze vrouw. Het spijt me dat ik je dit allemaal moet vertellen, maar ik vond dat je het moest weten. Een man die zo'n dochter als jij in de steek laat is het trouwens niet waard om ook maar een seconde tijd aan te verspillen,' voegde ze er kwaad aan toe.

'Hoe oud is zijn nieuwe dochter?'

'Nog geen twee jaar.'

Hield hij van haar? vroeg ik me af, of dacht hij over haar net zoals over mij, als een straf voor begane zonden? Dat was wat hij tegen mama had gezegd.

'Hij heeft jullie beiden op een dag gewoon in de steek gelaten? Hij zei niet dat hij wegging?' vroeg mevrouw March.

Ik probeerde me de exacte details te herinneren. Die dag had mama gehakt gemaakt, want, zoals ze zei, dat konden we tot de volgende dag bewaren, voor het geval hij niet op tijd thuis was. Toen hij uren nadat we klaar waren met eten nog niet was verschenen, was ze naar hun slaapkamer gegaan en er weer uitgekomen met een geschokt en kwaad gezicht. Ik was in de zitkamer bezig mijn huiswerk te maken.

'De schoft,' had ze gezegd. Ik keek op en wachtte op haar uitleg. 'Hij heeft al het contante geld meegenomen dat ik gedacht had voor hem te kunnen verbergen onder mijn slipjes in de bovenste la van mijn kast. Dus ben ik ook de juwelen van mijn moeder gaan controleren, de ring en ketting en camee die ze me had gegeven. Ze waren minstens een paar duizend dollar waard. En ja, hoor, die waren ook verdwenen. Hij heeft natuurlijk alles verpand.'

Ik wist niet wat ik moest zeggen. Ze huilde niet hardop en haar schouders schokten niet, maar de tranen stroomden over haar wangen.

'Ik heb in de kast gekeken en gezien dat hij een hoop van zijn kleren heeft meegenomen.'

'Waarom?' vroeg ik.

'Waarom? Waarom?' Ze snoof, keek naar het plafond en toen naar mij. 'Hij is weg, Sasha. Die homp vlees en botten die zich mijn echtgenoot en jouw vader noemde, is weg. Ik wist dat hij een relatie had met die vrouw in West Los Angeles. Ik denk dat hij bij haar is ingetrokken. Ik zal erachter komen en hem de politie op zijn dak sturen. Daar kun je van op aan.'

Ze ging terug naar haar slaapkamer en deed de deur achter zich dicht. Ik kreeg bijna geen adem meer. Alleen al bij de herinnering kreeg ik het benauwd. Hoe kon Jordan March van me verlangen dat ik dat alles opnieuw zou beleven.

'Nee,' zei ik. 'Hij heeft ons nooit verteld dat hij wegging. Mijn moeder dacht dat hij bij een andere vrouw was ingetrokken, maar toen de politie de zaak onderzocht, waren ze allebei vertrokken. Later hoorde ze dat iemand dacht dat hij naar Hawaï was gegaan. Ze probeerde hem te vinden, maar niemand heeft ons echt geholpen.'

'Vreselijk. Voor jullie allebei. Je moeder was gestopt met werken, hè?'

'Ja, maar de week daarop nam ze weer een baan aan in een restaurant en een tijdlang leek alles goed te gaan. Maar ze was verdrietig en moe en...'

'Begon te drinken?'

Ik knikte.

'Dus uiteindelijk raakte ze haar baan kwijt?'

'Ja, maar ze kreeg weer nieuw werk en...'

'Toen gebeurde hetzelfde.'

Ik knikte.

'Dus de rekeningen stapelden zich op. Er zijn zoveel mensen, vooral vrouwen, die in de steek zijn gelaten en diezelfde kant opgaan. Jullie raakten je huis kwijt, neem ik aan?'

'We hadden geen huis. We hadden een flat, en op een dag kwam de politie en moesten we meteen het huis uit.'

'Op straat gezet? Ja, natuurlijk, dat kon niet uitblijven. Waar gingen jullie naartoe?'

'Naar een hotel, maar het ging niet goed met mama. Ze had geen baan meer, dus konden we de huur niet meer betalen.'

'En zo kwamen jullie op straat te leven?'

Ik knikte.

'Je zei dat ze kalligrafieën verkocht die ze zelf maakte?'

'En ik verkocht sleutelhangers.'

'Ja. Die jij zelf maakte. Dat is lief en prijzenswaardig, maar het moet een erg moeilijke tijd zijn geweest. Waar sliepen jullie?'

'Soms gewoon onder een boom, soms in een grote kartonnen doos die mama in elkaar zette. Een tijdje hebben we in een oude auto geslapen, maar toen kwam iemand hem weghalen.'

'Je ging niet meer naar school?'

'Die was te ver en het was te moeilijk om ernaartoe te gaan. Ik had mijn oude kleren niet meer.'

'Natuurlijk. Bovendien, waar had je je huiswerk moeten maken?' Ze schudde haar hoofd. 'Heeft je moeder niet geprobeerd om hulp te krijgen?'

Hoe moest ik proberen het haar uit te leggen zonder mijn moeder in een kwaad daglicht te stellen? Ik schudde slechts mijn hoofd.

'Je moeder...' Ze aarzelde en dacht even na. Ik kon zien dat ze overwoog of ze me al dan niet iets zou vertellen.

'Ja?'

'Je moeder had veel alcohol in haar bloed toen het ongeluk gebeurde. Waarmee ik niet wil zeggen dat het haar schuld was of zo,' ging ze snel verder. 'Maar was ze vaak zo? Ik bedoel, elke dag?'

Ik zei niet ja, maar dat was niet nodig.

'Dat zal het allemaal een stuk moeilijker voor je hebben gemaakt.' Ze wond zich weer op. 'Die vader van je zouden ze dood moeten schieten.'

'Mama wilde echt niet drinken,' zei ik. 'Maar door de whisky voelde ze zich beter.'

'Eh, ja, ik veronderstel...'

'Dan hoefde ze niet aan ons te denken. Ze probeerde zich te veranderen in iemand anders, zodat ze niet hoefde te denken aan alles wat er met haar gebeurd was.'

Ze staarde me aan. 'Dat is heel goed opgemerkt. Je bent een slimme meid, Sasha. Het zou doodzonde zijn je geen eerlijke kans te geven. Je wilde vast wel naar school.'

'Ja.'

'Gewoonlijk geloof ik niet in lotsbestemming. Toen Alena stierf, wist ik dat er mensen waren die vonden dat het voorbestemd was, en dat daarom niets het kon voorkomen, wat we ook voor haar deden. Alsof alles van tevoren vaststaat, en we slechts het pad kunnen volgen dat voor ons is uitgestippeld. Zoiets tenminste. Donald gelooft daarin. Maar ik denk liever dat er misschien toch iets goeds kan voortkomen uit het feit dat Kiera degene was die het ongeluk heeft veroorzaakt en jouw verwondingen en de dood van je moeder op haar geweten heeft.'

Ik deinsde achteruit. Iets goeds?

'Het heeft jou bij mij gebracht en mij bij jou. Het was een groot verlies voor me toen Alena stierf; dat was het voor jou toen je je moeder verloor. We kunnen elkaar helpen. Misschien kun je mij en Donald zelfs helpen door me meer te doen te geven in ons leven, ons gezinsleven.'

'Hoe?' vroeg ik.

Ze glimlachte. 'Ik wil je vragen over iets na te denken, Sasha. Ik zou graag willen dat je bij ons kwam wonen. Eerst zullen we je pleegouders zijn, en dan, als je je gelukkig voelt bij ons, willen we je adopteren.'

Ik kon haar alleen maar aanstaren. Ze wilde dat ik bij haar kwam wonen? Maar dan zou ik ook bij haar dochter Kiera wonen!

'Anders kom je onder de hoede van de staat en word je in een weeshuis of een pleeghuis met veel kinderen ondergebracht,' ging ze snel verder. 'Dat wil je toch zeker niet? Zelfs je moeder, in de situatie waarin ze verkeerde, waarin jullie beiden verkeerden, weigerde je daarin te laten opnemen, en nu ik je heb leren kennen, zou het mij ook heel verdrietig maken.'

Mijn aanhoudende zwijgen maakte haar nerveus.

'Begrijp je wat ik zeg?' vroeg ze.

Ik knikte, en ze stond op.

'Oké. Denk er maar eens over na. Ik kom morgen terug en dan zullen we het erover hebben.'

Jackie kwam naar de deur en bleef aarzelend staan, wachtend op een teken of ze terug kon komen.

'Je kunt binnenkomen,' zei mevrouw March. 'Het gaat heel goed met haar volgens dokter Milan.'

'Ja, dat is zo,' zei Jackie, met een glimlach naar mij.

'We hebben je misschien nog maar een paar dagen nodig.'

'Natuurlijk,' zei Jackie. 'In dit geval ben ik blij mijn baan te verliezen. Ze is echt een schat van een patiënte.'

Mevrouw March glimlachte en keek naar mij. 'Ja, ze is een lieve meid,' zei ze. 'Blijf goed voor haar zorgen,' ging ze verder, en verliet de kamer.

Jackie wachtte tot ze zeker wist dat ze weg was en draaide zich toen naar me om. 'En? Wat is ze van plan voor je te kopen? Wat gaat ze nu voor je doen?'

'Me de plaats van haar overleden dochter laten innemen.'

5

Een nieuw leven

'Bedoel je dat ze wil dat je bij haar gaat wonen?'

'Ja. En als het me goed bevalt, willen zij en haar man me adopteren.'

Jackie zat met een verbijsterde uitdrukking op haar gezicht naast me. 'Ik heb haar huis nooit gezien, maar toen ik bij die plastisch chirurg werkte, werd er altijd over patiënten geroddeld. Sommigen waren beroemde filmsterren, maar ik herinner me dat er gezegd werd dat het huis van de Marches groter en mooier was dan dat van welke filmster of producer dan ook. Weet je,' ze raakte opgewonden, 'ik herinner me dat ik iemand hoorde zeggen dat het ongeveer honderd miljoen dollar kost. Het huis staat in de Pacific Palisades. Weet je waar dat is?'

'Ik geloof het wel, ja.'

'Wow. Wat doe je? Je hebt toch zeker ja gezegd?'

'Ik heb niks gezegd. Ze wil dat ik erover nadenk.'

'Niet doen. Nog geen seconde!' riep Jackie uit. 'Wees alsjeblieft niet timide. Pak alles aan wat die vrouw bereid is je te geven. Maakt niet uit wat. Je hebt trouwens recht op meer dan ze je willen geven. Pak het met beide handen aan.'

Ik zei niet dat ik het zou doen, maar nu Jackie had gehoord dat ik misschien in het huis van de Marches zou gaan wonen, bekeek ze me plotseling met andere ogen. Ik voelde de kloof tussen ons breder worden, en dat vond ik niet prettig.

Toen, alsof Jordan March ons gesprek had afgeluisterd, stuurde ze nog meer cadeaus. Deze keer waren het kleren en schoenen. Jackie pakte alles voor me uit.

'Allemaal erg dure dingen. Ze wil er zeker van zijn dat je goed gekleed bent als je hier weggaat en in haar wereld komt,' was haar commentaar. Het had niet meer dezelfde klank van blijdschap en ontzag. Ik hoorde de verbittering in haar stem en vroeg me af of ik die verbittering ook zou moeten voelen. 'Ik wed dat dit alles meer kost dan ik in een week verdien,' ging Jackie verder. 'Als dit een voorproefje is van het leven dat je gaat krijgen, ben je goed af.'

'Niets kan mijn moeder vervangen.'

In plaats van zich in de war te laten brengen, glimlachte ze. 'Precies. Vergeet dat niet. Pak wat je pakken kunt, maar zoals ik zei, laat haar en haar man niet vergeten dat ze je nooit genoeg kunnen geven. Sasha, krijg nooit het gevoel dat je van de liefdadigheid leeft. Beloof me dat.'

'Dat beloof ik,' zei ik, maar ik wist niet zeker of ik die belofte zou kunnen houden. Ik wist niet eens zeker of ik ja zou zeggen. Ik probeerde me in te denken wat mama zou hebben gezegd vóór ons leven als daklozen. Toen bezat ze zoveel trots. Ze zou nooit een cent accepteren als ze dacht dat iemand haar die gaf uit medelijden. Daarom had ze zo hard gewerkt aan haar kalligrafieën.

'Een van de ergste dingen ter wereld,' had mama eens tegen me gezegd, 'is verplichtingen hebben aan iemand, vooral iemand die je nooit zal laten vergeten waarom. Dus het beste wat je kunt doen is werken voor wat je krijgt, of zorgen dat je het echt verdient, Sasha. Dat is wat ware vrijheid betekent.'

Maar mevrouw March zei het alsof ik haar meer een gunst deed dan zij mij. Zij was degene die zich verplicht voelde. Ik vroeg me af of haar man er ook zo over dacht. Zou ik als een soort prinses worden behandeld? Zou ik me ooit tevreden en gelukkig voelen als ik bij hen was?

Ik wist dat Jackie nu en dan met de andere zusters roddelde over mij en mevrouw March, want als ze langskwamen, bekeken ook zij me met andere ogen. Het gaf me het idee dat ik niet langer een liefdadigheidsgeval was. Zou het voortaan altijd zo blijven? Zouden de mensen me niet langer met walging, afkeer of onverschilligheid bejegenen? Moest dat me een goed gevoel geven? Mama was dood en begraven. Alles, alle cadeaus, kleren, beloftes van een nieuw leven, waren bestemd om me te doen vergeten wat er gebeurd was. Dat zal ik nooit doen, nam ik me plechtig voor. Nóóit.

Met het gipsverband had ik altijd moeite om in slaap te vallen en de hele nacht door te slapen, maar vannacht was het erger dan ooit. Ik droomde dat mama in de kamer was, naast mijn bed zat en me aankeek. Ze was ook niet de moeder van vóór onze dakloze periode. Ze was zoals ze was op de dag van het ongeluk. Ze staarde me aan en klemde haar handen ineen. 'Het spijt me,' zei ze. 'Het spijt me dat ik je dit heb aangedaan.'

'Dat heb je niet, mama.'

'Dat heb ik wél. Ik vind geen rust in mijn graf, Sasha. Je staat heel alleen in het leven op straat.'   ·

'Nee, dat is niet waar. Dat is niet zo, mama.'

'Jawel. En dat heb ík gedaan. Je staat alleen,' hield ze vol, en toen begon ze te krimpen. Ik stak mijn handen naar haar uit om het te beletten, maar ik kon haar niet bereiken. Ze bleef krimpen.

'Mama!' schreeuwde ik, en werd wakker.

Blijkbaar maakte ik ook mijn nachtzuster wakker. Ze liep snel naar het bed. 'Wat is er? Heb je pijn? Is er iets?'

Ik keek naar haar op. In het schemerige licht was haar gezicht net zo wit als haar uniform, maar ze keek niet bezorgd. Ze keek ontsteld.

'Nee,' zei ik. 'Niks.' Ik ging achterover liggen en sloot mijn ogen.

'Je zou haast denken dat de muren instortten,' hoorde ik haar zeggen.

'Dat doen ze ook,' mompelde ik. 'Voor mij.'

De volgende ochtend zag ik hoe nerveus Jackie was. Ze zei geen woord meer over het voorstel van mevrouw March om me bij zich in huis te nemen, maar het spookte duidelijk door haar hoofd. Hoe meer ze heen en weer drentelde, probeerde het me zo comfortabel mogelijk te maken, de zon uit mijn ogen te weren en de kamer koel te houden, hoe zenuwachtiger ik zelf werd.

Eindelijk, vlak voor de lunch, kwam Jordan March. Ze droeg een helderblauw broekpak en had haar haar naar achteren gekamd, zodat haar lange, in goud gevatte opalen oorbellen extra opvielen. Zoals gewoonlijk leek haar make-up te zijn verzorgd door een professional, gereed om te worden gefotografeerd voor de cover van een modetijdschrift.

'Hoe gaat het vandaag met onze patiënte?' vroeg ze aan Jackie.

'Goed, mevrouw March.'

'Mooi. Neem maar even pauze.'

Jackie knikte en liep met gebogen hoofd weg, zonder naar mij te kijken.

'En, Sasha, heb je nog over ons gesprek van gisteren nagedacht?'

'Ja.'

'En hoe denk je erover? Wil je bij mij en Donald komen wonen? Ik zal de fysiotherapeut naar ons huis laten komen en zodra je weer op de been bent, zullen we je naar school sturen. In die tussentijd zal ik voor een privéleraar zorgen die bij ons thuiskomt en je zal bijwerken. Je mag niet achter zijn bij de andere leerlingen, hè?'

Ik schudde mijn hoofd.

'Natuurlijk zullen we, als je je erg ongelukkig voelt, een andere oplossing voor je zoeken. Wat vind je ervan? Kom je?'

Ze zat op de plaats waar mama in mijn droom had gezeten. Het leek bijna of mama's geest daar nog rondzweefde.

'Ja,' zei ik.

'O, dat is geweldig, Sasha. Echt waar.' Ze sprong overeind. 'Ik heb nog zoveel te doen, zoveel te regelen. Overmorgen ga je hier vandaan. Dokter Milan zal je ontslagbrief schrijven, en daarna zal hij doorgaan met de behandeling. Je moet me een paar belangrijke dingen vertellen. Wat zijn je lievelingskleuren? Ik heb een gok genomen met de kleren die ik je gestuurd heb. Wat vind je van het babyroze, het metallic blauw en dit groen? Ik hou van dit groen,' zei ze en hield een blouse omhoog die ik nog niet had gedragen.

'Ja. Alles is even mooi,' zei ik. Wat kon ik anders zeggen? Ik had al langer dan een jaar niets nieuws gehad. Alles wat mama voor me had kunnen kopen in de tijd dat we op straat leefden, was oud, uit een tweedehandswinkel. De kleuren waren vervaagd en dof, en de kleren pasten nooit helemaal.

'Daar ben ik blij om. Het waren ook Alena's lievelingskleuren, ze hield van alles wat licht en vrolijk was. Ze was zo lief en optimistisch, nooit somber. Zo zul jij ook worden, Sasha, daar ben ik van overtuigd. Ik kan zien dat het niet in je aard ligt om triest te zijn. Je hebt je moeder erg goed geholpen, en ik weet zeker dat je niet aan één stuk hebt lopen huilen en klagen. Jij hebt dezelfde energie als zij had. We zullen natuurlijk gaan shoppen en nog meer voor je kopen. Maar voorlopig heb je wel voldoende. Je bent ongeveer net zo oud als Alena was en je hebt ongeveer dezelfde maat. Daarom heb ik een en ander voor je kunnen kopen, zie je. Je hebt je vast wel afgevraagd hoe ik het wist.'

'Nee. Ik dacht dat u maar naar me hoefde te kijken om het te weten.'

'Precies, meer was niet nodig. Kom, we hebben nog een hele hoop te doen. Ik ga meteen naar Donalds kantoor om hem te vertellen wat je hebt besloten. Ik zal proberen later langs te komen, maar maak je geen zorgen als het niet lukt. Je bent echt mijn enige zorg.'

Ze kwam naar me toe alsof ze me een zoen wilde geven, maar de uitdrukking op mijn gezicht deed haar aarzelen. Ze wachtte even, glimlachte, pakte haar tas en liep haastig weg. Een moment lang leek het alsof alle lucht met haar uit de kamer verdwenen was. Ik voelde het bloed naar mijn wangen stijgen. Natuurlijk wist ik dat mama er niet meer was, maar toch had ik het gevoel dat ik haar in de steek liet, haar alleen liet op straat. Eerst had mijn vader haar verlaten, en nu ik. Ik kon het niet helpen, ik begon zachtjes te huilen.

'Wat is er?' vroeg Jackie, toen ze binnenkwam. 'Heeft ze gezegd dat ze van gedachten is veranderd of dat haar man het niet wil, of wat?'

Ik schudde mijn hoofd. 'Nee. Ik ga erheen,' zei ik.

'Waarom huil je dan?'

'Ik ga niet naar huis.'

Ze verstarde, knikte toen en kwam naar me toe om me te omhelzen.

'Dat was waar mijn moeder zei dat we naartoe gingen – naar huis.'

'Je zult een plek vinden die je eens je thuis zult kunnen noemen, Sasha. Als je oud genoeg bent, sticht je je eigen thuis. Je trouwt met een schat van een man en krijgt je eigen kinderen. Je zult het zien.'

Ik bedankte haar. Haar woorden gaven me hoop. Ze was er op de dag dat ik werd ontslagen, en volgde Jordan March en mij naar de wachtende limousine. Ik wist niet dat ik zou vertrekken in een limousine; ik had nog nooit in zo'n dure auto gezeten. Eerst dacht ik dat ze hem had gehuurd, maar ik had al snel door dat hij eigendom was van de Marches. De chauffeur was heel lang, minstens een meter negentig. Hij was slank, maar had zo'n perfecte militaire houding dat mama hem een vlaggenmast zou hebben genoemd. Hij had een dikke, goed geknipte zwarte snor, een neus die eruitzag of de dokter die hem ter wereld had geholpen, erin geknepen had, en gitzwarte ogen. Mevrouw March noemde hem Grover, wat zijn voornaam bleek te zijn. Zijn volledige naam was Grover Morrison. Hij reed al bijna vier jaar voor de Marches. Ik wist het toen nog niet, maar de Marches hadden nog vijf andere auto's, en Kiera had een eigen auto, waarin ze gereden had op de avond van het ongeluk.

'Pas goed op jezelf,' zei Jackie tegen me, toen ik uit de rolstoel en in de limousine was geholpen. Ze stond in de deuropening.

'Dat zal ik. Bedankt, Jackie.'

Ze knikte en ging achteruit toen Grover het portier sloot. Hij opende het portier aan de andere kant voor mevrouw March.

'Zo,' zei mevrouw March. 'Comfortabel genoeg?'

'Ja.'

'Ik kan een kussen onder je been leggen.'

'Ik zit goed zo,' zei ik.

'Maak je geen zorgen.' Ze gaf een klopje op mijn hand. 'Alles komt in orde.'

Ik was meer angstig dan bezorgd. Voordat papa ons in de steek had gelaten, had ik eens bij een vriendin thuis gelogeerd. Dat was de enige keer dat ik ooit de nacht had doorgebracht in het huis van een ander, en nu zou ik bij vreemden gaan wonen.

'Je zult dat gipsverband nog een paar maanden moeten houden, Sasha,' zei ze met een knikje naar mijn verbonden been, 'maar dokter Milan heeft geregeld dat je binnenkort met een kruk zult kunnen lopen. En voorlopig hebben we een rolstoel voor je. Ik heb al tegen mevrouw Caro gezegd dat een van haar taken nu zal zijn je 's middags naar de patio te brengen. Ik wil dat je wat kleur krijgt, en frisse lucht en niet zit opgesloten in een kamer, zoals in het ziekenhuis.'

'Wie is mevrouw Caro?'

'Mevrouw Caro is een van mijn huishoudsters en tevens onze kokkin. We hebben vier huishoudsters. Mevrouw Duval heeft de leiding. Zij is het langst bij ons en was ook het kindermeisje van Kiera en Alena. Haar man, Alberto, is wat Donald noemt onze huismanager. Hij heeft de leiding over de tuinlieden, het onderhoudspersoneel van het huis, dat soort dingen.'

'Vier huishoudsters? Hoeveel mensen werken er in het huis?' vroeg ik toen we wegreden.

'Veertien fulltime. Er is veel te doen. Dat zul je wel zien.'

Geen van ons had haar naam nog genoemd, maar ik zag niet hoe we die nog langer konden verzwijgen.

'En Kiera?'

'Kiera?'

'Weet zij van mijn bestaan?'

'Ze weet van je bestaan.'

'Maar weet ze ook dat ik in haar huis kom wonen?'

'Het is haar huis niet,' zei mevrouw March snel, op scherpe toon. Toen glimlachte ze en voegde eraan toe: 'Maak je daarover maar niet bezorgd.'

'Maar weet ze het?'

'Nog niet. Op het ogenblik maak ik me niet erg druk om wat ze voelt of hoe ze erover denkt.'

Haar antwoord gaf me een schok. Hoe kon ze zoiets geheimhouden voor haar dochter? Wat voor gezin was dit eigenlijk?

Misschien waren mama en ik, zelfs in die slechte tijd, uiteindelijk veel meer een gezin geweest.

Het zou niet lang duren voor ik het wist.

6

Kasteel

Niets van wat ik had gezien in tijdschriften, op de televisie, of in een film, had me voorbereid op wat ik op het punt stond te zien. Ik had gedacht dat kastelen alleen in Europa te vinden waren en bewoond werden door vorsten en vorstinnen. We sloegen af van de snelweg, een zijweg in, en reden een heuvel op. Tijdens die klim realiseerde ik me dat we onderweg geen huizen tegenkwamen.

Mevrouw March voelde mijn nieuwsgierigheid. 'Al dit land is van ons,' zei ze. 'Aan beide kanten. Daarom staan er geen huizen langs de weg.'

Ten slotte kwamen we bij wat ik alleen maar kon beschrijven als een verborgen ingang van de weg naar het huis van de Marches. Er stonden geen richtingborden, brievenbussen, of wat dan ook, alleen maar aan beide kanten hoge, volle pijnbomen, zodat iemand die naar binnenreed, het huis nog niet kon zien.

'Dit is geen openbare weg,' zei ze. 'Mijn man heeft hem aangelegd, en wij onderhouden de weg.'

Ze hebben hun eigen weg? Hoe kan iemand zijn eigen weg hebben? dacht ik.

We kwamen bij een lange, massieve, oranjekleurige muur van minstens drie, drieënhalve meter hoog. Net boven de muur uit kon ik het dak zien van het huis en iets wat op een toren leek. Als je alleen maar naar de muur vóór ons keek, zou je nooit vermoeden dat die open kon, maar toen Grover op een knop drukte boven de zonneklep van de auto, week de muur uiteen. Een fraaie, geplaveide oprijlaan kwam te zien, die in bochten omhoogliep naar wat ik alleen maar een sprookjeshuis kon noemen.

'Is het een kasteel?' vroeg ik ademloos.

Mevrouw March lachte. 'Donald vindt van wel. Hij was vastbesloten iets anders, iets nieuws, te bouwen, dus bouwde hij wat hij noemde een Richardsonian Romaans huis. Het heeft ronde bogen boven de ramen en de entree, en gemetselde muren met een robijnrood en wit patroon. En ja,' ging ze verder, weer lachend, 'die toren maakt dat het op een kasteel lijkt, maar Donald zal je vertellen dat je eigen huis je kasteel is.'

Toen we dichterbij kwamen en voorbij de hoge struiken en bomen konden kijken, leek het huis zich rechts en links van me uit te spreiden.

'Wat is het groot!' riep ik uit.

'Het is misschien wel het grootste huis in Zuid-Californië, ik zou het niet weten. Ik ben het vergeten, maar ik geloof dat Donald zei dat het een oppervlakte heeft van achtduizend vierkante meter. Het heeft drie verdiepingen, als we de torenkamers meerekenen. We wonen hier nu al bijna twintig jaar, maar ik ben nog steeds bezig het in te richten en te meubileren. Ik denk dat het wel nooit klaar zal komen, maar dat maakt het zo leuk om hier en in Europa te gaan shoppen. Er staan meubels uit de hele wereld in dit huis. Perzische en Turkse kleden, Franse kroonluchters, kasten uit Engeland, banken en stoelen uit Spanje, gobelins uit Frankrijk en Spanje. Je snapt wel waarom we zoveel personeel nodig hebben.'

Ze wees naar links toen we nog dichterbij kwamen. 'Daar vind je het zwembad en de tennisbanen. Het is niet te zien, maar een deel van het huis is de garage voor onze auto's. De ingangen van de garage bevinden zich allemaal naast elkaar, zodat het huis een stuk groter lijkt. Boven de garage is een appartement. Daar wonen mevrouw Duval en haar man, Alberto. Er is ook een personeelsappartement achter in het huis voor mevrouw Caro. Alle anderen die hier werken wonen in hun eigen huis. Er is een aparte ingang voor personeel en leveranciers aan de westkant van het terrein.

'Overal zijn bewakingscamera's. Donald is dol op zijn hebbedingetjes. Hij heeft een bioscoop in het huis, met de modernste apparatuur. Er is een volledig ingerichte fitnessruimte en een klein binnenzwembad, wat, denk ik, wel handig zal zijn voor je fysiotherapie. En het huis heeft natuurlijk een intercomsysteem. Maar bedenk eens wat een plezier je zult hebben met het ontdekken van alle nieuwe dingen als je weer kunt lopen.'

Toen we vlakbij kwamen keek ik uit het raam naar de mooie tuinen en fonteinen, de glooiende gazons en de hoge bomen. Geen wonder dat hier zoveel mensen moesten werken, dacht ik. Er was zoveel te doen. Hoe was het mogelijk dat iemand zo rijk was?

Zodra we stopten voor de ingang kwam een kleine, gezette vrouw met donkerbruin haar haastig naar buiten. Ze droeg een donkerblauwe jurk met een rok die om haar enkels fladderde toen ze de trap af holde. Haar haar was in een strakke knot gebonden. Vlak achter haar kwam een man met een donkerbruin-met-grijze snor en grijs haar. Hij droeg een geruit hemd en een spijkerbroek.

'Dat zijn mevrouw Duval en haar man, Alberto,' zei mevrouw March.

Grover stapte snel uit en opende het portier van mevrouw March. Toen liep hij om de auto heen om mijn rolstoel en mijn spulletjes te pakken, waarvan hij er een paar overhandigde aan mevrouw Duval. Hij en Alberto klapten de rolstoel open en reden die naar mijn portier.

'Voorzichtig,' vermaande mevrouw March.

Grover zocht naar een elegante manier om me de auto uit te helpen en besloot toen simpelweg zijn rechterarm onder me te brengen en zijn linkerarm om me heen te slaan. Zo tilde hij me gemakkelijk uit de auto en liet me zachtjes in de rolstoel zakken, die door Alberto werd vastgehouden.

'Dit is Sasha,' zei mevrouw March.

'*Hola*, Sasha,' zei mevrouw Duval. 'Hallo en welkom.'

'*Sí*, welkom,' zei Alberto.

Hij en Grover tilden me met stoel en al op en droegen me zo de stenen trap op naar de ingang. Mevrouw March volgde ons met mevrouw Duval. Voor de indrukwekkende deur wachtten ze op haar instructies.

'Breng haar naar binnen, naar de lift,' zei mevrouw March. 'We gaan meteen met haar naar boven naar haar suite.'

Lift? Suite? Had ik dat goed gehoord? Dit klonk meer als een hotel dan als een huis.

Ze haastten zich om haar bevel op te volgen.

De entree had een vloer van goudgeaderd marmer, en in nissen aan beide kanten in de muren van iets donkerder marmer stonden beeldjes van ivoorwitte engelen. Boven ons hing een grote kroonluchter in de vorm van een geopende hand en voor ons lag een gebogen trap met treden van hetzelfde soort marmer als in de entree. Ook de leuning was van marmer. Overal waar ik keek, zag ik schilderijen en gobelins aan de muren en piëdestals met kleine beelden.

Alberto reed me naar rechts, maar voor we veel verder waren, kwam een kleinere, jongere vrouw met een kokmuts haastig door de lange gang naar ons toe. Ze leek niet veel langer dan ongeveer een meter vijftig; de zoom van haar schort hing op haar enkels, wat de indruk wekte dat het gemaakt was voor iemand die veel langer was dan zij.

'Dit is mevrouw Caro,' kondigde mevrouw March aan nog voordat ze bij ons was. 'Mevrouw Caro, dit is Sasha.'

'Hallo, lieverd,' zei mevrouw Caro met een accent dat ik herkende als Iers, omdat papa vroeger een Ierse vriend had die hij van tijd tot tijd mee naar huis nam. 'Ach, wat een knap meisje,' zei ze tegen mevrouw March. 'Ik zal een lekkere lunch voor je maken, kindlief.'

'We zullen u laten weten wanneer ze gesetteld is, mevrouw Caro. Vandaag en morgen kunnen we haar waarschijnlijk beter laten rusten. Dan kunnen we haar mee naar buiten nemen.'

'O, natuurlijk, mevrouw March. Ik zal wat verse vruchten voor haar persen,' zei ze, en vroeg toen: 'Hou je daarvan?'

'Ja, dank u.'

Ze glimlachte, alsof ze die woorden niet vaak hoorde.

Mevrouw March maande Alberto door te lopen, en hij reed me naar de lift.

'Die gebruiken we zelden,' zei mevrouw March toen ik de lift in werd gereden. Er was geen plaats voor mevrouw Duval, die al de trap was opgelopen.

'Donald vond het verstandig er een te laten installeren, om ons te helpen als we oud worden of voor het geval hij het huis zou willen verkopen, om er nog een attractie bij te hebben, een extra voordeel. Als je het mij vraagt, was het gewoon weer een leuk hebbedingetje, maar nu komt die lift goed van pas.'

De lift ging heel langzaam omhoog. Ik zag dat hij zelfs omhoog kon naar de toren. Toen de deur openging, stond mevrouw Duval op ons te wachten. 'Ik neem het hier wel over,' zei ze tegen haar man. Zonder commentaar draaide hij zich om en liep naar de trap. Mevrouw Duval duwde me door een andere lange gang. Nog meer schilderijen en gobelins hingen aan beide kanten aan de muur, en ook hier stonden piëdestals met beelden en bustes. We waren bijna aan het eind van de gang toen ze me een kamer aan de linkerkant binnenreed. Ik moest een kreet onderdrukken.

Zelfs in films en tijdschriften had ik nog nooit zo'n grote slaapkamer gezien. De muren waren lichtroze, en het bed, dat nog groter leek dan een kingsize bed, had een crèmekleurige ombouw met roze, spiraalvormige versiering, vier pilaren en een hemel. Maar wat me het meest verbaasde was het hoofdeinde. Daarop waren twee giraffen in reliëf afgebeeld.

Voor ik kon vragen: Waarom giraffen?, legde mevrouw March het al uit. 'Giraffen waren Alena's lievelingsdieren. Al toen ze twee, drie jaar oud was, werd ze erdoor gefascineerd.'

Dit was dus Alena's kamer. Voor iemand die weken geleden nog in een kartonnen doos op het strand sliep, zou de komst in een huis als dit op zichzelf al adembenemend zijn geweest, en één stap naar binnen betekende volkomen verbijstering. Toen we aankwamen en ik het huis voor het eerst zag, kreeg ik een onwezenlijk gevoel. Maar nu het goed tot me doordrong dat ik de plaats innam van mevrouw March' overleden dochtertje, en in haar bed zou slapen, begon ik bang te worden. De kamer was mooi, de mooiste die ik ooit had gezien, maar even kwam het gevoel in me op dat ik het heiligdom van een ander meisje binnendrong en verstoorde. Op een opvallende plek op een van de ladekasten stond een foto van een meisje dat kennelijk Alena was. Ik vermeed het ernaar te kijken.

'Mevrouw Duval en ik hebben Alena's kleren al geïnspecteerd, en opzijgelegd wat we dachten dat jou zou passen,' zei mevrouw March terwijl ze me voorging naar het bed. 'Je hoeft het nu niet onmiddellijk aan te trekken, maar dit was een van haar lievelingsnachthemden.' Ze pakte het van het bed, waar het was klaargelegd. Ze lachte. 'Zoals je ziet... nog meer giraffen. Ik ben bang dat je ze overal tegen zult komen. Ze had zelfs een tandenborstel in de vorm van de hals en kop van een giraffe. Donald leefde zich helemaal uit met al die dingen.'

'Wilt u dat ze nu meteen naar bed gaat?' vroeg mevrouw Duval aan mevrouw March. Ik keek haar aan.

'Ik weet het niet. Ben je moe, Sasha? Je kunt de suite bekijken, als je wilt, of naar bed gaan en uitrusten. Ik denk dat het allemaal erg vermoeiend voor je is geweest; je hebt zo lang in bed gelegen en zoveel doorgemaakt. Wat wil je?'

Op mijn antwoord vooruitlopend, sloeg mevrouw March het bed open.

'Ik blijf nog even in de rolstoel zitten,' zei ik.

'Goed. Dan krijg je hier je lunch.' Mevrouw March liep naar rechts en wees naar een aparte zithoek. 'Dit wordt ook je privéleslokaal, zodra ik een leraar voor je heb gevonden. Ik dacht dat we daarmee maar zo gauw mogelijk moesten beginnen, als je er tenminste nu al tegen opgewassen bent. Je zult hier vast wel goed kunnen werken, denk je niet?'

Ik rolde mijn stoel naar de plek die ze aanwees. Er stonden een kleine tafel en een bureau met een computer, en behalve de in de muur gebouwde televisie stond er nog een tweede tv-toestel recht tegenover het bed, en ook een heel groot poppenhuis, groot genoeg voor een klein meisje om in te kruipen als ze dat wilde. Waar ik ook keek, overal zag ik giraffen op verschillende locaties of slechts een close-up. Ook hing er een prachtig schilderij van een giraffe.

De ramen waren laag genoeg om naar buiten te kunnen kijken, zelfs in mijn rolstoel. Ik reed naar het linkerraam en keek omlaag naar het zwembad, dat immens groot leek, en twee tennisbanen. Iemand was bezig het zwembad schoon te maken.

'Het zwembad heeft olympische afmetingen,' zei mevrouw March, die over mijn schouder meekeek. 'Voordat ze zo ernstig ziek werd, kon Alena tien baantjes trekken zonder te stoppen. Als je weer volledig hersteld bent, zal het beslist wonderen doen voor je therapie. Je zult in een mum van tijd er ook tien kunnen doen. Het is overigens altijd verwarmd.'

Ik zag een *cabana*, waar tafels stonden onder een afdak, en een barbecue, en iets wat eruitzag als een grote *hot tub*. Rond het zwembad stonden lichtgele houten tafels met gele parasols. Het leek meer op een zwembad in een hotel dan in een privéhuis, maar nu ik er was, drong het tot me door dat dit huis groter was dan een hoop hotels. Alles was beslist veel groter en talrijker dan in elk normaal huis. De hotelkamer waarin mama en ik hadden geslapen was waarschijnlijk niet veel groter dan de gaderobekast in deze suite.

'En wat vind je ervan tot dusver, Sasha?' vroeg mevrouw March. 'Denk je dat je hier gelukkig kunt zijn?'

Ik keek haar aan. Natuurlijk wilde ik aan de ene kant beamen: *O, ja, dit is als een droom*, maar aan de andere kant was ik nog steeds kwaad en bedroefd. Ik moest ook weer denken aan de dingen die Jackie tegen me had gezegd. Ze konden nooit genoeg doen om te compenseren wat ze me hadden ontnomen. Zelfs dit alles kwam nog niet in de buurt ervan.

'Ik weet het niet,' zei ik, wat mevrouw Duval kennelijk schokte en mevrouw March teleurstelde.

'Dat is begrijpelijk,' zei ze, voornamelijk ter wille van mevrouw Duval, dacht ik. 'Je hebt in korte tijd zoveel meegemaakt. Je moet op adem komen en gewend raken aan nieuwe dingen. Ik zou precies hetzelfde gevoel hebben,' voegde ze eraan toe. 'Goed, aarzel niet mevrouw Duval, of mevrouw Caro of wie dan ook, om alles te vragen wat je wilt of nodig hebt.'

Aan mevrouw Duvals gezicht kon ik zien dat ze dacht: Nodig hebben? Wat zou ze in vredesnaam nodig kunnen of willen hebben dat ze niet nu al heeft?

Ik wist niet of ik haar op dit moment kon betichten van ongevoeligheid. Ik had geen idee hoeveel ze over me wist, op de hoogte was van wat er precies gebeurd was of waarom ik daar was. Een andere gedachte die ik niet uit mijn hoofd kon zetten was: waar was Kiera? Waar was haar kamer? Wanneer zouden wij elkaar ontmoeten? Wat zou ze zeggen? Wat zou ik zeggen? Wist een van de mensen die hier werkten wat ze had gedaan? 'Oké, kijk jij maar rustig rond, Sasha. Mevrouw Duval brengt straks je lunch boven. Ik moet een paar boodschappen doen. Als je iets nodig hebt, hoef je maar een van de telefoons in de suite op te pakken. Dan gaat de pieper van mevrouw Duval over. Ook een van Donalds technische speeltjes. Ik weet dat Alena mevrouw Duval soms stapelgek maakte.'

'Alleen als ze ziek was,' zei mevrouw Duval op scherpe toon.

'Ja, ze was een heel attente kleine meid, hè?'

'Een schat. Ik kan me geen liever kind voorstellen,' zei mevrouw Duval, mij strak aankijkend.

'Nou ja, laten we onze tijd niet verdoen, zoals mevrouw Caro zou zeggen. Tot straks, Sasha.' Mevrouw March gaf me een klopje op mijn schouder, draaide zich om en liep weg.

Mevrouw Duval aarzelde. 'Moet je naar de wc?'

'Nee, nog niet.'

'Dan zal ik voor je lunch gaan zorgen,' zei ze en volgde mevrouw March de kamer uit. Ze deed de deur achter zich dicht en liet me achter in zo'n intense stilte, dat ik het gevoel had dat ik droomde.

Het was werkelijk net een middeleeuws kasteel, met zijn ommuurde terrein en beveiliging, de werknemers, van wie ik sommigen nu gras kon zien maaien en struiken snoeien. Ik wist zeker dat er van alles en nog wat was wat iemand als ik kon verlangen, mits ik de liefde kon vergeten, vooral de liefde van een moeder.

Maar om de vraag van mevrouw March naar waarheid te beantwoorden: nee, ik kon me niet voorstellen dat ik dit ooit mijn thuis zou noemen. Ik wist zeker dat iedereen dat gek zou vinden, maar nu ik hier in mijn rolstoel zat en om me heen keek naar alles waarover ik kon beschikken, vroeg ik me onwillekeurig af hoe en wanneer ik zou kunnen ontsnappen.

7

Alena's kamer

Mevrouw Duval bracht mijn lunch boven op eenzelfde soort wagentje als ze in het ziekenhuis gebruikten. Verbluft zag ik hoeveel eten erop stond. Ik dacht dat mevrouw March misschien samen met mij wilde eten, maar ze volgde mevrouw Duval niet naar mijn kamer, en ik hoorde haar ook niet de trap opkomen.

'Is dat allemaal voor mij?' vroeg ik.

'Mevrouw Caro heeft een van haar verrukkelijke kipquesadilla's voor je gemaakt, maar als je die niet lekker vindt, is er ook een ham-en-kaassandwich, en hieronder,' ze tilde een zilveren stolp op, 'ligt een cheeseburger. Er is wat salade voor je en een punt van haar eigengebakken chocoladetaart. En dit is de limonade die ze zelf maakt. Wil je ook wat roomijs?'

Met open mond bleef ik zitten. Ik zou graag een van die heerlijkheden opeten, maar wat moest ik met de rest doen? Misschien zou ze die mee terugnemen.

'Ik neem de kipquesadilla,' zei ik. Ik kon me niet herinneren wanneer ik die voor het laatst gegeten had. 'En ik hoef geen ijs.'

'Nu misschien niet, maar je kunt het krijgen als je er trek in krijgt,' zei mevrouw Duval. 'Ik zal het later boven brengen.'

Ze draaide zich om en wilde weggaan.

'Maar die andere dingen dan? Dat kan ik niet allemaal op.'

'Eet wat je wilt en laat de rest staan.' Ze haalde haar schouders op. 'Dat doet iedereen hier.'

Toen ze weg was bleef ik naar het volgeladen blad staren. Tijdens ons zwerversbestaan waren er momenten geweest dat mama en ik de hele dag van die hoeveelheid voedsel hadden kunnen leven. Ik werd gewoon misselijk bij de gedachte dat het allemaal weggegooid zou worden. Ondanks wat ik gezegd had, probeerde ik meer te eten dan ik had moeten doen. Ik at tot ik dacht dat het er allemaal weer uit zou komen en hield toen op. Niet lang daarna kwam mevrouw Duval terug met een kom chocolade- en vanille-ijs.

'Nee,' zei ik. 'Neem het alstublieft weer mee terug. Ik kan geen hap meer naar binnen krijgen.'

Ze keek me onverschillig aan, zette de kom op het blad en duwde de trolley de kamer uit. Ik deed mijn ogen dicht en probeerde al dat voedsel te verteren. Het was stom van me om zoveel te eten, dacht ik, maar ik kon moeilijk van de ene dag op de andere in een spilziek rijk meisje veranderen.

Ik dommelde weg in mijn stoel en werd pas wakker toen ik buiten stemmen hoorde. Gelukkig voelde ik me niet langer zo opgeblazen en misselijk.

De stemmen werden luider, dus rolde ik mijn stoel weer naar het raam en keek naar buiten. Ik zag zeven tieners, drie jongens en vier meisjes, die zich gereedmaakten om in het zwembad te duiken. Ik had geen idee hoe ze eruitzag, maar ik wist dat een van die meisjes Kiera March moest zijn.

Ik concentreerde me op de vier meisjes. Een van hen had te donker haar en was te klein om Jordan March' dochter te kunnen zijn, al had ik natuurlijk nog geen idee hoe Donald March eruitzag. Ik vond alle vier meisjes knap, maar een van hen viel op, omdat ze zo slank en lang was als een model en het lichtbruine haar had van Jordan March, dat op dezelfde manier geknipt was. Alle meisjes droegen bikini's. Een van de drie jongens was minstens zo lang als het langste meisje, maar de andere twee waren klein en stevig van postuur. Ze sprongen er alle drie eerder in dan de meisjes en begonnen om het hardst te zwemmen. De meisjes moedigden hen aan, maar de kleinere jongens bleven al snel achter bij de langere, soepel zwemmende jongen.

Even later lagen alle vier de meisjes ook in het water. Slechts een van hen zwom echt, de andere drie dobberden wat rond en babbelden met elkaar. Ik zag dat mevrouw Duval en Alberto naar het zwembad liepen. Alberto droeg een krat cola en begon de flessen op te bergen in een koelkast die in de overdekte ruimte stond. Mevrouw Duval zette een blad met het een of ander op een van de tafels bij het zwembad. Niemand scheen er enige aandacht aan te schenken, maar zodra ze weg waren, kwamen de jongens uit het water en stormden naar het dienblad.

Kort daarna hoorde ik muziek, en toen kwamen ook de meisjes het zwembad uit en begonnen te dansen. Een van de kleinere jongens liep naar zijn sporttas en haalde er een fles uit met iets wat op whisky leek. De langste jongen liep naar de koelkast en vulde de glazen met cola. Hij bracht ze naar de tafel en de kleinere jongen vulde de inhoud van de glazen uit zijn fles en even later dronken en dansten ze en omhelsden en zoenden ze elkaar nu en dan. Niemand scheen iets te hebben met één speciale jongen. Alle meisjes zoenden alle jongens.

Ik was gefascineerd door het schouwspel onder me en vroeg me af of iemand anders ook uit het raam zou kijken. Geen van de tieners beneden leek zich er druk over te maken. Ze begonnen elkaar het water in te duwen, en toen, tot mijn schrik, trokken de jongens, zodra ze in het water waren, hun zwembroek uit en zwaaiden ermee boven hun hoofd. Daarna zwommen ze in de richting van de meisjes, die haastig naar de kant gingen. Dit ging zo door tot alle meisjes lachend op het droge stonden.

De jongens kwamen naakt uit het water en trokken hun zwembroek weer aan waar de meisjes bij stonden, die in plaats van zich te schamen luid lachten. Ze dronken nog meer, aten van de hapjes, dansten en bleven plagen en flirten. Eindelijk werd hun aandacht getrokken door iets rechts van hen, en ze bedaarden. De jongens gingen naar de verkleedruimten in de cabana om zich te verkleden, en de meisjes volgden. Niemand deed een poging om op te ruimen. De tafels bleven achter met lege glazen en half opgegeten burgers, chips en hotdogs. Ik boog me naar voren toen ze weggingen en probeerde ze na te kijken, maar ze waren algauw uit het zicht verdwenen.

Ik had natuurlijk nog nooit op high school gezeten, maar ik had genoeg gezien en gelezen over tienerliefdes, om nieuwsgierig te zijn naar een groep meisjes en jongens die aan niemand de voorkeur leken te geven. Geen van hen scheen een vast vriendje of vriendinnetje te hebben. Bedoelden ze dat met een orgie? Er was niets echt seksueels voorgevallen, behalve dat die jongens naakt waren, maar het was iets anders, iets vreemds. Ik kon er niets aan doen dat ik nieuwsgierig was. Was de tienerwereld zo veranderd in de tijd dat mama en ik op straat leefden?

Er werd op de deur geklopt en toen ik me omdraaide, zag ik een ander dienstmeisje, een Afro-Amerikaanse, die een stuk jonger was dan mevrouw Caro of mevrouw Duval.

'Jij bent Sasha, hè?'

'Ja.'

'Ik ben Rosie. Mevrouw Duval heeft me gestuurd om te zien of je hulp nodig had in de badkamer. Ik ben de rest van de dag weg, dus zal ik je nu moeten helpen.'

'Ik heb geen hulp nodig,' zei ik. 'Ik kan alles zelf.'

'Oké.' Ze draaide zich om, maar bleef toen staan. 'Mag ik vragen wat er met je gebeurd is? Ben je ziek of zo?'

'Ik ben aangereden door een auto.'

'O, wat een pech,' merkte ze op en liep weg voor ik verder iets kon zeggen.

Het verbaasde me dat ze niets van me wist. Als iemand buiten de Marches wist wat er aan de hand was, dacht ik, hield diegene stijf zijn of haar mond dicht. Nu Rosie het woord badkamer had genoemd, besefte ik dat ik er nodig heen moest. Door het gipsverband was het moeilijk om van de rolstoel op de wc te komen. Twee keer viel ik bijna, maar op de een of andere manier lukte het en kon ik ook weer terugkomen in de rolstoel. In ieder geval hoefde ik daarvoor van niemand afhankelijk te zijn, dacht ik opgelucht, en ging toen televisiekijken.

Ik probeerde afleiding te zoeken bij een film, maar ik hield mijn ogen en oren gericht op de deur, in afwachting van mevrouw March, haar man of Kiera. Uren later kwam mevrouw March inderdaad terug, maar ze was alleen. Ze kwam binnen met een armvol pakjes.

'Hoe gaat het, Sasha?' vroeg ze, maar voor ik antwoord kon geven, ging ze verder. 'Ik móést die spulletjes gewoon voor je kopen.' Ze legde alles op tafel. 'Kom even kijken. Ze zeiden dat dit de nieuwste iPod is. Natuurlijk wist ik niet wat voor muziek en liedjes je erop wilde hebben, maar ik heb ze alles laten downloaden wat op het ogenblik populair is.'

'Maar u hebt er al een voor me gekocht toen ik in het ziekenhuis lag.'

'Ja, maar de verkoper vertelde me dat dit de laatste versie is, en je kunt er veel meer mee doen. Lees zelf maar. Jullie tieners zijn zoveel handiger in het uitpuzzelen van al die technologie. Donald zegt dat wij zijn grootgebracht met papier, en jullie opgroeien met megabytes of iets dergelijks. In ieder geval, hier is het.'

Ze overhandigde me de iPod. Zo eentje zou waarschijnlijk een maand eten voor mama en mij hebben betekend, dacht ik.

Mevrouw March tilde de eerste ingepakte doos op. 'Ik ben langsgegaan bij mijn favoriete winkel, waar ik Alena's kleren altijd kocht, en ze hadden net deze beeldige outfits binnengekregen voor de herfst en de winter.'

Ze begon de doos uit te pakken. Voor ik goed en wel zag wat erin zat, had ze de volgende doos al uitgepakt en de volgende en de volgende, en alles razendsnel op tafel gelegd. Rokken en blouses met bijpassende mutsen, jeans met lovertjes, en twee leren jasjes, een lichtroze en een lichtgroen, die zo zacht als fluweel voelden.

'Wat vind je ervan?' vroeg ze, toen ze alles had laten zien.

'Het is allemaal zo mooi,' zei ik. Ik wilde dankbaar klinken, maar ze overstelpte me met zoveel dingen dat ik de kans niet kreeg ze echt te bewonderen en te waarderen.

'Dat vond ik ook. Maar ik heb een nieuwtje voor je. Ik had de schooldecaan van Kiera's school gevraagd contact op te nemen met de lerares die hij ons had aanbevolen. Ze heet mevrouw Kepler. Ze is twee jaar geleden met pensioen gegaan, maar ze verveelt zich dood. Haar man doet niets anders dan golfen. Ik weet zeker dat ze geschikt zal zijn. Ik heb afgesproken dat ze morgen komt om kennis te maken. Is dat oké? We willen dat je bijgewerkt bent als het nieuwe schooljaar begint.'

'Waar ga ik naar school?'

'Natuurlijk naar de particuliere school waar Kiera ook naartoe gaat. Vlak bij Pacific Palisades. Grover zal je brengen en halen als de lessen beginnen. Ik zal binnenkort dokter Milan spreken,' ging ze verder, zonder de tijd te nemen om adem te halen. 'Heb je klachten, pijn, hoofdpijn, iets wat ik hem moet melden?'

'Nee.'

'Prachtig. Het is zo belangrijk om niet te hoeven rondhangen in het ziekenhuis met al die andere zieke en gewonde mensen. Dan blijf je er maar aan denken. Hier is meer dan genoeg om je af te leiden.'

Ze bleef zo lang glimlachend naar me staren, dat ik me niet helemaal op mijn gemak voelde. Met opzet draaide ik me om en keek naar de nieuwe iPod.

'Goed,' zei ze. 'We zullen je nieuwe kleren opbergen.'

Ze pakte alles bijeen en liep met de stapel in haar armen naar de inloopkast. Ik kwam in de rolstoel achter haar aan. Ik had nog niet in die kast gekeken, maar nu ik hem vanbinnen zag, moest ik heel even lachen. Ik had het idee gehad dat de hotelkamer waarin mama en ik hadden gewoond niet veel groter zou zijn dan een inloopkast in dit huis. Ik zat er behoorlijk naast. De kast was minstens tweemaal zo groot als de hotelkamer. Hij bevatte een spiegel en een toilettafel en rijen kleren die waarschijnlijk konden concurreren met de kledingvoorraad in de meeste winkels. Hoe had een meisje zoveel kleren kunnen dragen?

Ze bleef even staan toen ze mijn nieuwe rokken en blouses ophing en kreeg plotseling tranen in haar ogen. Ze hield een rok omhoog waar de label nog aan hing. Even leek het of ze mijn aanwezigheid vergeten was. Toen draaide ze zich naar me om, met de rok nog in haar hand. Ze haalde diep adem, knikte, en zei: 'Ik doe weer stom, ik weet het.'

'Hoe bedoelt u?'

'Toen Alena ernstig ziek was, kreeg ik een aanval van koopwoede, net als nu.' Ze wees naar de rij kleren. 'Het meeste hiervan,' zei ze, wijzend naar de rij kleren, 'heeft ze nooit kunnen dragen. Ik denk dat het kopen van nieuwe kleren, nieuwe schoenen, wat dan ook, mijn manier was om te proberen de waarheid te ontkennen. En nu doe ik hetzelfde met jou. Het spijt me. Er is zoveel dat nog splinternieuw is en jou zal passen. Maar ik kan het niet helpen. Als ik iets leuks voor je zie, wil ik het kopen. Als ik na Alena's overlijden in een winkel kwam waar ik iets zag dat ze zou kunnen dragen en waar ze blij mee zou zijn, had ik dat het liefst meteen willen meenemen. Ik heb zelfs een paar van de kleren die hier hangen gekocht toen ze er al niet meer was. Ik weet dat je het idioot zult vinden, maar... het hielp me het verlies te verwerken.'

'Ik begrijp het,' zei ik. Ik dacht echt dat ik het begreep.

Ze keek me aan en glimlachte. 'Dat weet ik. Je bent een uitzonderlijk meisje en je zult een uitzonderlijke vrouw worden. Ik ben vastbesloten je gelukkig en gezond te maken en je weer een veilig gevoel te geven,' zei ze, met zoveel overtuiging dat ik haar wel moest geloven.

Ze hing de rest op en we gingen de kast uit.

'Zal ik uw man vanavond ontmoeten?' vroeg ik.

'Nee. Hij heeft een conferentie in Texas, iets over nieuwe bouwmaterialen. Ik weet niet zeker wanneer hij terugkomt. Ik besteed niet erg veel aandacht aan zijn werk. Jij en ik eten vanavond alleen.'

'Maar...'

'Kiera is bij een vriendin vanavond,' zei ze, nog voordat ik iets kon zeggen. 'Ik wilde haar niet laten gaan, maar ik dacht dat je het misschien leuker zou vinden als jij en ik de eerste avond samen waren. Oké?'

Ik knikte. Wist ze dat Kiera en haar vrienden de middag bij het zwembad hadden doorgebracht? Moest ik het haar vertellen? Het gaf me een vreemd gevoel ze te bespioneren. Als ze me eens zou vragen wat ik had gezien?

'Heb je nog wat kunnen slapen?'

'Ik ben een tijdje ingedut. Ik voel me niet moe.'

'Verbluffend. Ik weet dat de opwinding van een nieuwe woonomgeving je kan uitputten, maar ik vergat hoeveel energie jonge mensen hebben. Ik kom later boven om je te helpen kiezen wat je aan moet trekken voor het eten vanavond.'

Ze liep naar de deur.

Waarom was het belangrijk wat ik aan zou trekken als we maar samen waren?

'Veel plezier met je nieuwe iPod,' zei ze voor ze wegging. Ik staarde haar na. Het duizelde me. Ik keek naar de kast, de zitkamer, het prachtige bed, de ingebouwde televisie, alles waarvan ik maar had kunnen dromen was er. We hadden niet veel toen mijn vader ons verliet, maar het had me pijn gedaan om het achter te laten. Hoeveel moeilijker moest het zijn geweest voor een jong meisje om hier te moeten liggen en te weten dat ze binnenkort zou sterven en alles zou moeten achterlaten, vooral ouders die haar verafgoodden?

Ik sloeg mijn armen om me heen, alsof ik omgeven werd door kil verdriet, ondanks de schitterende suite vol kleur en warmte. Toen keek ik naar het bed. Kon ik in dat bed slapen, zou ik de stem horen van Alena March, haar misschien horen snikken of huilen? Zou ik haar dromen dromen?

Ik besefte wat Jordan March hoopte toen ze me hierheen bracht, en het intrigeerde me, maar maakte ook dat ik me bang en misselijk voelde. Ze wilde naar me kijken, met haar ogen knipperen en haar teruggekeerde dochter zien.

Zoveel verschilde ik niet van haar.

Ik wilde met mijn ogen knipperen en mijn teruggekeerde moeder zien.

En we zouden allebei gelukkig zijn, óf we zouden allebei blind eindigen.

8

Diner

Ik viel weer in slaap in mijn stoel. Ik had mijn rolstoel naar het raam in de zitkamer gereden en staarde naar het zwembad, de tennisbanen en de prachtige tuin. Ik deed het raam een eindje open en hoorde het geronk van de grasmaaiers. Omdat het huis zo hoog op de heuvel lag, kon ik achter de boomtoppen de zee zien. Op dit uur van de dag zag hij helblauw, maar kleurde langzaam rood in de ondergaande zon.

Toen ik acht was, bracht mijn vader een pop mee naar huis die hij had gevonden op een werkterrein. Hij lag in een souterrain naast een wasmachine die hij bezig was te repareren, en hij stopte hem in zijn gereedschapstas. Hoewel hij oud, vaal en stoffig was, koesterde ik die pop, omdat het een van de heel weinige keren was dat hij aan mij gedacht had als hij aan het werk was en iets voor me had meegebracht. Mama schold hem uit omdat hij me iets gaf dat vies en vuil was, en pakte de pop af om hem in de wasmachine te stoppen. Ik heb nooit een andere pop gezien die met deze te vergelijken was.

De pop was een vrouwelijke matroos. Papa had geen idee wat die pop voorstelde, maar mama wél. Ze gaf toe dat het een soort verzamelobject was, een pop die gekleed was als een lid van de WAVES. Een Amerikaanse marineorganisatie van vrouwelijke vrijwilligers tijdens de Tweede Wereldoorlog. Ze zei dat ze een oudtante van haar vaders kant had, die lid was geweest van de WAVES.

Toen de pop was gewassen, was het blauwe uniform nog meer verschoten, maar ik vond het de mooiste pop ter wereld, en toen ik meer wist van de WAVES, begon ik te fantaseren en zag ik mezelf op boten en schepen. Zelfs toen mama en ik het zo moeilijk hadden en op het strand haar kalligrafeerwerk en mijn sleutelhangers verkochten, keek ik naar de zeilboten en de grote schepen en kwamen die fantasieën bij me terug.

Wegvaren naar de horizon leek een ontsnapping aan alle droefheid en ontberingen. Niets was zo veelbelovend als de verre horizon. Ik zag mezelf op de boeg staan en spiedend voor me uitkijken naar een nieuw leven vol vreugde en geluk. Mama stond altijd naast me op de boot of vlak achter me, met een even brede glimlach op haar gezicht en evenveel optimisme in haar ogen. We keken nooit achterom naar de donkere wolken.

Nu dacht ik aan die pop terwijl ik naar de grote oceaan keek. Ik had er zoveel mee gespeeld en hem zo vaak bij me gedragen, dat het uniform dun en versleten raakte en de pop uit elkaar begon te vallen. Mama probeerde hem een paar keer te repareren, maar de draden braken af. Toen ik ouder werd, legde ik hem opzij. Ergens onderweg, met het snelle inpakken en het voortdurende slepen met onze bezittingen, raakte ik de pop kwijt. Ik hield me voor dat ze terug was naar zee, terug naar die boot, om een betere plek te zoeken dan die waar ik haar mee naartoe kon nemen.

Ik stelde me voor dat ze naar de horizon voer. Vaag kon ik een boot onderscheiden, die ik gadesloeg tot hij uit het gezicht was verdwenen. In ieder geval is ze veilig, dacht ik. Ik glimlachte bij mezelf en beleefde opnieuw enkele momenten uit mijn jeugd waarop ik met mijn pop praatte.

De terugkeer van mevrouw March, die me kwam helpen met het kiezen van de kleren die ik aan tafel zou dragen, verbrak de betovering en rukte me weg uit een gelukkige tijd in mijn verleden en bracht me terug in de werkelijkheid. Het was alsof ik mijn pop opnieuw had verloren.

'Laten we iets gemakkelijks zoeken,' begon ze, en liep weer naar die reusachtige kast. Ik rolde de stoel naar de kastdeur en keek toe terwijl ze de kleren bekeek. Sommige bekeek ze wat aandachtiger, bij andere schudde ze haar hoofd. Wat zocht ze eigenlijk? Waarom vond ze dit zo belangrijk? Bijna had ik het haar gevraagd, maar ze pakte een blouse en rok van het rek alsof ze iets had gevonden dat ze al een paar keer over het hoofd had gezien. Ik zag de blijdschap in haar gezicht.

'Ja,' zei ze, meer tegen zichzelf dan tegen mij, 'dit is het.' Toen ze zich omdraaide en het voor me ophield, viel ik bijna uit mijn rolstoel. Het was een matrozenpakje. Ik voelde een golf van hitte naar mijn hals en gezicht stijgen. De woorden kwamen hakkelend uit mijn mond. 'Waarom?'

'Alena was zo enthousiast toen Donald onze boot kreeg, dat ik meteen dit pakje voor haar ging kopen. Toen ze het had aangepast, wilde ze het niet meer uittrekken. Donald en Kiera waren er die avond niet, dus aten Alena en ik die avond samen. Ook al waren we maar alleen, toch was het een heel bijzondere avond. Ik herinner me nog hoe spraakzaam ze was, hoe vrolijk, en dat was kort nadat de diagnose was gesteld. Net als jij, weigerde ze de moed op te geven en neerslachtig te worden.'

Net als ik? Wat had ik gedaan om haar in de waan te brengen dat ik niet neerslachtig en ongelukkig was? Dacht ze soms dat ik zo onder de indruk was van het huis en de cadeaus dat al mijn droefheid dood en begraven was? Geloofde ze werkelijk dat ik al vergeten was wat er met mijn moeder gebeurd was?

Ik denk dat ze de uitdrukking op mijn gezicht zag en begreep. Haar glimlach verdween en ze werd heel serieus toen ze met het pakje naar me toekwam.

'O, ik weet hoe afschuwelijk en ongelukkig je je moet voelen,' begon ze. 'Je mag geen moment denken dat ik dat niet weet of dat het me niet kan schelen. Ik wil dat je altijd aan je moeder zult blijven denken en van haar blijft houden. Ik heb je beloofd dat ik wat je maar wilde op haar grafsteen zou laten graveren, weet je nog? Zodra je het weet, moet je het me vertellen en zal ik ervoor zorgen, en dan gaan we er samen heen om het te zien. Maar intussen moet je overleven en groeien en weer gezond worden. Verwijt me niet dat ik probeer je daarbij te helpen. Ik weet dat je me moet haten omdat ik zoveel over Alena praat, maar...'

'O, nee, dat doe ik niet,' zei ik snel. Ik keek even naar de ingelijste foto van Alena. 'Ze was heel mooi en ik weet zeker dat ze ook heel aardig was.'

'Dank je, lieverd. Als je dit liever niet aan wilt,' ging ze verder, terwijl ze de rok en blouse omhooghield, 'dan hoeft het echt niet. Je kunt iets anders uitzoeken.'

'Nee, het is goed.' Ik had haar bijna verteld over mijn pop, maar om de een of andere reden vond ik dat sommige dingen zo intiem waren, dat ze tussen mama en mij moesten blijven. Ondanks wat Jackie haar liefdadigheid noemde, had ze dat vertrouwen nog niet verdiend. Ze was mijn moeder niet; ze was zelfs nog geen vriendin van me. Ze was niet meer dan iemand die medelijden met me had en zich schuldig voelde omdat haar dochter de dood van mijn moeder had veroorzaakt. Ik was hier degene die liefdadigheid bedreef. Ik liet haar leven met dat schuldbesef. Dat had Jackie me verteld, en ik vond het nu zinvoller dan ooit.

Ik stak mijn hand uit naar het pakje.

'Kan ik je helpen met aankleden?' vroeg ze.

Ik knikte, en ze hielp me met het uittrekken van de blouse die ik aanhad. Ze liet even een zacht gekreun horen bij het zien van de vervagende blauwe plekken, en mompelde: 'Arm kind. Wat heb je allemaal moeten doorstaan.' Ze keek alsof ze in tranen zou uitbarsten, dus verzekerde ik haar dat het lang zoveel pijn niet meer deed als eerst.

Toen ik het matrozenpakje aanhad, bracht ze me naar de spiegel boven de toilettafel. Het verbaasde me dat het zo goed paste.

'Laat me iets aan je haar doen,' zei ze, en begon het te borstelen. 'Je hebt mooi en dik haar. Ik wed dat je moeder prachtig haar had.'

'Ja. Ze droeg het altijd tot over haar schouders.'

'Ik wou dat ik mijn haar kon laten groeien, maar Donald zegt dat het me ouder maakt, en als er iets is wat Donald haat dan is het dat ik er ouder uitzie.'

'En hij?'

'Mannen kunnen er ouder uitzien en dan noemen ze het gedistingeerd. Wist je dat niet?' vroeg ze glimlachend.

Ze opende een la van de toilettafel en haalde er een paar haarspeldjes uit. Toen ik zag hoe ze mijn haar gekamd had, keek ik naar de foto van Alena en besefte dat het dezelfde stijl was. 'Zo,' zei ze, en deed een stap achteruit. 'Vind je het zo niet mooi?' 'Ik hoop dat ik later net zo mooi zal worden als mijn moeder,' zei ik.

Ze bleef glimlachen, maar iets van de warmte verdween eruit. Ze knikte en draaide me af van de spiegel. 'Ik hoop dat je van Ierse stoofpot houdt. Die van mevrouw Caro is uitstekend.'

'Ik geloof niet dat ik het ooit gegeten heb,' zei ik terwijl ze mijn stoel naar de deur duwde.

'Eet maar zoveel je wilt. Ze heeft een speciaal dessert voor ons gemaakt, een verrassing. Kom, we gaan naar beneden.' Ze reed me door de gang naar de lift.

Toen ik aankwam had ik nog maar een klein deel van het huis gezien. De liftdeur ging open, en ze duwde me naar links, een hoek om. Er leek geen eind te komen aan de gang, maar onderweg wees ze me de speelkamer, de officiële eetkamer, de werkkamer en bibliotheek, de entertainmentkamer en toen een gang die een bocht maakte naar rechts. Ze zei dat daar het binnenzwembad was.

Vlak naast de keuken was wat ze noemde hun informele eetkamer. Ik vond geen enkele kamer in dit huis klein, maar deze noemde ze een van hun kleine kamers. Er stond een mooie, donkere hardhouten tafel met twaalf beklede hardhouten stoelen. De muren hadden panelen van lichter hout, en een groot raam keek uit op de achterkant van het landgoed.

'Is dat een meer?' vroeg ik, wijzend.

'Donalds meer, ja. Het is een kunstmatig meer. Hij zegt dat hij er vis wil uitzetten. Wat is daar nu voor leuks aan? Het is alsof je vissen in een aquarium vangt, maar als Donald iets ziet wat een ander heeft, dan wil hij het ook hebben. Er zijn twee roeiboten. Dat is tenminste wél leuk.'

Ze haalde een stoel weg naast de stoel aan het eind van de tafel en liet me daar zitten. Er was al gedekt met twee couverts, glazen en bestek. Bijna zodra mevrouw March ging zitten, kwam mevrouw

Duval binnen door de deur van de keuken. Ze droeg een mandje met brood en een karaf water.

'Goedenavond, mevrouw Duval,' zei mevrouw March, die plotseling heel formeel klonk.

'Goedenavond, mevrouw March.'

'Vind je niet dat onze kleine meid er mooi uitziet vanavond?'

Mevrouw Duval bleef even staan na het glas van mevrouw March te hebben gevuld en keek naar me alsof ik net gearriveerd was. Ik ving een snelle blik in haar ogen op, een kort moment van verbazing. Ze keek naar mevrouw March, forceerde toen een glimlach en zei: '*Sí, muy bonita.*'

Mevrouw March keek tevreden. Ze boog zich naar me toe terwijl mevrouw Duval terugkeerde naar de keuken. 'Dat betekent "erg mooi" in het Spaans. Ken je Spaans?'

'Niet echt. Ik bedoel, ik ken een paar woorden.'

'Alena sprak vloeiend Spaans, omdat mevrouw Duval sinds haar geboorte haar nanny was. Ik weet zeker dat je veel van die taal zult opsteken door alleen maar bij haar in de buurt te zijn. Het is de beste manier om een taal te leren, beter dan in een klas. Dat zegt Donald altijd.'

'Ik ken een paar woorden Chinees, door mijn moeder,' merkte ik op.

Ze keek niet bijster enthousiast. 'Prima. Het is belangrijk jezelf zoveel mogelijk te ontwikkelen. Ik wed dat je ook goed kunt lezen?'

Mevrouw Duval bracht onze salades binnen en zette ze voor ons neer zonder naar mij te kijken of iets te zeggen.

'Ik heb al een hele tijd niet veel meer gelezen,' zei ik.

'Natuurlijk. Ik begrijp het. Maar je zult zien dat Alena een prachtige bibliotheek had in haar zitkamer. Tenzij je die boekenplanken al bekeken hebt.'

'Nee, nog niet.'

'Kiera zover te krijgen dat ze iets leest is alsof je probeert haar levertraan te geven. Haar cijfers op school zijn net voldoende om over te gaan. Donald is ten einde raad, en het ligt niet aan het gebrek aan privéleraren. Ze kon nooit met een van hen opschieten, maar ik denk dat je mevrouw Kepler heel aardig zult vinden. Die salade ziet er goed uit, hè? Hou je van vijgen erin? Wij vinden die allemaal lekker. Alena was er dol op.'

'Ik heb ze nog nooit gegeten,' zei ik, maar ik knikte. Het smaakte goed.

Daar was ze blij om, en het maakte haar nog spraakzamer. Ze vertelde me over haar eigen jeugd, haar jaren op high school, en op een particulier college dat ze 'meer een charme-en-élégance-opleiding' noemde dan een echt educatieve instelling. 'Maar het was niet de bedoeling dat ik ooit een carrière zou hebben,' ging ze verder. 'Ik ben geboren om te worden wie ik ben.' Ze lachte. 'Dat zegt Donald altijd.'

Alles was wat Donald zei, dacht ik. Onwillekeurig vroeg ik me af hoe hij werkelijk zou zijn en hoe hij over mij zou denken.

'Komt hij morgen thuis?' vroeg ik.

'Nee. De rest van de week blijft hij weg, maar dat komt wel goed. We hebben gezelschap genoeg, want morgen komt je lerares, en de dokter om je te onderzoeken. Er is een hoop te doen, maak je geen zorgen.' Ik wachtte erop dat ze eraan toe zou voegen 'zoals Donald zou zeggen', maar dat deed ze niet.

De Ierse stoofpot was verrukkelijk. Ik had aan de lunch zoveel gegeten dat ik er niet zoveel van kon eten als ik zou willen, vooral omdat mevrouw March me voortdurend waarschuwde dat ik ruimte moest overhouden voor ons speciale dessert. Toen de tafel was af-geruimd, bleef ik vol verwachting zitten. Even later kwam me-vrouw Duval terug met een blad waarop iets in brand stond. Me-vrouw Caro kwam glimlachend achter haar aan. Het bleef branden tot mevrouw Duval het op tafel zette.

'Het ziet er prachtig uit,' zei mevrouw March.

'Wat is het?' vroeg ik.

'Geflambeerde banaan,' antwoordde ze.

Mevrouw Duval schepte elk van ons een portie op, en mevrouw Caro deed er vanille-ijs bij. Ik kon me niet herinneren ooit zoiets heerlijks gegeten te hebben.

'Wacht maar tot Kiera erachter komt dat we dit hebben gegeten.

Ze zal er spijt van krijgen dat ze niet thuis was,' zei mevrouw March, en kneep toen haar lippen samen en sloeg haar ogen neer.

'Het was zalig,' zei ik. Haar gezicht klaarde weer op.

'Ik ben zo blij dat je van ons eerste diner genoten hebt, lieverd,' zei ze. 'Ik hoop dat er nog heel veel zullen volgen, en allemaal net zo vrolijk en lekker.'

Na het eten gaf ze me een uitvoerige rondleiding door de kamers waar we langs waren gekomen toen we aan tafel gingen. Er was zoveel te zien. Ik kon het gewoon niet allemaal in me opnemen en ik voelde me doodmoe. Dit leek een van de dagen te zijn die volgens mevrouw March langer dan vierentwintig uur duurden. Ze merkte dat ik moe was en bracht me snel naar de lift. Ze leek zelfs een beetje overstuur toen ze me in allerijl naar boven en naar bed bracht.

'Ik weet dat je je niet zo moe mag maken,' zei ze toen we met de lift omhooggingen. 'Ik dacht er niet aan. Het spijt me.'

'Het geeft niet, ik voel me prima,' zei ik, maar ze keek naar me met de blik van mensen die beseffen dat ze iets verkeerds hebben gedaan.

Haastig reed ze me de gang door naar mijn suite. 'Ik zal je helpen in bed te komen,' zei ze. 'Ik weet dat je uitgeput bent.'

'Het gaat prima,' hield ik vol, maar ze was al bezig mijn matrozenpakje uit te trekken. Daarna, toen ik het nachthemd aanhad dat ze op bed had klaargelegd, duwde ze me naar de badkamer.

'Er is een nieuwe elektrische tandenborstel voor je en diverse soorten tandpasta. Alena had een hekel aan tandpasta met pepermuntsmaak. Ze zei dat die brandde op haar tong. Deze is tamelijk neutraal. Die had ze het liefst. Ik zal mevrouw Duval morgenochtend sturen om je te helpen als je een bad neemt.'

'Ik kan zelf wel in bad,' zei ik vinnig.

'Het is geen schande om hulp te krijgen als je die nodig hebt.'

'Die heb ik niet nodig!'

'Oké. Ze staat ter beschikking als je wilt dat ze komt. Denk eraan, dat je de telefoon maar hoeft op te nemen als je iets nodig hebt, oké?'

'Ja.'

Ze bleef even naar me staan kijken terwijl ik mijn tanden poetste. 'Laat me je in ieder geval naar bed helpen,' zei ze toen ik klaar was. Ik zei niet nee. Ik dacht dat het misschien wel nodig kon zijn. Ook al had iemand het dekbed al opengeslagen toen wij aan tafel zaten, toch vond ik het bed tamelijk hoog, en ik was bang te veel druk uit te oefenen op mijn rechterbeen. Mevrouw March sloeg haar armen om me heen en hielp me in bed. Toen trok ze het dekbed recht en schudde het kussen op.

'Zou je het heel erg vinden als ik je een nachtzoen gaf?'

'Ik heb liever dat u dat niet doet,' zei ik, scherper dan mijn bedoeling was.

Haar gezicht leek een masker van droefheid. Ze forceerde een glimlach en wenste me welterusten.

Gemeen van je, hoorde ik mijn moeder in gedachten zeggen.

'Mevrouw March,' riep ik. Ze draaide zich abrupt om bij de deur. 'Het spijt me. Natuurlijk mag u me een nachtzoen geven.'

Glimlachend draaide ze zich om, liep naar me toe en gaf me een zoen op mijn wang. 'Je bent een dappere meid,' zei ze. 'Dapperder dan ik zou zijn op jouw leeftijd. Je moet erg sterk zijn geworden in die afschuwelijke tijd die je achter de rug hebt.'

Die is nog niet achter de rug, dacht ik, maar ik zei niets.

Ze draaide zich om en liep langzaam naar buiten, deed het licht uit en sloot zachtjes de deur. Er was zoveel licht buiten dat het schijnsel ervan voorkwam dat het volledig donker was in de kamer. Daar was ik blij om, al was ik niet bang in het donker. Mama en ik hadden in het afgelopen jaar op te veel donkere en deprimerende plekken geslapen om last te hebben van dat soort angst. Meestal was de duisternis meer een vriend geweest, die ons ervoor behoedde dat we gezien werden door mensen die ons wilden beroven van het weinige dat we nog bezaten. De duisternis werd onze bescherming, onze cocon.

Maar nu was dat anders. Waarschijnlijk kon je geen veiliger plaats bedenken dan dit huis, omgeven door muren, felverlicht, en beschermd door beveiligingscamera's. De duisternis maakte weinig verschil. Nee, wat me de meeste angst aanjoeg was de totale eenzaamheid die ik om me heen voelde, niet alleen in het gezicht van mevrouw March, maar ook in dat van haar personeel. Als ze naar haar keken, schenen zij, die veel minder bezaten en haar ondergeschikten waren, medelijden met haar te hebben.

Ik was daar gekomen om te ontsnappen aan de eenzaamheid, aan het gebrek aan identiteit in een of ander weeshuis of pleeggezin. Ik wilde me vastklampen aan mijn naam en mijn herinneringen aan mama, maar Alena March spookte nog rond in dit huis, deze kamer. Alleen deed ze dat niet omdat ze het wilde.

Haar geest waarde hier nog rond omdat haar moeder haar niet los wilde laten.

Misschien zou ze mij ook nooit loslaten. Misschien zou ik daarvoor meer angst moeten hebben dan voor iets anders.

9

Mevrouw Kepler

Mevrouw Duval was er de volgende ochtend vroeg om me wakker te maken en te vragen of ik hulp nodig had als ik in bad ging. Ik was van plan alle hulp te weigeren, maar toen zag ik dat ze op een andere manier naar me keek. Gisteren leek ze niet alleen onverschillig, maar zelfs een beetje rancuneus. Misschien had ze gedacht: Wie is dat stuk onbenul dat stiekem Alena's wereld is binnengedrongen? Misschien dacht ze dat ik Alena's plaats wilde innemen en misbruik maakte van mevrouw March' goedheid. Misschien – net als Rosie – kende ze niet het hele verhaal. Maar misschien kende ze het nu wél. Haar ogen straalden warmte uit en haar glimlach scheen me welkom te heten.

'Ja,' zei ik. 'Dank u.'

Dokter Milan had ervoor gezorgd dat ik het ziekenhuis verliet met plasticzakken die om het gipsverband gingen. Mevrouw Duval haalde er een uit de verpakking en bond hem goed vast, zodat het gips niet nat zou worden. Daarna hielp ze me naar de badkamer, en samen wisten we de rest van me gewassen en gedroogd te krijgen. Ze bracht me een van mijn nieuwe outfits om aan te trekken en belde toen Rosie om te zeggen dat ze mijn ontbijt boven moest brengen. Rosie zette het klaar op de tafel in de zithoek. Zelfs in het ziekenhuis had ik van Jackie niet zo'n goede behandeling gekregen.

Terwijl ik zat te ontbijten, kwam mevrouw March binnen en vertelde me dat mijn lerares, mevrouw Kepler, over ongeveer een uur zou komen.

'Als ik haar aan je heb voorgesteld, zal ik jullie alleen laten met jullie werk, tenzij je graag wilt dat ik erbij blijf.'

'Ik denk dat het wel goed zal gaan,' zei ik.

Ik kon me niet voorstellen waarom ze zou willen blijven, tenzij ze wilde zien hoe slim of hoe stom ik was. Als ik het er niet goed afbracht, zou ze misschien van gedachten veranderen en me wegsturen. Ik was niet zo'n goede leerling geweest in het laatste jaar dat ik op school was. Mama had wel wat belangstelling voor mijn schoolwerk, maar ze werd altijd in beslag genomen door haar eigen problemen, zelfs toen papa nog bij ons was, of misschien omdát hij er was. De ruzies lieten hun sporen bij haar achter, en ik herinner me maar al te veel ochtenden dat ze te moe of te gedeprimeerd was om uit bed te komen voordat ik naar school ging. Vaak maakte ik zelf mijn lunchtrommeltje klaar. Ik nam het haar nooit kwalijk. Ik gaf altijd papa de schuld.

Ook al deed ik mijn best om me niet druk te maken over mijn privéles, toch was ik zenuwachtig. Zelfs toen we op straat leefden, wilde ik niet voor dom worden aangezien. Zonder rekening te houden met de omstandigheden dachten de meeste daklozen dat hun mislukte leven hun eigen schuld was. Hoe was het mogelijk dat iemand niet voor een dak boven het hoofd van haarzelf en haar kind kon zorgen? En voor voldoende voedsel en kleding?

Mevrouw March toonde medelijden en sympathie voor mama en mij, maar hoe dacht ze echt over mama? Als haar dochter er niet bij betrokken was geweest, zou ze me vanzelfsprekend niet in het ziekenhuis hebben opgezocht en me hebben geholpen, en zou ze niet voor mama's begrafenis hebben gezorgd. Misschien stuurde ze cheques naar liefdadigheidsinstellingen en woonde ze hun bijeenkomsten bij, zoals ze me had verteld, maar zág ze de mensen ook werkelijk die met dat geld geholpen moesten worden? Belangrijker voor mij op dat ogenblik was de vraag: Ziet ze mij echt?

De eerste keer dat mevrouw Kepler kwam, dacht ik dat ze net zo hard en onwelwillend zou zijn als de mensen die mama en mij op straat voorbijliepen en vol afkeer hun hoofd schudden of snel hun blik afwendden. Mevrouw March had haar verteld dat ik al een tijd niet naar school was gegaan, maar had er niet bij gezegd dat haar dochter het ongeluk veroorzaakt had. Ik kon het merken aan de manier waarop we later met elkaar spraken en ik hoorde hoe mevrouw Kepler haar als een weldoenster beschouwde.

'Dit is Sasha,' zei mevrouw March. 'We willen haar zo gauw mogelijk bijwerken, zodat ze op hetzelfde niveau komt als de andere leerlingen in haar klas. Sasha, mevrouw Kepler.'

'Hallo,' zei ik.

Mevrouw Kepler knikte, keek me net zo strak en aandachtig aan als een dokter. Ze was een volslanke vrouw met donkerbruin haar dat bij de wortels grijs was. Toch zag ze eruit alsof ze net uit een schoonheidssalon kwam. Haar haar was fraai gestyled en viel net over haar oren, met een pony die keurig was bijgeknipt. Ze was ongeveer vijf centimeter kleiner dan mevrouw March, maar bleef stijf rechtop staan. Een minpuntje in haar gezicht was haar mond met de veel te dunne lippen, die dreigden te zullen verdwijnen als zij ze straktrok.

'Wat vindt u van ons zithoekje, mevrouw Kepler? Het is heel rustig hierboven.'

Ze bestudeerde de kamer en het bureau alsof het van essentieel belang was. Ik bedacht dat zij net zo op de proef werd gesteld als ik, en dat wist. Ze deed haar uiterste best om een perfecte lerares te zijn.

'Ja, dit lijkt me uitstekend,' zei ze.

'Ik kan een schoolbord laten brengen.'

'Nee, dat is niet nodig. We zijn maar met z'n tweeën.'

'Ik heb mijn best gedaan om ervoor te zorgen dat er voldoende pennen en potloden zijn, en papier en zo. En natuurlijk is er een computer als u die nodig hebt.'

'Ik geef geen les op een computer. Alles wat ik voorlopig nodig heb, zit hierin,' zei ze met een klopje op haar zwartleren aktetas. Ze liep naar de zitruimte en zette de tas op tafel. Toen keek ze om zich heen en knikte. 'Mogen die gordijnen open, zodat we wat meer licht hebben?'

'O, natuurlijk. Ik zal u helpen,' zei mevrouw March, en trok haastig de gordijnen open.

'Kom je aan de tafel zitten, Sasha?' vroeg mevrouw Kepler en richtte zich toen tot mevrouw March. 'Ik zal haar een test afnemen om te zien hoe ver ze is met wiskunde, natuurkunde, literatuur en geschiedenis. Dan weten we precies wat er gedaan moet worden om haar bij te werken.'

'Ja. Goed idee. Wilt u misschien thee, koffie, een frisdrank?'

'Op het ogenblik niet, dank u.'

'Oké. Zal ik het mevrouw Duval over een uur of zo nog eens laten vragen?'

'Graag,' zei mevrouw Kepler.

Ik merkte dat ze, als ze iets gezegd had, haar onderlip tegen haar bovenlip perste, waardoor er rimpels verschenen in haar kin. Het was geen opvallend gebaar, maar ik dacht dat ze dat had aangewend voor de leerlingen in haar klas, want haar woorden, wat ze ook zei, leken daardoor gemetseld in beton. Van argumenteren of tegenspreken was geen sprake.

'Goed. Succes, Sasha,' zei mevrouw March, en ze verliet de kamer.

Mevrouw Kepler opende haar aktetas en haalde er een paar papieren uit. 'Kom wat dichterbij,' zei ze tegen me, en ik reed mijn rolstoel naar de tafel. 'Zit je zo gemakkelijk?'

'Ja.'

'Mooi. In welke klas zat je voordat je van school ging?'

'De zevende.'

'Dus feitelijk heb je het hele achtste schooljaar gemist?'

'Ik denk het wel, ja.'

'Je weet het of je weet het niet. Ben je na het zevende jaar op een of andere school geweest?'

'Nee.'

'Dus heb je een heel jaar gemist, het achtste schooljaar. Ik wil beginnen met je leesvaardigheid. Voor alles wat we doen moet je heel goed kunnen lezen.'

'Ik heb altijd veel gelezen, ook al ging ik niet naar school.'

Ze keek me lang genoeg aan om me het gevoel te geven dat ze me eindelijk echt zag. 'Wat heb je gelezen?'

'Boeken die andere daklozen me van tijd tot tijd gaven. En soms gingen we naar de bibliotheek om te schuilen voor de regen, en dan las ik daar.'

'Van wat voor mensen kreeg je boeken?'

'Mensen die op straat leefden,' zei ik, en ze sperde haar ogen open.

'Ik kan me voorstellen wat voor lectuur dat was.'

'Nee, dat kunt u niet,' zei ik vinnig. Ze trok haar wenkbrauwen op. 'Tenzij u daar zelf geleefd hebt,' ging ik verder. 'Niet iedereen was een zwerver. Er waren mensen bij die van de universiteit kwamen en mensen die vroeger een uitstekende baan hadden. Iemand gaf me een exemplaar van *Huckleberry Finn*, en een ander gaf me *A Tale of Two Cities*.'

'Heus?'

'Ja, heus. Waarom zou ik daarover liegen? Niet alle daklozen zijn dieven en leugenaars. Heel veel proberen zichzelf en hun kleren zo schoon mogelijk te houden.'

Ik voelde mijn gezicht gloeien. Ik had nog nooit op die toon tegen een van mijn docenten gesproken, maar voor mij betekende elke kritiek op de daklozen kritiek op mama, en dat pikte ik niet.

Even dacht ik dat ze haar papieren weer terug zou stoppen in haar tas, hem dicht zou doen en de kamer uitlopen, maar ze verbaasde me door eindelijk te glimlachen. 'Goed. Je laat je niet gemakkelijk intimideren. Weet je wat *intimideren* betekent?'

'Ja. "Je laten commanderen, gedwongen worden iets op te geven of toe te geven aan iets of iemand",' dreunde ik op.

'Oké. Misschien wacht me een blijde verrassing. Laten we beginnen.'

Ze begon de tests uit te leggen die ze wilde dat ik zou maken. We werkten urenlang. Toen mevrouw Duval langskwam om te vragen of we iets wilden drinken, had mevrouw Kepler gesnauwd: 'Niets, nu niet.' Ze duldde niet de minste interruptie. Ik dacht dat ze me zelfs in de lunchpauze zou laten doorwerken, maar ze was zo vriendelijk te willen stoppen voor de lunch.

Mevrouw Duval kwam boven met de serveerwagen. Mevrouw Caro had kipsalade voor ons gemaakt. Ik was bang dat er een herhaling zou komen van de gigantische lunch van gisteren, maar blijkbaar waren de instructies veranderd. We maakten ruimte op de tafel, en mevrouw Duval serveerde ons. Pas toen we zaten te eten hield mevrouw Kepler op met de schooljuf uit te hangen en sprak ze op hartelijke en bezorgde toon. Ze wilde weten waar ik had gewoond en op school was geweest. Ik wist niet hoeveel mevrouw March haar over mij had verteld en waarom ik hier terecht was gekomen, maar uit de vragen die ze stelde en de manier waarop ze over mevrouw March sprak, begreep ik dat er geen woord was gezegd over Kiera.

'Ik neem aan dat dit alles je nogal overweldigt,' zei ze. Toen glimlachte ze en ging verder: 'Mij in ieder geval wél. Ik had al veel gehoord over dit huis, maar ik was er nog nooit binnen geweest. Ik wed dat je je een beetje als Assepoester voelt.'

'Behalve dat er geen prins is,' zei ik. Ze lachte.

'Nee, ik neem aan van niet. Zelfs geen pompoen.'

Nu lachten we allebei en ik begon me langzamerhand te ontspannen. Ik had het niet gedacht, maar ik mocht haar. Ook na de lunch was ze anders, aardiger en complimenteuzer.

Om een uur of drie kwam mevrouw March op haar tenen binnen. We waren net klaar en mevrouw Kepler was bezig de papieren in haar tas te bergen.

'Hoe gaat het?' vroeg mevrouw March. Mevrouw Kepler ging weer zitten en bleef een tijdlang zwijgen. Ik kon zien dat mevrouw March slecht nieuws verwachtte.

'Ik vrees dat ik hier niet veel geld zal verdienen, mevrouw March.'

'O. Waarom niet?'

'Ze is niet zo ver achter als je zou denken. Ik weet zeker dat haar leesvaardigheid beter is dan de meeste leerlingen die naar de negende klas gaan. Ze heeft een uitgebreide woordenschat, en ze heeft snelle vorderingen gemaakt met wiskunde. Er zijn een paar zwakke plekken op het gebied van geschiedenis en natuurkunde, maar de meeste daarvan zal ze kunnen versterken door zelf veel te lezen.'

'Dat is fijn om te horen,' zei mevrouw March.

'Ik zal haar huiswerk zo regelen dat ze binnen de kortste keren alles heeft ingehaald. Ik zal morgen beginnen en kom dan om de dag hoogstens een paar uur. Ik hoop dat ze naar buiten zal gaan, voor wat frisse lucht en zon.'

'O, ja. Natuurlijk. Mevrouw Caro neemt haar na de lunch in de rolstoel mee naar buiten. En u kunt op een van de patio's werken, als u wilt.'

'Graag,' zei mevrouw Kepler, met een knipoog naar mij. 'Ik zal de boeken meenemen.'

'Mooi,' zei mevrouw March. 'Ben je tevreden, Sasha?'

'Ja,' zei ik, al dacht ik dat ze 'alles' bedoelde en niet alleen het onderricht van mevrouw Kepler.

'Ik zal u naar de deur brengen,' zei ze tegen mevrouw Kepler.

'Tot ziens,' zei mevrouw Kepler tegen mij, en volgde mevrouw March de kamer uit. Ik hoorde de melodieuze lach van mevrouw March weergalmen door de gang.

Deels wilde ik helemaal niet dat ze zich beter zou voelen. Eigenlijk wilde ik dat ze net zoveel verdriet zou hebben als ik, ook al was zij niet degene die mama en mij had aangereden. Zoals mama vroeger verantwoordelijk was geweest voor alles wat ik deed, waren mevrouw March en haar man verantwoordelijk voor alles wat Kiera deed. Haar man misschien nog wel meer, als ik alles moest geloven wat ze me vertelde, maar ik bleef het raar vinden om iemand in dat huis blij te maken. In dat huis bevond zich de oorzaak van mama's dood.

Uit dat huis kwam Kiera March, zorgeloos en roekeloos, arrogant en egocentrisch. Ze had haar drugs geslikt en was als een asteroïde uit de ruimte omlaaggevallen om twee mensen te verpletteren die haar nooit enig kwaad hadden gedaan. En net als die asteroïde was ze onverschillig en toonde ze niet het minste berouw. Kijk maar eens hoe ze zich gedroeg bij het zwembad, dacht ik. Ze lachte en maakte gekheid vlak onder mijn ogen.

Nee, ik haatte het geluid van lachen in dat huis. Ik haatte zelfs het geluid van mijn eigen lach. Lekker eten, mijn kennis en opleiding verbeteren, mooie kleren dragen, genieten van alles in die prachtige suite – het voelde plotseling aan als een afschuwelijk verraad. Ik zou bijna willen dat ik nooit beter werd. Ik moest lijden om mama's nagedachtenis in ere te houden.

Ze kan nog zo haar best doen, dacht ik, mevrouw March zal dat verdriet niet van me afnemen. Als en wanneer ze dat deed, zou het zijn of ik mama steeds opnieuw zou begraven. Die gedachte werd me te veel. Ik bleef huilen en nam niet de moeite om de tranen van mijn wangen te vegen. Het herinnerde me aan de avond toen de regen zo hard op ons neerplenste, dat het leek of de hemelgewelven uiting gaven aan hun woede.

Of misschien was het bedoeld als een waarschuwing, om ons op het strand te laten blijven en niet de straat over te steken om naar huis te gaan.

10

Gezin van blinden

Waarschijnlijk omdat mevrouw Kepler er een punt van had gemaakt, stuurde mevrouw March mevrouw Caro meteen naar me toe om me naar de patio beneden te brengen. Ze trof me huilend aan en holde naar me toe. 'Wat is er, liefje? Heb je pijn?'

'Nee,' zei ik, en veegde snel mijn gezicht af. Niet het soort pijn dat jij bedoelt, dacht ik.

'O, ik begrijp het wel,' zei ze. 'Op deze manier naar een vreemd huis te worden gebracht moet niet bepaald gemakkelijk zijn.'

Ik zei niets, maar *vreemd* leek me het perfecte woord ervoor.

'Kom, we zullen je naar buiten brengen, in de zon en de frisse lucht. Het is niet goed om zoveel binnen te zitten. Mensen genezen beter en sneller als ze voldoende frisse lucht krijgen.'

Ze draaide mijn rolstoel naar de deur.

'Ik ben opgegroeid in Cork, in Ierland, en ik kan je verzekeren dat het niet altijd gemakkelijk was om wat in de zon te zitten. Als ik mijn familie in Ierland vertel dat ik in een land woon waar de zon minstens driehonderd dagen per jaar schijnt zonder dat het regent, zijn ze stomverbaasd.'

Ze duwde me naar de lift.

'Heb je altijd in Zuid-Californië gewoond?' vroeg ze.

'Ja. Maar mijn moeder kwam uit Portland.'

'Nee toch! Het weer daar kan net zo zijn als het weer in Engeland, heb ik gehoord. Heb je daar nog familie?'

Haar vraag verbaasde me niet. Ik wist zeker dat iedereen die hier werkte, zich afvroeg waarom ik niet bij familie woonde.

'Ik weet het niet.'

'Ja, het is schandelijk hoe gauw we elkaar uit het oog verliezen in deze wereld. Ik heb een zus die ik nu al in bijna twintig jaar niet meer gezien heb. Ze is getrouwd met een man die in Zuid-Afrika woont. Weet je hoe ver dat is?'

'Ja. In de uiterste punt van Afrika.'

'Je bent vast een goede leerling geweest. Hoe ging je schoolwerk vandaag?'

'Goed.'

'Ik wed dat je in een mum van tijd weer op de been bent. Op het ogenblik lijkt het je natuurlijk een eeuwigheid, maar ik kan me geen betere plek bedenken om te herstellen,' voegde ze eraan toe.

Ik keek haar aan. Was het echt mogelijk dat niemand in huis, behalve de Marches, wist wat Kiera gedaan had en waarom ik hier was in plaats van bij familie of in een weeshuis? Mevrouw Caro leek eerlijk. Geloofde mevrouw March dat ik eeuwig mijn mond zou houden, of was ze er zo zeker van dat, ook al zou ik dat niet doen, niemand het zou wagen het door te vertellen of erover te discussiëren? Te oordelen naar de manier waarop mevrouw March haar man beschreef en hoe hij alle verkeerde dingen die Kiera deed altijd weer verontschuldigde en verheimelijkte, vermoedde ik dat hij mevrouw March strikte opdracht had gegeven alles voor het personeel verborgen te houden.

Het duurde niet lang voor ik besefte dat het een huis was vol geheimen en fluisteringen. Er was meer leven in de schaduw dan in het licht, ondanks de heldere kroonluchters en lampen. Een gezin dat in de schaduw leefde was een gezin dat uit blinden bestond.

De patio waar mevrouw Caro me naartoe bracht lag tegenover het zwembad en de tennisbanen. Er stonden twee tafels met stoelen, een bank met een klein tafeltje, en iets wat eruitzag als een stapel stenen met een kring van banken eromheen. Ik vroeg mevrouw Caro wat het was en ze zei dat het een vuurhaard was, die mensen warm moest houden als ze op een koele avond buiten zaten. Op dat moment stond de zon nog hoog aan de hemel en was de lucht strakblauw. Het was ongeveer net zo laat als toen ik die tieners daar had gezien. Zouden ze terugkomen? En áls ze terugkwamen, wat zou er dan gebeuren als ze mij zagen?

'Ik zal je hier in de schaduw zetten,' zei mevrouw Caro. 'Niet te warm voor je?'

'Nee, het gaat prima.'

'Denk je dat ik je even alleen kan laten? Ik moet een paar dingen controleren in de keuken, voor het eten vanavond,' zei mevrouw Caro. 'Het zal ongeveer twintig minuten duren.'

'O, natuurlijk. Niks aan de hand.'

'Ik zal wat vers vruchtensap meenemen als ik terugkom,' zei ze, en vertrok.

Ik staarde naar de mooie omgeving. Er was zoveel te zien. Ik vond het nog steeds moeilijk te geloven dat dit alles het bezit was van één gezin. Nog maar kortgeleden werd de enige ruimte die mama en ik voor onszelf hadden, begrensd door de kartonnen wanden van een of andere doos. Ik had bijna het gevoel dat ik verhuisd was naar een andere planeet.

Het landgoed van de Marches was niet alleen groot, er heerste veel bedrijvigheid. In de korte tijd dat ik hier was, leek er geen moment te zijn waarop niet iemand aan het werk was. Op dit moment waren twee mannen bezig een lantaarn te repareren aan de rechterkant van de oprijlaan, en twee anderen werkten rond de cabana. De een gaf hem een opknapbeurt met een lik verf, en de ander stelde een deur bij.

Ik reed de stoel een eindje naar voren, zodat ik links een deel kon zien van de oprijlaan die om de zijkant van het huis met een bocht naar de plek liep waar mevrouw March had gezegd dat zich de garages bevonden. Toen ik een auto hoorde, boog ik me zo ver mogelijk naar voren om te zien of het de limousine was die mij hierheen had gebracht. Dan was het waarschijnlijk mevrouw March die thuiskwam. In plaats daarvan zag ik een goudkleurige Rolls Royce. Ik had een paar van die auto's gezien in Santa Monica, en papa had een dure eed gezworen dat hij ooit een Rolls Royce zou bezitten. Mama dreef daar altijd de spot mee en dat maakte hem kwaad.

'Je boft dat je je die ouwe truck kunt veroorloven waarin je rijdt,' had ze gezegd. 'Als je per se van iets wilt dromen, droom dan van iets dat tenminste enigszins mogelijk is.'

Toen de Rolls dichterbij kwam, zag ik een knappe, lichtblonde man achter het stuur. Hij keek niet mijn richting uit en reed over de oprijlaan om het huis heen. Was dat meneer March? Ik wist zeker dat mevrouw March had gezegd dat hij langer weg zou blijven. Ik bleef kijken en luisteren, maar hoorde en zag niemand. Toen mevrouw Caro terugkwam met het vruchtensap, vroeg ik haar of meneer March terug was.

'Ja,' zei ze.

'Is mevrouw March thuis?'

'Ja. Ik heb haar verteld dat je ongeveer twintig minuten buiten hebt gezeten, en ze zei dat ik je straks naar boven moest brengen, zodat je kunt rusten en misschien even slapen voor het eten. Dan moet ik in de keuken zijn.'

Ik dronk mijn glas leeg en knikte. Ik kon het niet opbrengen om naar Kiera te informeren, en mevrouw Caro zei geen woord over haar. Ze bood aan me door de tuin te rijden voor we naar mijn suite gingen. Tuinieren was vroeger, en nog steeds, een passie van haar. Ze schepte op over de bloemen in Ierland, en zei: 'Mijn werk hier in huis maakt het me moeilijk om hier iets aan Moeder Aarde te doen.' De tuin was immens. Het leek meer een park. Mevrouw Caro kende de naam van elke bloem, wanneer ze bloeiden, wanneer ze geplant moesten worden, zelfs hoe je ze moest verzorgen.

'En ik maar kletsen terwijl ik je naar boven moet brengen,' zei ze, toen het tot haar doordrong hoe laat het was. Ze duwde de rolstoel weer naar binnen.

Toen we in huis waren, verwachtte ik iets te zien of te horen van meneer March, maar er was niemand te bekennen. We gingen rechtstreeks naar de lift. Ik dacht dat ik hem wel zou ontmoeten als we op de verdieping van de slaapkamers waren, maar alweer was het leeg en stil in de gang. Ik voelde me wat moe en liet me door mevrouw Caro in bed helpen. Ze was nog geen twee minuten weg of ik viel in slaap. Ik werd pas wakker toen ik de serveerwagen hoorde in de gang. Toen mevrouw Duval binnenkwam met mijn avondeten, ging ik met een schok rechtop zitten. Waarom ging ik niet naar beneden naar de eetkamer?

'Ik zal je helpen op te staan en aan tafel te gaan zitten,' zei ze.

'Waarom eet ik niet beneden?'

'Het diner wordt pas later geserveerd. De Marches eten normaal pas om halfnegen, en mevrouw March zei dat het te laat zou worden voor jou.' Ze zag mijn gezicht betrekken en ging verder. 'Dat was wat ze me vertelde.' Ze zei het zoals iemand het zou zeggen die het zelf niet geloofde.

Ik ging weer in mijn rolstoel zitten en ze duwde me naar de tafel, waar ze alles had klaargezet.

'Dit is het speciale kipgerecht van mevrouw Caro, en ze heeft ook een pudding voor je gemaakt. Laat alles maar zo staan als je klaar bent. Rosie komt straks opruimen. Ik moet naar beneden om voor het diner van de Marches te zorgen.'

Het eten van mevrouw Caro was verrukkelijk, maar ik had minder eetlust dan ik dacht. Ik luisterde naar voetstappen in de gang, maar hoorde niets. Ik had geen idee waar de slaapkamers van de Marches waren, maar dacht dat ze niet ver weg zouden zijn. Dit was Alena's slaapkamer geweest. Ik wist zeker dat mevrouw March dicht bij haar in de buurt had willen zijn. Eindelijk hoorde ik een deur open- en dichtgaan en een paar voetstappen, maar die gingen niet in mijn richting. Even later hoorde ik opnieuw voetstappen, maar alweer kwam er niemand mijn richting uit.

Toen ik zoveel gegeten had als ik naar binnen kon krijgen, zette ik de televisie aan, maar bleef luisteren of er iemand zou komen. Ten slotte kwam er inderdaad iemand, maar het was slechts Rosie die kwam afruimen.

'Je hebt veel te veel laten staan,' merkte ze op. 'Dat zal mevrouw Caro teleurstellen.' Tot mijn verbazing begon ze iets van wat overgebleven was op te eten. 'Dit is veel lekkerder dan wat wij krijgen,' zei ze. 'Vond je die pudding niet heerlijk?'

'Ik heb gegeten wat ik kon.'

'We kunnen het niet weggooien,' merkte ze op, en at de rest van de pudding.

'Zo,' zei ze, 'nu kan mevrouw Caro gerust zijn. Zeg alleen tegen niemand dat ik het heb opgegeten.'

Ze duwde de serveerwagen naar de deur, maar bleef toen staan.

'Hoe komt het dat je bent aangereden door een auto?' vroeg ze. 'Liep je soms ergens waar het niet mocht?'

'Nee, ik heb niets verkeerds gedaan, en mijn moeder ook niet.'

'Je moeder? Wat is er met haar gebeurd?'

'Ze is bij het ongeluk om het leven gekomen.'

'Waar is je vader?'

'Weet ik niet. Hij heeft ons jaren geleden in de steek gelaten.'

Haar mond viel langzaam open en ze hief haar hoofd op. 'O. Ja, nu wordt het duidelijk,' zei ze.

'Wat?'

'Mevrouw March heeft weesmeisjes ondersteund, en sinds haar dochter is gestorven tonnen geld gestuurd naar liefdadigheids-instellingen in de hele wereld. Ze zit in haar kantoor en bestudeert de foto's van die arme kinderen en vergelijkt ze met de foto van haar overleden dochter. Ik heb gezien dat ze dat deed. Ze stuurt alleen geld naar kinderen die een beetje op haar lijken. Jij lijkt niet op haar, maar ik denk dat jij net zo oud bent als haar dochter was en dezelfde maat hebt.'

Ze bleef staan en keek naar de deur voor ze zich weer naar me omdraaide.

'Laat je niet door haar overhalen je haar te verven.'

'Mijn haar verven? Waarom zou ik?'

Ze schudde haar hoofd. Ik keek haar na toen ze wegging en draaide me toen weer om naar de televisie, maar het leek of ik niets kon horen, alsof Rosies woorden me verdoofd hadden. Uren gingen voorbij. Ik maakte me gereed om naar bed te gaan en reed juist met mijn stoel erheen, toen mevrouw March binnen-kwam.

'O, je slaapt nog niet. Goed zo. Het spijt me dat ik niet eerder boven ben gekomen, maar Donald kwam onverwacht thuis en ik moest bij hem blijven. Hij heeft me altijd een hoop te vertellen, en komt met allerlei nieuwe dingen die ik moet doen.'

Ik keek langs haar heen door de open deur, maar hoorde niemand anders. Ze volgde mijn blik.

'O, Donald had nog een en ander te doen in zijn kantoor. Hij komt een andere keer wel langs. Ik zal je in bed helpen,' zei ze, en kwam snel naast me staan. 'Heb je lekker gegeten? Mevrouw Caro zei dat je bijna niets hebt overgelaten.'

'Dat is zo.'

'Goed. Dokter Milan komt morgenochtend om je te onderzoeken, dus als je ergens last van hebt, vertel het hem dan, wil je?'

'Oké.'

Ze stopte me in, deed een stap achteruit en glimlachte naar me. 'Meisjes lijken zoveel kleiner als ze ingestopt in bed liggen. Hoe oud ze ook zijn, ze zien eruit of ze best een verhaaltje voor het slapengaan willen horen. Ik las Alena vaak voor. Zou je dat leuk vinden?'

'Dank u, maar ik ben moe genoeg om zo in slaap te vallen,' antwoordde ik.

Ze was er niet blij mee, maar ze bleef glimlachen en boog zich toen voorover om me een zoen op mijn wang te geven. 'Slaap lekker,' zei ze, draaide het licht uit en sloot de deur toen ze wegging.

Mijn tweede nacht daar voelde niet minder vreemd aan dan de eerste nacht. Ik lag met wijd open ogen te luisteren. Het waaide harder, ik hoorde de wind zoeken naar hoeken en kieren in het huis, naar plekjes, zoals mama zou hebben gezegd, waar hij zijn rug kon krabben. De duisternis leek heel anders dan die ik had gekend in onze flat, in het hotel en later toen we op het strand sliepen. Ik hoorde geen herrie van de straat of het geruis van de zee. Gek genoeg, miste ik dat alles. Straatlawaai troostte me met het besef dat we niet alleen waren, en de zee werkte kalmerend.

De stilte verhoogde mijn gevoel van eenzaamheid. Er was niet alleen te veel leegte in dit gezin, er was te veel leegte in dit huis, te veel ongebruikte, onaangeraakte, overbodige ruimten. Er waren niet alleen kerkhoven voor de doden, er waren ook kerkhoven voor de levenden, en ondanks al het fraais om me heen, voelde ik me opgesloten als in een graftombe. Niet omdat ik opgesloten zat achter een vergrendelde deur, maar omdat ik domweg nergens naartoe kon.

Waar zou de opstanding van Lazarus toe hebben gediend als hij geen familie had gehad om hem te omarmen? De geschiedenis van Lazarus deed me denken aan mama als ze de Bijbel aanhaalde en me eraan herinnerde dat haar vader een Bijbelkenner was, maar ik had er genoeg van om medelijden te hebben met mijzelf of met mama. Slaap was het enige middel om de pijn in mijn hart te verzachten. Ik sloot mijn ogen en wachtte met het ongeduld van iemand die op een trein wacht om haar naar huis te brengen. De slaap liet gelukkig niet lang op zich wachten en ik was in diepe rust toen ik abrupt gewekt werd door het opengaan van een deur en voetstappen. De lamp naast mijn bed ging plotseling aan. Ik wreef in mijn slaperige ogen en knipperde om ze te focussen op het mooie lange meisje dat op me neerkeek.

'Wat ben je, Chinees, Japans?' vroeg ze. Toen ik niet snel genoeg antwoord gaf, ging ze verder. 'Spreek je geen Engels?'

'Ik spreek Engels. En ik ben deels Chinees, ja,' zei ik.

'Welk deel?' Ze lachte. 'Dit is niet te geloven.' Ze keek om zich heen. 'Ze stopt je in de kamer van mijn zusje. Als ze dit per se wilde doorzetten, had ze je tenminste in een van de logeerkamers kunnen bergen. Er zijn er genoeg, verdomme.' Ze staarde me even aan, bukte zich en pakte de mouw van mijn nachthemd. 'Wát? Je draagt ook een van haar nachthemden? Christus!'

Ik rukte me los uit haar greep. 'Ik heb er niet om gevraagd hier te komen en de kleren van je zus te dragen.'

'Nee, natuurlijk niet. Ik wed dat je om helemaal niks hebt gevraagd.' Ze zweeg en haalde haar schouders op. 'Ik beweer niet dat je het hebt gedaan. Ik weet zeker dat het allemaal een idee van mijn moeder is. Het is gewoon weer een nieuwe manier om mij te straffen. Ze denkt dat ik het me echt aantrek dat ze je hier in huis neemt, jou Alena's spullen geeft en je in haar bed laat slapen. Wat kan het me schelen? De helft van de tijd weet ik niet eens wie er hier in huis is.'

Ze zweeg weer en staarde me aan. Ik staarde terug. Ik was teleurgesteld. Toen ik mevrouw March hoorde zeggen dat haar dochter het ongeluk had veroorzaakt omdat ze xtc had gebruikt en een egoïstisch kind was dat vaak in moeilijkheden kwam, had ik het gezicht en het lichaam verwacht van een verwende rijke meid, te dik en zelfs lelijk, met harde, verwrongen gelaatstrekken.

In plaats daarvan was dit het meisje dat ik er gisteren tussen de anderen had uitgepikt, met het figuur van een fotomodel en, nu ik haar van dichtbij zag, ook het knappe gezichtje van een model. Ze had zachte, geen harde, azuurblauwe ogen, mooi gevormde lippen en hoge jukbeenderen. Als mama en ik samen televisiekeken, zei ze vaak iets over aantrekkelijke acteurs en actrices, hoe moeilijk het voor hen was om een slechterik uit te beelden.

'We willen dat de slechte mannen en vrouwen er lelijk uitzien, littekens hebben of een lelijk gezicht. Maar dat klopt niet met de werkelijkheid, Sasha, niet in de buitenwereld,' zei ze met een knikje naar het raam.

De buitenwereld was altijd een woestijn, een rimboe, een rotsachtig klif dat beklommen moest worden. Binnen waren we altijd veiliger, zelfs in een sjofele hotelkamer.

Starend naar Kiera March, voelde ik me allerminst veiliger in dat kasteel van een huis met zijn muren en beveiliging. Ze was mooi, maar ze was slecht.

Meesmuilend schudde ze haar hoofd. 'Ik wed dat je van dit alles geniet,' zei ze en hief haar handen op. 'Deze suite is zelfs nog iets groter dan die van mij. Waar sliep je vóór het ongeluk? In een kartonnen doos?'

'Ja,' zei ik. 'Op het strand.'

Haar grijns verdween, ze sperde haar ogen open en liet haar arrogantie een ogenblik varen. Maar die kwam algauw weer terug. 'Nou, mij doet het niks, hoor. Het was de schuld van jou en je moeder. Niemand steekt daar de weg over. Daarom is er ook geen zebrapad.'

'Het voetgangerslicht stond op groen,' zei ik.

'Nou, en? Het was tóch stom. Het regende te hard om iets te kunnen zien. Iedereen zou jullie geraakt hebben. Ik had alleen de pech dat ik op het verkeerde moment op de verkeerde plek was.'

'Had je geen drugs gebruikt?'

'Wie zegt dat? Mijn moeder? Niemand heeft dat bewezen.' Ze glimlachte. 'Mijn advocaat heeft er alle vertrouwen in. Hij zal de zaak wel rechtzetten.'

'Hij kan de zaak niet rechtzetten.'

'O, nee, en waarom niet, wijsneus?'

'Omdat hij mijn moeder niet tot leven kan wekken.'

Haar lippen trilden. 'Zal ik je eens wat zeggen? Loop naar de hel!' Ze draaide zich om en liep de kamer uit, smeet de deur achter zich dicht.

'Daar ben ik al!' schreeuwde ik. 'Daarom kom jij hier!'

Ik wachtte, maar ze kwam niet terug.

De stilte die ik begon te haten, was het enige wat terugkwam.

II

Kiera

Mevrouw March kwam de volgende ochtend vóór iemand anders mijn kamer binnen. Ik lag zelfs nog in bed. Ze was duidelijk van streek.

'Was Kiera vannacht hier?' vroeg ze.

'Ja.'

'Dat dacht ik al. Ik hoorde haar klagen tegen haar vader. Heeft ze lelijke dingen tegen je gezegd? Wat zei ze?'

'Ze zei dat u haar strafte door mij hier te laten wonen.'

Mevrouw March knikte. 'Daar heeft ze wel een beetje gelijk in. Niet dat ik jou een ongewenst gevoel wil geven,' voegde ze er snel aan toe. 'Maar ik wil niet dat ze vergeet en negeert wat voor verschrikkelijks ze heeft gedaan. Maak je geen zorgen. Ze zal je niet lastigvallen of kwaad doen. Het spijt me heel erg. Ze is je kamer binnengekomen zonder mijn toestemming. Ik zal tegen haar vader zeggen dat hij met haar moet spreken.'

'Misschien hoor ik hier niet te zijn. Misschien komen er alleen maar meer problemen door.'

'O, nee, nee, nee. Laat je nooit door dat kind van de wijs brengen. Je mag nooit zoiets denken. Natuurlijk hoor je hier. Als je wegging, zou ze zich alleen maar verkneukelen omdat ze haar zin heeft gekregen. Je bewijst Donald en mij een gunst door hier te blijven. Soms denk ik weleens dat ze geen geweten heeft. Als ik naar haar kijk vraag ik me soms af hoe ik zo'n kind ter wereld kon brengen. Alena was zo heel anders. Nee, je mag er niet aan denken om weg te gaan. Dokter Milan komt over een paar uur. Laten we ons voorlopig daarop concentreren, oké?'

'Oké.'

'Mooi. Heb je hulp nodig bij het opstaan en aankleden?'

'Dat kan ik wel alleen.'

'Ik ga naar beneden om voor je ontbijt te zorgen en met Donald te praten over Kiera voordat hij naar zijn werk gaat. Het spijt me zo.' Haastig liep ze de deur uit.

Ik stond op en liep naar de kast om uit te zoeken wat ik aan moest trekken. Ik vroeg me af hoe iemand uit al die kleren kon kiezen. Hoe belangrijk had Alena dit gevonden? Ik wilde er niet meer aan denken dat ik in haar kamer woonde, haar spullen gebruikte, maar tegelijk was ik nieuwsgierig naar haar. Was zij ook verwend? Kon ze goed met Kiera opschieten? Hoe zou iemand dat kunnen? Wat dacht ze toen het tot haar doordrong hoe ziek ze was, of hielden ze de ernst van haar ziekte voor haar geheim tot ze bijna aan het eind van haar leven was? Geheimen groeiden hier welig. Het scheen de Marches heel natuurlijk af te gaan om tegen elkaar te liegen.

En toch, dacht ik, moet ze zich heel erg ziek hebben gevoeld en door alles wat ze niet meer kon doen, geweten hebben dat ze gevaar liep te sterven. Zelfs een arts als dokter Milan kon niet verhinderen dat de waarheid in zijn ogen te lezen viel.

Maar toch besefte ik dat de dood niet iets was waar iemand die zo jong was vaak aan dacht en waarschijnlijk niet voordat hij of zij hoorde dat een familielid of vriend of vriendin was overleden. Ik dacht er nooit aan, zelfs niet toen mama en ik zo'n moeilijk leven hadden. Ik vertrouwde dat op de een of andere manier onze problemen zouden worden opgelost. Er zou iets gebeuren dat alles zou veranderen en ons weer gezond en welvarend zou maken. Zelfs toen ik zag hoe ze vlak voor me op de weg door de auto werd geraakt, geloofde ik nog dat het in orde zou komen. De ambulances waren aanwezig. Iemand was bezig mama te helpen.

En zelfs toen die vrouw me vertelde dat mama was overleden, dat de dood onmiddellijk was ingetreden, drong het nog niet goed tot me door. Ik bleef hopen en denken dat er een vergissing in het spel was. Voor Alena moest het ook zo zijn gegaan toen ze steeds maar zieker werd. Ze moet hebben gedacht dat de dokter haar beter zou maken. Op een ochtend zou ze wakker worden en dan zou alles voorbij zijn, net zoals een verkoudheid overgaat. Hoe jonger je was, hoe meer je verrast werd door een plotselinge dood, dacht ik.

Na een paar kleren van haar te hebben bekeken, koos ik een licht-blauwe rok en bijpassende blouse. Alles paste me, maar hoe meer ik me op mijn gemak ging voelen in Alena's kleren, hoe ongeruster ik werd. Bijna had ik de rok en blouse uitgetrokken en weer aange-trokken wat ik de vorige dag had gedragen, maar voor ik dat kon doen, kwam mevrouw Duval met mijn ontbijt.

'Hoe laat ontbijten de anderen?' vroeg ik.

'Meneer March is altijd de eerste die beneden is. Hij eet heel vroeg en gaat meestal, vooral in de zomermaanden, naar zijn werk voordat Kiera zelfs maar is opgestaan en zich heeft aangekleed. Soms, zoals vandaag, neemt hij wat meer tijd en houdt mevrouw March hem gezelschap. In de weekends verandert de routine. Dan slaapt iedereen uit. Je ziet er mooi uit vanochtend,' voegde ze eraan toe. Glimlachend liep ze de kamer uit.

Ongeveer een uur nadat ik had ontbeten, kwam mevrouw March terug met dokter Milan. Hij onderzocht me en zei dat een van de verpleegsters uit zijn praktijk langs zou komen met een kruk die ik kon gebruiken.

'Ze zal je laten zien hoe je hem moet gebruiken, zodat je geen druk op dat been hoeft uit te oefenen.'

'Hoe lang moet dat gips er om blijven?' vroeg ik.

'We zullen zien. Over drie, vier weken zal ik je naar mijn prak-tijk laten komen voor röntgenopnamen. Intussen,' ging hij verder, om zich heen kijkend in de suite, 'zal het prima gaan. Het ziet er niet naar uit dat het je aan iets zal ontbreken.'

Behalve aan liefde en een gezin, dacht ik. Hij en mevrouw March vertrokken samen. Ik kon ze horen fluisteren in de gang tot ze de trap afliepen. Onmiddellijk daarna kwam Rosie boven om mijn ontbijtblad weg te halen. Ze vroeg hoe ik me voelde en vertelde dat Kiera jaloers was.

'Jaloers waarop? Op mij?'

Ze lachte. 'Tja, ze beweert dat ze zich niet goed voelt en heeft zich opgesloten in haar kamer. Mevrouw Duval moest haar ook haar ontbijt brengen, maar dat is niet de eerste keer, en vast ook niet de laatste.'

Toen ze weg was, rolde ik mijn stoel naar de deur en keek de gang in. Er was niemand te zien, dus ging ik nog wat verder, tot ik muziek en gelach hoorde achter de deur van de kamer naast die van mij. Ik vermoedde dat het Kiera's kamer was en wachtte om te zien of ik nog iemand anders hoorde. Misschien was een van haar vriendinnen er al. Of ze me hoorde of me door het sleutelgat zag, weet ik niet, maar plotseling werd de deur opengegooid en stond ze in haar badjas voor me. In haar rechterhand had ze een mobiele telefoon. Het ging allemaal zo snel in zijn werk dat ik even ineenkromp en een eindje achteruitreed.

'Wat doe je hier? Bespioneer je me?'

'Nee. Ik wist niet eens dat het jouw kamer was.'

'Precies. Je weet helemaal niks. Blijf uit mijn ogen,' zei ze, en smeet de deur dicht. Ik hoorde haar zeggen tegen wie er ook aan de telefoon was, dat een van die vervelende dienstmeiden iets was komen controleren.

Bevend reed ik terug naar mijn kamer en deed de deur dicht. Alleen al de wetenschap dat Kiera zo dichtbij was, maakte me zenuwachtig. Ze had al bewezen dat ze elk moment voor mijn neus kon staan, zelfs als ik sliep. Ik betwijfelde of mevrouw March het haar kon beletten.

Even later hoorde ik iemand anders bovenkomen. Ik was blij mevrouw Kepler te zien. Ze merkte dat ik overstuur was.

'Voel je je wel goed? Ik weet dat de dokter net geweest is.'

'Ik voel me best,' antwoordde ik, maar zei verder niets. Wat had het voor zin haar over Kiera March te vertellen?

'Wil je liever buiten werken?'

'Nee.'

'Waarschijnlijk heb je gelijk. Daar word je te veel afgeleid. Laten we maar beginnen.'

Ze werkte de geschiedenis- en natuurkundeboeken met me door en zette de boeken klaar die ze wilde dat ik zou lezen. Ten slotte stopte ze en zei: 'Je lijkt bezorgd, Sasha. Ik hoop niet dat je denkt dat je dit alles in één week af moet hebben.'

'Ik voel me oké,' zei ik.

Ze keek nog steeds argwanend, maar ging verder met haar uitleg en gaf me mijn huiswerk op. Ik probeerde net zoveel aandacht op te brengen als de vorige dag, maar ik kon de gedachte aan Kiera March niet uit mijn hoofd zetten. Misschien zou ze ons komen storen en mij bespotten. Ik kon zien dat mevrouw Kepler niet tevreden was over mijn antwoorden.

Mevrouw March kwam langs om te vragen of mevrouw Kepler bleef lunchen. Ze zei dat we wel genoeg hadden gedaan voor vandaag. Aan de blikken die ze met elkaar uitwisselden, zag ik dat mevrouw Kepler haar onder vier ogen wilde spreken. Ze zei dat ze morgen om dezelfde tijd terug zou komen en ging weg met mevrouw March. Ik hoopte dat ze niet tegen haar zou zeggen dat het nog te vroeg was om me al huiswerk te laten maken. Ik was veel te blij dat ik iets had om me af te leiden. Toen mevrouw Duval mijn lunch kwam brengen had ik al alles gedaan wat mevrouw Kepler me had opgedragen. Ik wist dat het mevrouw March zou verbazen en verheugen.

Toen ze terugkwam, wilde ze, na wat mevrouw Kepler haar kennelijk verteld had, weten of ze me niet te veel overhaastte. 'Met je herstel en na alles wat je hebt doorgemaakt, kunnen we dat huiswerk misschien beter nog wat uitstellen en...'

'O, nee, ik doe het graag. Ik heb alles af wat ze heeft opgegeven.'

'Echt waar? Dat is geweldig, Sasha. Ze zal heel tevreden zijn. Als je niet te moe bent, had ik gedacht mevrouw Caro te vervangen en je mee naar buiten te nemen. Ik zal je rondrijden en wat meer van het landgoed laten zien. Zou je dat willen?'

'Ja.'

'Mooi. Ik kom over een halfuur terug.'

Haar voetstappen waren nog niet weggestorven in de gang, of Kiera verscheen in mijn kamer. Ik zat met mijn rug naar de deur en bladerde in mijn natuurkundeboek. Ik ving haar spiegelbeeld op in het raam en hield mijn adem in. Ze was nog in haar badjas, maar ze hield zich zo stil dat ze bijna een geest leek. Ik draaide me langzaam om.

'Zo, dus moeder gaat je het landgoed laten zien. Wat aardig!' zei ze.

Hoe wist ze dat? Had mevrouw March het haar verteld, of kon ze horen wat er in mijn slaapkamer gebeurde? Zou ze me eeuwig bespioneren? Ze keek naar mijn schriften en de boeken op de tafel, en gooide ze opzij alsof het rommel was.

'En je krijgt ook privéles. Dat zul je vast wel nodig hebben.' Ze bleef staan en zette haar handen op haar heupen. 'Dus – je verwacht hier voorgoed te blijven wonen?'

'Ik verwacht helemaal niks.'

'Nee, vast niet.' Ze bleef alles in de suite inspecteren en hield stil bij mijn iPod. Ze pakte hem op. 'Wat is dit? Heeft mijn moeder die voor je gekocht? Hij is beter dan die van mij.' Ze liet hem uit haar handen vallen. 'O, sorry. Ik hoop dat ik hem niet heb gebroken.' Ze nam niet de moeite het te controleren of hem op te rapen.

Ze bleef rondlopen in de suite.

'Het is al een tijd geleden dat ik in deze suite was. Mijn moeder hield hem op slot, zie je. Ze liet hem geregeld schoonmaken, maar wilde niet dat iemand anders dan de dienstmeid hier kwam. Ik zie dat ze niks heeft veranderd.'

Ze liep langs het bed en maakte de kast open.

'Ik heb gehoord dat ze ook nieuwe kleren voor je heeft gekocht.' Ze draaide zich om en bekeek me wat aandachtiger. 'Maar dat is niet nieuw wat je nu aanhebt. Dat was van Alena. Schaam je je niet om de kleren van een dode te dragen? Nee,' ging ze verder voor ik kon antwoorden, 'je haalde je kleren waarschijnlijk uit de vuilnisbak.'

'Ik doe niks wat je moeder niet wil dat ik doe.'

'Dat geloof ik graag. Weet je, mijn vader is het er allesbehalve mee eens dat je hier bent. Ze hebben enorme ruzie erover gehad. Heeft ze je dat niet verteld?'

'Nee.'

'Ik zou er maar niet op rekenen dat je hier nog veel langer blijft.'

'Ik heb je al gezegd dat ik er niet om heb gevraagd hier te komen.'
'Je zult ook niet vragen om weg te gaan, maar gaan doe je wel.'
Ik draaide me van haar af. Ze liep terug naar de zitkamer en keek uit het raam. 'Weet je, ik heb gezien hoe je laatst naar ons zat te kijken. Ik heb het de anderen niet verteld, want ik wilde niet dat iemand zou weten dat je hier was. Ze zouden allemaal stomme vragen stellen. Het is beschamend.'

'Beschamend? Ik zou zeggen dat wat jij deed meer dan beschamend was.'

'O, wat zijn we ad rem. Heb je overigens goed gezien wat er bij het zwembad gebeurde, heb je mijn vrienden goed kunnen bekijken?'

Ik gaf geen antwoord.

'Je kunt maar beter niet aan mijn moeder vertellen wat je daar gezien hebt. Het gaat je geen donder aan.'

'Ik klik niet,' zei ik. 'Het kan me bovendien niet schelen wat je doet.'

'Je klikt niet? Je hebt haar wél verteld dat ik vannacht in je slaapkamer was, hè?'

'Ze wist al dat je in mijn kamer was geweest, maar wees maar niet bang. Ik zal haar heus niet vertellen wat jij en je vrienden bij het zwembad hebben gedaan.'

'Jaloers? Je vond het leuk wat je zag, hè? Ricky en Boyd en Tony? Maar je zult wel vaak genoeg naakte jongens op straat hebben gezien.'

'Nee.'

'Nog steeds een kleine maagd?'

'Dat gaat je geen donder aan,' kaatste ik terug.

Ze lachte. 'Ik vergat dat je een straatmeid bent.' Ze zei het alsof ze er bewondering voor had.

'Ik ben geen straatmeid. We hadden er niet voor gekozen om op straat leven.'

'We doen allemaal dingen waarvoor we niet gekozen hebben,' antwoordde ze. Ik wachtte om te horen wat ze daarmee bedoelde, maar ze zweeg, keek uit het raam, draaide zich toen om en liep snel de slaapkamer uit.

Ik had haar iets gemeens willen naroepen, maar ik ging terug naar de tafel, raapte de iPod op die ze met opzet had laten vallen, en verdiepte me weer in mijn leerboek. Maar ik vond het moeilijker dan ooit om me te concentreren. Wat doe ik hier? dacht ik. Misschien zou ik uiteindelijk toch beter af zijn in een weeshuis. Misschien moest ik blij zijn als haar vader me er uitgooide.

'Klaar?' hoorde ik mevrouw March vragen. Ze kwam terug in een andere outfit en een breedgerande hoed. 'Lach niet om mijn hoed,' zei ze, toen ze zag dat ik ernaar keek. 'Het is prachtig weer, maar ik moet oppassen voor de zon. Op mijn leeftijd word je alleen maar ouder door de zon, je krijgt veel sneller rimpels.'

Ze kwam achter mijn rolstoel staan en draaide die naar de deur. 'Toen ik zo jong was als jij en als Kiera, dacht ik er geen moment over na. Maar als ik nu terugdenk aan al die dagen dat ik in de zon lag zonder enige bescherming, lopen de rillingen me over de rug. Wat waren we stom! Dat vertel ik Kiera voortdurend, maar luistert ze naar me? Nee, hoor.'

In de lift vroeg ik me af of ze me zou vragen of Kiera weer in mijn kamer was geweest. Ze vroeg het niet, en ik vertelde het haar evenmin.

Ze glimlachte naar me en knikte. 'Ik kan zien dat het een stuk beter met je gaat, en dat denkt dokter Milan ook. De plek waar je bent als je herstellende bent, kan een groot verschil maken.'

Mevrouw Caro had ook iets in die trant gezegd. Was alles gepland wat er tegen me gezegd werd?

De deur van de lift ging open en ze duwde me naar buiten door de openslaande deuren van de patio waar mevrouw Caro de vorige dag met me geweest was.

'Ik ging met Alena hierheen toen ze bedlegerig was geworden. Ook al kon het arme kind moeilijk rechtop zitten, toch verheugde ze zich er altijd op. Het waren mijn laatste mooie dagen met haar, en ik weet zeker dat ze daardoor langer geleefd heeft. Kijk eens wat een prachtige middag het is, Sasha. Er staat vandaag zelfs een lichte bries uit zee. Voel je het? Ik zal je binnenkort ook naar de zee brengen. Dan gaan we lunchen. Ik nam Alena altijd mee voor de lunch, tot ze te ziek werd om te gaan.'

'Ging Kiera ook mee?'

'Kiera wilde nooit met ons mee. Kiera mag dan heel stoer doen, ze kon de ziekte en het overlijden van haar zusje niet verwerken. Wij geen van allen eigenlijk, maar we deden wat we konden en ter wille van Alena probeerden we ons verdriet te verbergen. Het was beter Kiera er niet bij te betrekken.'

'Wilde Alena dan niet dat Kiera ook meeging?'

'O, ja, maar meestal wist ik een excuus te verzinnen waarom Kiera niet kon. Alena en ik zouden geen van beiden veel plezier hebben gehad. Kom,' ging ze verder, abrupt van onderwerp veranderend, 'als we dit pad volgen, komen we bij het meer. Ik heb je al verteld dat Donald erg trots is op ons meer. Hij neemt altijd iemand mee van het constructiebedrijf om het te laten zien, en er heeft een artikel over gestaan in een vooraanstaand blad voor architectuur. Als je weer op de been bent, kun je met een van de roeiboten het water op. Heb je weleens geroeid?'

'Nee.'

'Nou, misschien ga ik de eerste keer dan met je mee, om te zien of het veilig is. Als je naar school gaat, krijg je waarschijnlijk een hoop vriendinnen en zul je ze hier uitnodigen. Iedereen moet natuurlijk een zwemvest dragen. Het water is twee meter diep en op sommige plaatsen nog dieper.'

Vriendinnen? Ik dacht terug aan de tijd toen ik inderdaad vriendinnen had op school en bij hen thuis kwam of zij bij mij. Het leek zo lang geleden dat het me meer als een droom voorkwam. Zou ik weer schoolvriendinnen hebben? Ze zouden vast onder de indruk zijn als ze in het huis van de Marches kwamen. Alleen al de gedachte daaraan zette mijn fantasie aan het werk, maar toen dacht ik aan Kiera en haar dreigementen en voorspellingen. Misschien waren mijn dagen hier geteld. Misschien zou ik, zodra ik weer op de been was, worden weggestuurd. Wat had het voor zin er zelfs maar aan te denken?

We bleven staan bij de steiger, en ik staarde over het meer. Het was bladstil. Links werden de bomen weerspiegeld in het rimpelloze water, wat het een groenige tint gaf. Aan de andere kant zag ik meeuwen. Bezoekers van de zee. De twee roeiboten die aan de steiger gemeerd lagen, leken splinternieuw. Mevrouw March kwam naast me staan, sloeg haar armen over elkaar, en tuurde naar het meer alsof ze het nu pas voor het eerst zag.

'Mooi, hè?'

'Ja.' Ik aarzelde, maar vroeg toen: 'Wil meneer March echt dat ik hier blijf?'

Ze draaide zich met een ruk om en leek op het punt om te zeggen: Natuurlijk. Iets in mijn gezicht deed haar aarzelen. 'Heeft Kiera vannacht iets naars gezegd over haar vader?'

Als je iemand voor het eerst leert kennen, vraag je je onwillekeurig af hoeveel van de waarheid je moet vertellen en hoeveel je moet verzwijgen. Het was iets dat ik geleerd had door de manier waarop mama met mensen sprak, vooral nadat papa ons in de steek had gelaten. Liegen leek een belangrijke manier om jezelf te beschermen, en de meeste mensen schenen niet te weten of zich erom te bekommeren dat ze logen.

Wat moet ik doen? dacht ik. Kiera nog meer in de problemen helpen?

'Daar hoef jij je geen zorgen over te maken,' antwoordde ze snel. 'De reden dat ik je hier heb gebracht is je herstel te bespoedigen, zodat je binnen de kortste keren weer op de been bent en een mooi nieuw leven kunt beginnen. Laat de rest maar aan mij over, Sasha.'

Ze keek weer naar het water voor ze zich naar me omdraaide. 'Ik heb je moeder iets beloofd,' zei ze.

'Mijn moeder? Wanneer?' Had mijn moeder nog een tijdje geleefd en had niemand me dat verteld?

'Tijdens haar begrafenis, op het kerkhof.'

'O.'

'Ik heb haar beloofd dat ik voor je zou zorgen, en ik zal me door niemand laten weerhouden die belofte na te komen.'

Mijn vader had zoveel beloofd, dacht ik, en toen we op straat stonden had mama ook veel beloftes gedaan. Wat was precies het verschil tussen een belofte en een droom? Net als dromen, zijn ook beloftes de volgende dag vergeten.

'Zet je beloftes maar op schrift,' zei ze tegen papa. 'Al zou dat niet veel meer om het lijf hebben,' mompelde ze dan tegen mij.

Een belofte was een wens die van rook was gemaakt, dacht ik. Je kon hem zien, maar niet beetpakken, en je kon hem nergens mee naartoe nemen. Je moest wachten op de wind om te zien of hij ergens heen ging of dat hij gewoon zou oplossen.

Ik twijfelde er niet aan of mevrouw March wilde haar belofte aan mama nakomen, maar zelfs zij, aan de top van die mooie, rijke wereld, was machteloos als het erop aankwam haar vingers te sluiten rond die belofte van geluk voor haarzelf en haar gezin.

Wat zou ze dan voor mij kunnen doen?

12

Meneer March

Twee avonden later leerde ik meneer March kennen. Mevrouw Duval kwam naar mijn kamer om me te vertellen dat we vroeger zouden eten dan gewoonlijk, en dat mevrouw March had gevraagd me naar de eetkamer te brengen.

'Ze zei dat je alles mocht aantrekken wat je wilde, behalve een tanktop. Kan ik je helpen?'

'Nee.'

'Dan kom ik je over twintig minuten halen.'

Ik kon het niet helpen, maar ik was erg nerveus, zo nerveus dat ik beefde over mijn hele lichaam. Kiera had me verteld dat haar vader me wilde wegsturen, en al zei mevrouw March dat ik me er geen zorgen over moest maken en dat het háár probleem was, ik wist zeker dat ik me minder op mijn gemak zou voelen in bijzijn van meneer March dan in een kartonnen doos. Misschien omdat we bijna niets bezaten wat iemand zou willen hebben, waren mama en ik nooit erg bang geweest op het strand. Iedereen die op straat leefde, leek net zo onbezorgd. Misschien dachten we allemaal dat er niet veel meer met ons kon gebeuren. Nu was ik in een van de duurste huizen in het hele land, zo niet de hele wereld, en wist ik diep in mijn hart dat juist hier veel met me zou kunnen gebeuren.

Ik vond het moeilijk om te beslissen wat ik aan moest trekken. Als ik iets wilde kiezen, vroeg ik me af of het niet te mooi was of niet mooi genoeg. Ik twijfelde er niet aan of Kiera zou me uit-lachen, misschien zelfs belachelijk maken, waar haar vader bij was, als ik de verkeerde jurk koos. Hij zou met een minachtende blik naar mevrouw March kijken alsof hij wilde zeggen: Hoe kon je zo'n ordinair en dom kind in huis halen? Het kan me niet schelen wat de reden daarvoor was.

Met dat gipsverband kon ik alleen maar een rok of een jurk dragen, en ik wist niet wat Alena's nette jurken waren. Mevrouw March had het al zo belangrijk gevonden wat ik droeg als we met z'n tweeën waren. Waarom hielp ze me vanavond niet met de juiste kleren uit te zoeken? Was dit niet een veel belangrijkere gelegenheid? Misschien wilde ze dat ik zou bewijzen dat ik het ook zonder haar hulp kon.

Er waren al tien minuten voorbij, en ik had nog steeds geen beslissing genomen. Mama zou natuurlijk lachen om mijn paniekaanval over een jurk, dacht ik, en pakte ten slotte een eenvoudig uitziende donkere rok en een bijpassende blouse met korte mouwen en een V-hals. Het verbaasde me hoe goed de blouse me paste. Ik had mijn haar al naar achteren geborsteld en met een van Alena's haarklemmen vastgezet. Ik aarzelde nog meer van haar te gebruiken. Ik had een mooi gouden horloge gezien, en armbanden en oorbellen en ringen, maar ik raakte niets aan.

Mevrouw Duval leek tevreden over mijn keus toen ze terugkwam. 'Klaar?'

'Ja,' zei ik, en ze bracht me naar de lift.

'Mevrouw Caro heeft een Iers gerecht gemaakt waar meneer March zo van houdt. Het heet Dublin Lawyer en wordt bereid met kreeft. Heb je weleens kreeft gegeten?'

'Eén keer.'

'Eén keer? Nou, dan staat je een heerlijke verrassing te wachten.'

De liftdeuren gingen open. Mijn hart leek te verschrompelen in mijn borst toen mevrouw Duval me naar de officiële eetkamer reed. Toen we binnenkwamen zag ik dat iedereen al aan tafel zat. Kiera droeg een gele strakke blouse met pofmouwen, en een zwarte rok. Ik had zoiets al door andere tienermeisjes zien dragen en had het graag zelf willen hebben. Het stond Kiera alsof ze erin geboren was, zo nauw sloot het om haar lichaam. Toen we dichter bij de lange, donkerhouten tafel kwamen, zag ik dat haar rok nauwelijks tot onder haar knieën reikte. Ze droeg een prachtige turkooizen

ketting en straalde de glamour uit van een jonge film- of televisiester.

Wat zie ik er gewoontjes uit vergeleken met haar, dacht ik, maar
het kwam niet bij me op met haar te willen concurreren, zeker niet
om de aandacht van haar vader te trekken. Onwillekeurig vroeg ik
me af of Alena zich ook zo zou hebben gevoeld. Twee dochters, die
niet veel in leeftijd verschilden, moesten toch zeker voortdurend
gewedijverd hebben om de gunst van hun vader. Toen Alena ernstig ziek werd, zou die rivaliteit beslist geëindigd zijn met een wan-
hopige liefde van meneer March voor Alena. Ik herinnerde me dat
ik eens een verhaal had gelezen over twee zusjes, van wie de een
ziek werd en de ander, jaloers op de aandacht die ze kreeg, voorwendde zelf ziek te zijn.

Als enig kind had ik me vaak afgevraagd hoe het zou zijn om een
zus of broer te hebben en de liefde van mijn moeder te delen. Hoe
kon een moeder liefde genoeg hebben? Het leek me duidelijk dat
mevrouw March de voorkeur had gegeven aan Alena, en Kiera het
haar misschien nog steeds niet kon vergeven, zelfs niet nu haar
zusje dood en begraven was. Was ze daarom zo bang voor mijn verblijf hier? Ik wist dat ik haar geweten niet belastte, zoals mevrouw
March gehoopt had. Ik wist niet eens of ze wel een geweten had.

Mijn blik ging naar meneer March, die aan het hoofd van de tafel
zat met gevouwen handen en zijn ellebogen op de tafel. Ik zag zijn
opvallende gouden pinkring met een lapis lazuli, zoals ik later ontdekte zijn geboortesteen. Hij droeg een donkerblauw fluwelen
sportjasje en een zwart hemd met open kraag. Om zijn hals droeg
hij een gouden ketting; wat er aan die ketting hing was verborgen
onder zijn hemd.

Zijn lichtbruine haar was bijna blond. Het was voortreffelijk geknipt, van voren licht golvend. Zijn donkerblauwe ogen vormden
een fel contrast met zijn lichte haar en gebruinde gezicht. Ze hadden bijna de kleur van de lapis lazuli in zijn ring. Ik zag dat Kiera
haar aantrekkelijkheid aan haar vader te danken had, want zijn gelaatstrekken, zijn perfect gevormde neus en krachtige mond, leken
gemodelleerd, net als die van haar. Hij zag er atletisch uit, en later,

toen hij stond, zag ik dat hij zeker tien centimeter langer was dan mevrouw March.

Hij leunde achterover toen mevrouw March me overnam van mevrouw Duval.

'Hier is ze,' zei mevrouw March. Ze plaatste me rechts van meneer March. Kiera zat tegenover hem, en mevrouw March links van hem. 'Sasha, mijn man, Donald.'

'Hallo,' zei ik, of dacht tenminste dat ik dat zei. Mijn stem leek gevangen in mijn bevende lichaam. Ik zag dat Kiera vol afkeer toekeek.

Donald March nam me van top tot teen op. 'Hoe gaat het met je been?' vroeg hij bij wijze van begroeting.

'Het doet geen pijn meer.'

'Bah!' zei Kiera. 'Had ze geen schoen aan die voet kunnen doen?' Mevrouw March schoof me dichter naar de tafel. Mijn gebroken been verdween eronder, zodat mijn voet niet te zien was. Ze keek kwaad naar Kiera en ging op de stoel tegenover me zitten.

'Ze zit op Alena's plaats,' zei Kiera.

Meneer March trok zijn wenkbrauwen op, alsof dat nu pas tot hem doordrong. De tafel was groot genoeg voor zeker twaalf mensen. Waarom zat Kiera aan het eind van de tafel? Moest mevrouw March niet tegenover haar man zitten?

'Je zou dichterbij kunnen komen, Kiera.'

'Ik zit hier best,' zei ze. Toen glimlachte ze. 'Zo kan ik papa beter zien.'

Ik keek even naar hem. Hij was er blijkbaar mee ingenomen, want hij glimlachte terug.

Mevrouw Duval bracht onze salades binnen. Meneer March leunde weer naar voren en nam zijn vork op. Was dat alles wat hij tegen me zou zeggen? vroeg ik me af toen hij begon te eten.

'Sasha is voortreffelijk van start gegaan met mevrouw Kepler. Ze zegt dat ze er zeker van is dat Sasha vóór het eind van de zomer alles zal hebben ingehaald,' zei mevrouw March.

'Wie is mevrouw Kepler ook weer?' vroeg meneer March.

'Haar lerares, weet je nog, Donald?'

'O, ja.' Hij keek naar mij en knikte.

'Ik heb er een hekel aan om over het eind van de zomer te praten. Ik kan de gedachte niet uitstaan dat er een eind aan komt,' mompelde Kiera. Ze schoof haar salade opzij. 'Kijk nou! Ik vertel haar altijd weer dat ik niet van bieten en artisjokken hou. Waarom kan ze daar niet eens aan denken?'

'Waarom kan jij er niet eens aan denken je kleren op te hangen, vooral die we voor je hebben laten stomen en persen?' kaatste mevrouw March terug.

'Ik dacht dat we daarvoor personeel hadden,' zei Kiera.

'Als je niet om de dingen geeft die we voor je aanschaffen, zullen we minder voor je moeten kopen.'

'Zoals je wilt,' zei Kiera schouderophalend. Toen lachte ze. 'Ik koop mijn eigen spullen wel.'

Meneer March scheen de woordenwisseling niet te horen. Hij had het te druk met zijn wijn, brood en salade. Ik begon te eten en vond de salade heerlijk. Het was een combinatie van veel smaken en hij was knisperig, precies waar ik van hield. De salades in het ziekenhuis, en ook die ik al eerder in het huis van de Marches had gegeten, waren minder goed, dacht ik. Misschien werden de specialiteiten bewaard voor de diners met meneer March.

'We zullen iets moeten doen aan je nagels,' zei mevrouw March glimlachend tegen mij. 'Ik zal je meenemen naar mijn manicuurster.'

Ik keek naar mijn vingers. Mijn nagels waren ongelijk, maar de gedachte aan vijlen en lakken was al een hele tijd niet bij me opgekomen. Al in eeuwen niet meer, leek het wel. Het was bijna een wereldvreemd idee. Mama verzorgde ze altijd voor me, maar dat was zo lang geleden, dat het leek op iets dat ik had gezien in een oude film op de televisie.

Toen meneer March zijn salade op had, leunde hij weer achterover en richtte zich tot mij. 'Hoe lang waren jij en je moeder dakloos?' vroeg hij.

'Bijna een jaar.'

'Ze woonden in een kartonnen doos. Ja toch? Dat heb je me zelf verteld,' ging Kiera verder voordat ik het kon toegeven of ontkennen.

'Ja, dat is zo,' beaamde ik.

'Hoe waste je je?' vroeg Kiera. 'Of deden jullie dat niet?'

'We wasten ons in openbare badgelegenheden en toiletten. Mama deed altijd haar best ons schoon te houden.'

'Ja,' mompelde Kiera. 'Je moet dringend in bad als je uit een van die gelegenheden komt. Ik zou liever mijn lange broek aanhouden.'

'Kiera!' snauwde mevrouw March.

'Hm, Kiera heeft niet helemaal ongelijk. Het is heel moeilijk voor dat soort mensen om hun hygiëne op peil te houden,' zei meneer March. 'Het is nog een geluk dat ze niet een of andere ziekte had.'

'Wie weet wat ze hier in huis heeft gebracht – of wat moeder hier heeft gebracht, moet ik eigenlijk zeggen,' zei Kiera.

'Ik denk dat van iedereen jij het beste kunt weten wat ik in huis heb gehaald, Kiera, toen ik Sasha hier bracht,' zei mevrouw March met een roodaangelopen gezicht.

'Nee, moeder, dat weet ik niet. Vertel eens.'

'Alsjeblieft, zeg. Laten we genieten van het eten,' zei meneer March op scherpe toon.

Rosie kwam binnen en begon de saladebordjes af te ruimen. Mevrouw Duval volgde met het hoofdgerecht, dat ze Dublin Lawyer had genoemd. Ze serveerde eerst meneer March en toen ons.

'Er wacht je een speciale traktatie,' zei mevrouw March.

'Binnen eten is al een speciale traktatie voor haar,' zei Kiera.

Meneer March schonk nog wat witte wijn in zijn glas en keek toen naar mevrouw March.

'Ik ben voorzien,' zei ze.

'Papa, mag ik ook wat alsjeblieft?' vroeg Kiera met een suikerzoet stemmetje.

'Ik denk niet...' begon mevrouw March.

'Witte wijn past hier uitstekend bij,' zei hij. 'Een beetje wijn is onschuldig,' voegde hij eraan toe met een blik op mevrouw Duval. Ze pakte de fles en liep om de tafel heen om een glas in te schenken voor Kiera.

'Dank je, papa.'

Hij knikte. 'Dit is voortreffelijk, zoals gewoonlijk,' zei hij, na een hap te hebben geproefd. 'Geef mevrouw Caro alstublieft een compliment van me, mevrouw Duval.'

'Dat zal ik doen, meneer. Heeft iemand nog iets nodig?'

'Mijn waterglas is leeg,' zei Kiera.

De fles mineraalwater stond vlak voor haar neus. Mevrouw Duval pakte hem op en schonk wat in haar glas. Ik wachtte tot ze dank u zou zeggen, maar ze nam slechts een slok water. Mevrouw Duval keek naar mij en ging toen terug naar de keuken. Ik begon te eten. Het was overheerlijk. Ik herinnerde me de kreeft die mama en ik eens hadden gegeten, maar die was niet te vergelijken hiermee.

'Wat deed je moeder voor jullie wereld instortte?' vroeg meneer March terwijl hij at.

Ik keek hem aan. *Instortte?* Bedoelde hij voordat het ongeluk gebeurde of nadat papa ons in de steek had gelaten of voordat mama papa ontmoet had? Ik wist niet wat ik moest antwoorden.

'Voordat je op straat terechtkwam,' voegde hij eraan toe toen hij mijn verwarring zag.

'Ze was serveerster en maakte kalligrafieën.'

'Heus? Kalligrafieën?' Hij keek naar mevrouw March. 'Je hebt toch nog iets dat we vijf jaar geleden tijdens onze reis door China hebben gekocht, Jordan?'

'In de badkamer,' antwoordde ze.

'O, ja. Dus zoiets deed je moeder?'

'Ja. Er hangt er een aan de muur in de Gravediggers Bar,' zei ik trots.

Kiera lachte. 'Gravediggers. Wat is dat, een bar voor doodgravers op een kerkhof?'

'Ik heb erover gehoord,' zei meneer March, en Kiera's lach verdween.

'Nou, wat is dat dan voor iets, hoe ze dat ook noemde?'

'Ze noemde die *heaven*,' zei ik.

'De bar?' vroeg meneer March me.

'Nee, het woord dat ze had getekend en geschilderd, de kalli- grafie. Ze zei dat de mensen naar de Gravediggers gingen om de hemel te zien.'

Hij staarde me even aan en begon toen te lachen. 'Heel knap,' zei hij.

Ik keek naar Kiera. Ze perste haar lippen op elkaar en stortte zich op haar kreeft alsof ze die haatte en het liefst wilde vermoorden. Mevrouw March lachte ook. 'Inderdaad, heel knap,' zei ze. 'Kun jij ook kalligraferen?'

'Ja. Ik deed het vaak samen met mijn moeder, zoals zij het met haar moeder had gedaan.'

Meneer March trok zijn wenkbrauwen op.

'Goed, we zullen alles moeten aanschaffen wat je nodig hebt, zodat je er hier aan kunt werken,' zei mevrouw March.

'Ik dacht dat je zei dat je sleutelhangers verkocht op het strand,' snauwde Kiera.

'Dat deed ik ook,' zei ik. 'Mijn moeder verkocht kalligrafieën.'

En wat heb jij verkocht, had ik haar willen vragen, behalve on- geluk?

Maar ik hield mijn mond. Ik keek naar mijn bord en at verder, dacht alleen maar aan mama en hoe blij ze zou zijn als ze me zou zien zitten aan zo'n fantastisch diner in een elegante eetkamer met kostbaar zilveren bestek en porselein.

Ze zou hebben gezegd: 'Je zit op rozen, kind.'

Ik wist zeker dat ik het gehoord had.

'Wat is er voor grappigs?' vroeg Kiera.

'Hè?'

'Je lacht. Waarom lach je?'

Ik schudde mijn hoofd. Ik had me niet gerealiseerd dat ik lachte.

'Nou zie je,' zei Kiera met een knikje naar mij. 'Lachend als een halvegare. Mag ik me excuseren? Ik moet een dringend telefoontje plegen.'

'Je hebt nog geen dessert gehad,' zei mevrouw March. 'Mevrouw Caro heeft een speciale taart gebakken ter ere van Sasha.'

'Die hoef ik niet. Dit was meer dan genoeg,' zei ze en schoof haar bord weg. Haar halve maaltijd was nog over. Ik had alles tot de laatste kruimel opgegeten. 'Papa?'

'Ga je gang,' zei hij. Mevrouw March sperde haar ogen open. 'Ze zal alleen maar ons goede humeur bederven als ze daar zit te pruilen, Jordan.'

Mevrouw March keek even naar mij. Ik kon zien dat ze wilde reageren, maar in plaats daarvan sloeg ze haar ogen neer.

'Dank je, papa,' zei Kiera. Ze stond op en liep naar hem toe om hem een zoen te geven. Ze keek naar haar moeder en liep rakelings langs me heen toen ze naar de deur liep.

Meneer en mevrouw March zeiden geen woord.

'Je hebt een goede kledingkeus gemaakt voor vanavond, Sasha,' zei mevrouw March.

Meneer March keek me aan. Aan zijn ogen en mond kon ik merken dat hij nu pas besefte dat ik een van Alena's outfits droeg. Ik wachtte of hij iets zou zeggen, maar hij wendde snel zijn blik af en draaide zich om naar mevrouw March.

'Ik kan die reis naar Hawaï niet langer uitstellen,' zei hij. 'Het is een te mooie kans om die te laten lopen. Ga je wel of niet mee?'

'Ik kan niet weg op het ogenblik, Donald,' zei ze met een knikje naar mij.

'Je hebt dokters, docenten en personeel om voor haar te zorgen, Jordan.'

'Ik kan gewoon niet.'

Mevrouw Duval kwam binnen met het dessert. Chocoladetaart met frambozen; hij zag er verrukkelijk uit. Mevrouw Caro had mijn naam gevormd met de frambozen. Ik was blij dat Kiera weg was. Waarschijnlijk zou ze het hebben uitgespuugd.

'Prachtig!' zei mevrouw March.

Na het dessert zei meneer March dat hij een paar telefoongesprekken moest voeren en stond op. Hij keek naar mij en zei: 'Aangenaam kennis met je te hebben gemaakt.'

Tijdens het dessert had hij niets gezegd. Voor hij bij de deur was, zei mevrouw March: 'Ik kom zo terug', en volgde hem.

Ik duwde mijn rolstoel van de tafel af en reed naar de deur. Misschien kon ik zelf met mijn rolstoel naar de patio. Maar voor ik bij de deur was, stopte ik, omdat ik ze kon horen discussiëren.

'Kun je niet wat aardiger tegen haar zijn, Donald?' vroeg mevrouw March.

'Ik begrijp niet waarom je ons hiertoe dwingt.'

'We kunnen onze verantwoordelijkheid niet ontlopen, Donald.'

'Wie zegt dat dat moet? We kunnen toch een trust voor haar oprichten en haar bij een of ander pleeggezin onderbrengen. Daar kun je bij betrokken blijven, als je dat wilt.'

'Maar dat is nu juist waarom ze hier is, Donald. Wij zijn haar pleeggezin. Maar je hebt gelijk, we zouden ook een trust voor haar moeten oprichten.'

'Ik weet het niet, Jordan. Je hebt gezien hoe Kiera reageert op dit alles. Ik weet het echt niet.'

'Ik wel. Ze mag niet de kans krijgen om te vergeten, te negeren en te bagatelliseren dat ze een dodelijk ongeluk heeft veroorzaakt.'

'Hoe kan ze dat vergeten als jij er voortdurend over doorzeurt?' zei hij scherp. Ik hoorde dat hij wegliep.

Ik wist dat ik me vreselijk zou schamen als ik erop betrapt werd dat ik hun gesprek had afgeluisterd, en wilde mijn stoel omdraaien. Mevrouw Duval stond vlak achter me. Zij had ook alles gehoord.

'Mensen zeggen vaak dingen die ze niet echt menen,' zei ze.

Dat deed mama ook, dacht ik, maar zij kon niet goed denken door de goedkope gin.

Wat was zijn excuus?

13

Gezin

Waarom zou ik hier nog blijven? vroeg ik me af. Voor die grote kamer, de kleren, het eten, mijn lessen en mijn dokter, was een antwoord. Denk aan Jackies advies. Hoe dan ook, pak alles aan wat ze je willen geven. Je verdient zelfs meer dan wat ze je geven. Pak aan. Ik wist echt niet wat ik moest doen. Afgezien van mevrouw March' duidelijke schuldgevoelens over Kiera's wandaad en de vriendelijke woorden die haar werkneemsters soms tegen me zeiden, voelde ik me niet alleen ongewenst, maar in zeker opzicht nog onzichtbaarder dan toen ik met mama op straat leefde. Wat boften andere jonge meisjes van mijn leeftijd toch, die ouders hadden die van hen hielden en goede vrienden bij wie ze terechtkonden voor medeleven en goede raad. Ik had alleen maar de herinnering aan mama toen ze nog sterk en gezond was, en nu tegen me sprak vanuit het graf.

'O, wilde je naar boven, naar je kamer?' vroeg mevrouw March toen ze weer terugkwam in de eetkamer. Ze zag mevrouw Duval, maar die ging onmiddellijk het opruimen van de eetkamer inspecteren. Ik zag dat mevrouw March vermoedde dat ik het gesprek tussen haar en haar man gehoord had.

'Ik wilde eerst even naar buiten,' antwoordde ik.

'Goed idee. Ik breng je wel.' Ze ging achter mijn rolstoel staan en begon me de gang door te duwen, maar deze keer ging ze rechtsaf. 'We gaan nu naar een andere patio,' zei ze. 'Aan deze kant van het huis is het heel helder, en als we naar het oosten kijken kunnen we de lichten zien van het centrum van Los Angeles.'

Ze praatte maar door, en al babbelend liep ze naar een andere uitgang. Ik vond dat het huis meer op een hotel leek. Geen wonder dat ik me niet kon voorstellen dat er echt iemand woonde. Ze wees me een paar logeerkamers en een andere, kleinere zitkamer. 'Donald heeft dit speciaal voor gasten laten ontwerpen,' legde ze verder uit. 'Hij vindt het niet erg om gasten en logés te hebben, maar hij stelt prijs op een privéverblijf voor onszelf. Weet je wie Citizen Kane was?'

'Nee.'

'Het is eigenlijk een film, maar daarin bouwt die man Kane een enorm huis, naar het voorbeeld van het Hearstkasteel. Heb je dat weleens gezien?'

'Nee.'

'Ik vergeet steeds weer hoe beperkt je leven was,' mompelde ze, alsof ze zichzelf of een ander binnen in haar een berisping gaf. 'Weet je, Donald kreeg altijd een kick van een fragment in die film waarin gesuggereerd wordt dat er nog gasten waren, gasten die door Kane en zijn vrouw vergeten waren. Kun je je een huis voorstellen dat zo groot is dat je kunt vergeten dat je eigen gasten er nog zijn? Het zou hier misschien ook wel mogelijk zijn. Sommige vrienden van Donald plagen hem er tenminste mee.'

Ik kon me heel goed indenken dat ik hier vergeten zou worden.

Ze reed me door de kleine zitkamer, die beslist groter was dan de zitkamer in bijna alle andere huizen in Amerika, en toen naar de openslaande deuren die toegang gaven tot de andere patio. Ze had gelijk wat het licht betrof. Het landgoed was verlicht als een voetbalveld voor kampioenen. Er waren nog meer schitterende tuinen, gesnoeide struiken, en een stuk grond dat eruitzag als een bouwterrein. Ik vroeg ernaar.

'Donald is bezig een doolhof van groene heggen te bouwen,' zei ze. 'Zoals die in Hampton Court in Engeland.' Toen ik bleef zwijgen, ging ze verder. 'O, maar dat weet je nu waarschijnlijk nog niet. Dat soort dingen leer je in de geschiedenisles als je weer naar school gaat. Daar,' zei ze, terwijl ze me naar de uiterste hoek links duwde. 'Zie je het centrum van Los Angeles? Is het niet geweldig om dat van hieraf te kunnen zien?'

'Bent u altijd rijk geweest?' vroeg ik.

'Rijk?' Ze lachte. 'O, nou ja, ik neem aan van wel – of liever gezegd, mijn familie. Mijn vader zegt altijd dat Donald mijn opvoeding heeft onderbroken. Ik had net mijn diploma van Marlborough en zou naar Smith gaan toen ik Donald leerde kennen op een liefdadigheidsgala in Los Angeles. Ik had nog nooit iemand ontmoet zoals hij. Feitelijk was hij nog maar net begonnen, maar hij was zo zeker van zichzelf. Je weet dat mensen vaak zeggen dat het leven geen garanties biedt? Nou, Donald gedroeg zich alsof hij een garantie had gekregen op enorm succes.

'Maar dat was niet het enige. Hij was en is een heel aantrekkelijke man, die gelooft dat je presentatie van het allergrootste belang is. Dat gelooft mijn vader ook. Gewoonlijk beoordelen mensen je, terecht of niet, na een eerste indruk, dus is het essentieel om altijd een uitstekende eerste indruk te maken. Je zult Donald er nooit slonzig of onverzorgd zien bijlopen. Hij heeft nooit vrij, om het zo maar eens te zeggen, terwijl ik me weleens laat gaan. Onnodig te zeggen dat mijn vader Donald onmiddellijk in zijn hart sloot. Hij werd feitelijk nog eerder dan ik verliefd op hem.'

Ze liet een trillend lachje horen. 'Ik bedoel geen homoseksuele liefde. Hij hield van wat Donald was en wat hij wilde worden. Kun je je voorstellen dat een vader tegen een meisje dat net van high school komt, zegt dat dit de juiste man voor haar is? O, ik weet dat sommige mensen dachten dat het was omdat mijn vader geloofde dat ik nergens anders succes in kon hebben dan in een huwelijk met een rijke man.' Ze lachte weer. 'Misschien is dat ook wel waar. Nou, ja, wat dan nog?'

Ik weet niet of ze besefte hoeveel en hoe snel ze dat allemaal zei, maar plotseling zweeg ze en bleef naast me staan kijken naar de lichten in de verte.

'En uw moeder?' vroeg ik, omdat ze met geen woord over haar had gesproken.

'Mijn moeder was de vrouw van een rijke man,' antwoordde ze, alsof dat alles verklaarde. 'Alles wat mijn vader zei was een evangelie. Ze was trouwens verzot op mijn jongste broer, veel meer dan op mij. Hij is advocaat en werkt voor het Departement van Justitie in Washington, met groot succes. Ze denken dat hij op een dag procureur-generaal zal zijn. Ik geloof dat elke zin die uit haar mond komt begint met zijn naam, Gerald. *Gerald Savoir Faire* noemen zijn vrienden hem. Weet je wat dat betekent?'

'Nee.'

'Weten hoe je... alles moet doen. Intelligent. Erudiet,' zei ze, maar niet blij en trots. 'Ik maak maar gekheid,' ging ze snel verder. 'Hij is geweldig. Zijn ware naam is Gerald Wilson. We zouden afstammelingen zijn van Woodrow Wilson, weet je. Dat is bijna royalty in Amerika.'

'En de ouders van meneer March?'

'Dat is een heel ander verhaal. Donalds vader had al een huwelijk achter de rug voordat hij met Donalds moeder trouwde, en hij heeft kinderen van zijn eerste vrouw. Hij en Donalds moeder hadden alleen Donald, en zijn moeder is twee jaar geleden gestorven toen ze op vakantie was met Donalds vader en twee van zijn drie andere kinderen en hun familie.'

Ze slaakte een diepe zucht. 'Zitten families soms niet erg ingewikkeld in elkaar?' vroeg ze, zonder me aan te kijken. Ze keek recht voor zich uit, alsof ze het aan iemand anders vroeg.

We zwegen allebei en toen, na een paar ogenblikken, draaide ze zich met een ruk om en zei: 'Laat je niet ontmoedigen door Kiera's gedrag aan tafel en Donalds toegeeflijkheid. Je hoort nu hier thuis. Ik ben vastbesloten. Geef het wat tijd. Alles heeft tijd nodig. Anders,' ging ze glimlachend verder, 'zouden baby's niet negen maanden nodig hebben om geboren te worden.'

Wat dacht en zei ze? Dat ik over negen maanden herboren zou worden?

'Ik ben zo blij dat we even hebben kunnen praten. We moeten dat veel vaker doen, zodat we elkaar beter leren kennen. Binnenkort zal Donald ook wat openhartiger worden, en voor je het weet vormen we een gezin, een gezin voor jou. Oké? Laat je niet van de wijs brengen, oké?'

Ik zag dat ze niet zou ophouden voor ik had ingestemd. Ik knikte, en ze glimlachte.

'Mooi. Wat zei Scarlett O'Hara ook weer? *"Tomorrow is another day"*? Nou, morgen komt er weer een dag. En elke morgen daarna en daarna. Zin om televisie te kijken in de entertainmentkamer? We hebben een scherm dat zo groot is als de schermen in sommige kleine bioscopen. Wanneer ben je voor het laatst naar de bioscoop geweest?'

Ik dacht even na en besefte dat het kort na papa's vertrek was geweest. Mama had me meegenomen naar een film om ons allebei wat op te vrolijken. Dat was jaren geleden, want daarna gaven we nooit meer een cent uit aan een film, en mijn schoolvriendinnen waren opgehouden met me te vragen of ik meeging naar de bioscoop.

'Jaren geleden,' antwoordde ik.

'Jaren?' Ze ging achter mijn stoel staan. 'Jaren, en je woont in de filmhoofdstad van de wereld? Daar zullen we wat aan moeten doen. Hoewel, als je hier eenmaal een film hebt gezien, hoef je misschien niet eens meer naar een bioscoop.'

Terwijl ze me voortduwde, beschreef ze me een paar van haar filmparty's. Ze vertelde dat Donald de topman kende van een van de belangrijkste studio's, van wie ze geregeld premièrefilms kregen. De grote feesten die ze beschreef en de dingen die ze hadden gedaan, waren me net zo vreemd als rituelen in Afrika of het Verre Oosten.

Toen we bij de entertainmentkamer kwamen, bleef ze pardoes met mijn rolstoel staan. Kiera zat er met een van de meisjes die ik bij het zwembad had gezien, maar waar ze naar keken, was verrassender. Een naakte man en vrouw omhelsden elkaar terwijl ze op een strand lagen. Mevrouw March knipte de lamp aan, zodat het vertrek in een fel licht baadde.

'Verdomme!' gilde Kiera en draaide zich om. Zij en haar vriendin aten popcorn. Ze zaten op twee grote roodleren stoelen met een brede armleuning tussen hen in waarop een schaal met verleidelijk ruikende popcorn stond.

'Waar kijken jullie naar? Waarom heb je me niet verteld dat Deidre vanavond zou komen?'

'Het mag van papa,' zei Kiera. 'En, ter informatie, deze film wordt genomineerd voor een Academy Award. Je bederft hem voor ons. Draai alsjeblieft het licht uit.'

'Dag, mevrouw March,' zei Deidre. Ze had kastanjebruin, geraffineerd gestyled haar, en was een van de mooiste meisjes die ik ooit had gezien.

'Je kunt haar hier laten om naar de film te kijken, moeder. Ze zal op straat beslist wel ergere dingen hebben gezien.'

Mevrouw March leek min of meer sprakeloos. Ze bewoog niet. Het koppel op het scherm stond lachend op en holde de zee in, spatte elkaar nat.

'Ik weet zeker dat Deidres moeder niet zal willen dat ze hiernaar kijkt,' zei ze ten slotte.

'Ben je mal? Ze was jaloers dat zij hem te zien kreeg. Ja toch, Deidre?'

'Dat was ze, mevrouw March.'

Zonder verder iets te zeggen draaide mevrouw March zich om en liep naar de deur.

'Doe die lamp uit, moeder!' schreeuwde Kiera.

Mevrouw March deed het niet. Ze duwde me de kamer uit, de gang door.

'Bedankt, moeder!' schreeuwde Kiera ons achterna.

'Ik zal je naar je kamer brengen. Je kunt televisiekijken in je eigen kamer,' zei mevrouw March. Ik keek niet achterom, maar aan het beven van haar stem merkte ik dat ze geschokt was.

Toen we in de lift stonden, besefte ik dat Kiera een van haar vriendinnen over mij had verteld, en als een het wist, zouden de anderen het ook weten. Ik vroeg me af hoe ze mijn aanwezigheid in hun huis zou verklaren. Haar vriendinnen zouden nu wel gehoord hebben over het ongeluk dat haar schuld was. Misschien hadden een of twee van hen wel bij haar gezeten in de auto, waarschijnlijk ook high van de drugs. Zij en hun ouders zouden een goede reden hebben om anderen niet te laten weten wat er gebeurd was.

Toen ze me naar mijn kamer had gebracht, zei mevrouw March dat ze voordat ze zelf naar bed ging, nog even langs zou komen om zich ervan te overtuigen dat alles goed ging. Ze leek te popelen om weg te gaan en haastte zich de kamer uit, ongetwijfeld om met haar man te gaan praten. Toen ze uren later terugkwam, leek ze niet veel kalmer. Ze zag eruit als iemand die een fel twistgesprek had gehad. Ik liet me door haar helpen bij het uitkleden en in de badkamer, meer uit medeleven met haar dan dat ik het nodig had. Toen ik in bed lag, stopte ze me in, maar ging niet weg. Ze schoof een stoel naar het bed en glimlachte.

'Heb ik je verteld dat Alena, toen ze jonger was, de dromen beschreef die ze had? Ze hield ervan om verhalen te vertellen, en voor haar waren die dromen vaak de beste verhalen. Zelfs Donald, al scheen hij het nog zo druk te hebben, liet haar maar doorpraten. Alleen Kiera klaagde dat Alena ons niet veel tijd liet om over iets anders te praten. Heb ik je dat weleens verteld?'

'Nee,' zei ik. Waarom zou ze denken dat ze het mij verteld had? Zoveel praatten we niet over Alena.

'Maar goed, om haar te helpen de volgende nacht te slapen, bleef ik hier zitten zoals nu, en dan bedachten we manieren om het droomverhaal te laten voortbestaan of hoe het zou kunnen leiden tot een volgende droom. Soms kwam Donald binnen en deed met ons mee. Wie had kunnen denken dat er zoiets verschrikkelijks zou gebeuren met zo'n lief klein meisje?'

Na een kort, triest zwijgen ging ze verder. 'Ik schijn me maar te blijven verontschuldigen tegen jou voor wat er hier gebeurt. Het zal heus beter worden. Ik beloof het je.' Ze gaf een klopje op mijn hand en wilde opstaan, maar bedacht zich toen en keek me aan. 'Je had zeker geen dromen om over te vertellen afgelopen nacht?'

'Nee.'

'Nou, als je ooit wilt praten over een droom die je hebt gehad, aarzel dan niet het me te vertellen, oké? Goed. Welterusten.' Ze bukte zich en gaf me een zoen op mijn voorhoofd. Ze zette de stoel weer op zijn plaats, glimlachte, draaide onderweg de lampen uit en deed de deur zachtjes achter zich dicht. Het was stil in huis, maar toen ik wat gemakkelijker ging liggen, hoorde ik de muziek in Kiera's kamer. De muziek stond zo hard, dat ik zeker wist dat meneer en mevrouw March het ook moesten horen, maar het ging maar door.

Dat doet ze met opzet, dacht ik. Waarom gebruikte ze geen koptelefoon? Misschien was haar vriendin Deidre nog bij haar in haar kamer. Misschien schepte ze op en wilde ze haar laten zien hoe ze mij kon ergeren. Ik kon me indenken hoe ze pochte dat ze me gauw genoeg het huis uit zou werken. Eindelijk werd de muziek zachter gezet of uitgedraaid, en de stilte keerde terug.

Ik had nog steeds moeite om in slaap te vallen. Ik verwachtte dat Kiera weer zou komen binnenstormen met nog meer dreigementen, maar ze kwam niet. Ik dacht ook aan wat mevrouw March had gezegd over Alena's dromen. Ik vroeg me af of haar dromen op de een of andere manier mijn eigen dromen zouden worden als ik hier bleef. Misschien bleven dromen hangen als spinnenwebben. Zweefden ze rond om de geest van een ander jong meisje binnen te dringen.

Ik wenste half en half dat ze dat zouden doen. Mijn verlangen om meer te weten over Alena scheen sterker te worden met elke minuut die ik hier in de suite verbleef. Of de wens de vader was van de gedachte, weet ik niet, maar ik verwachtte min of meer dat ze zou proberen met me in contact te komen om me te vertellen dat ze me zou helpen.

'Wees maar niet bang,' zou ze fluisteren. 'Ik ben bij je.'

Ik had zo'n behoefte aan een vriendin.

Zelfs al was die vriendin gestorven.

14

Vrijgelaten

Algauw verliepen de dagen normaler, voor zover tenminste het leven in zo'n gigantisch landhuis met al dat personeel normaal kon zijn. Voorlopig scheen Kiera haar belangstelling voor mij te verliezen en verscheen ze niet meer plotseling in mijn kamer. Vaak kwam ze niet beneden om te eten, en als ze er was, deed ze of ik niet bestond. Misschien was ze ervan overtuigd dat het slechts een kwestie van tijd was voor ik zou worden weggestuurd en dat haar tussenkomst of bemoeienissen niet nodig waren. Meneer March was vaak weg voor zaken of was bezig met een project waaraan hij werkte. Ik had hem nog maar zelden gezien sinds ons eerste gezamenlijke diner. Maar ik had veel om me bezig te houden.

Mevrouw Kepler kwam vijf keer per week en bleef altijd hetzelfde aantal uren. Dokter Milan kwam weer langs, en ik werd naar het ziekenhuis gebracht voor de door hem verlangde röntgenfoto's. Hij zei tegen mevrouw March dat het nog te vroeg was om te kunnen beoordelen of mijn rechterbeen net zo normaal zou groeien als mijn linker. Ik leerde hoe ik de kruk moest gebruiken die hij beloofd had, dus de rolstoel werd afgedankt. De dokter wilde dat ik meer moest oefenen en me zoveel mogelijk bewegen, en ik voelde dat ik elke dag sterker werd. Zoals mevrouw Duval zo graag zei, er was licht aan het eind van de tunnel.

Tegen het eind van de zomer verwijderde dokter Milan eindelijk het gips, en ik voelde me als een gevangene die was vrijgelaten. Maar ik liep mank. De dokter zei dat het nog wel een tijdje zou duren, dat het misschien wel zo zou blijven. Maar ik was zo blij dat er niet langer iets aan mijn lichaam vastzat, dat het me bijna niet kon schelen. Plotseling leek de wereld weer zonnig, en verscheen er aarzelend een hoopvolle verwachting aan mijn horizon. O, wat zou ik graag willen dat mama nog leefde om getuige te kunnen zijn van mijn herstel.

Op de terugweg na het bezoek aan dokter Milans praktijk, vertelde ik mevrouw March dat ik eindelijk besloten had wat ik op mama's grafsteen wilde laten graveren. Uit haar reactie meende ik te kunnen afleiden dat ze dacht dat ik het totaal vergeten was.

'O, ja? Fijn, Sasha. Wat heb je besloten?'

'Onder haar naam en de data van haar geboorte en overlijden, wil ik schrijven: "die haar dochter een stukje van de hemel heeft laten zien".'

Ik kon zien dat ze het niet helemaal begreep. Hoe kon ik zoiets schrijven na bijna een jaar voor haar overlijden op straat te hebben geleefd?

'Ik weet niet of het mogelijk is,' ging ik verder, 'maar ik zou haar kalligrafie van het woord *hemel* graag vlak daaronder willen.'

'O. O, ja,' zei ze, toen het tot haar doordrong waarom ik dat wilde. 'Dat werk van haar aan de muur van die bar. Goed idee. We vinden wel iemand die het voor ons kan doen. Denk je dat die kalligrafie daar nog aan de muur hangt?'

'Ik weet het niet. Ik heb hem maar één keer gezien, toen ze er met me naartoe ging.'

'Natuurlijk. Stomme vraag. Hoe zou jij dat nu kunnen weten? Ik zal een paar mensen bellen als we thuis zijn. Maar eerst wilde ik ons door Grover naar je nieuwe school laten rijden, zodat je die vast kunt bekijken. Het zal niet lang meer duren voor je ernaartoe kunt. Mevrouw Kepler zegt dat je er al helemaal klaar voor bent.'

Zenuwachtig en opgewonden bleef ik zitten. Ik ging altijd graag naar school. Voordat mama en ik op straat belandden, was het altijd een heerlijke ontsnapping geweest aan het trieste leven dat we leidden. Zelfs toen mijn vriendinnen me niet langer vroegen om met ze uit te gaan, genoot ik ervan om in de klas te zitten. De meisjes die ik als mijn beste vriendinnen beschouwde praatten nog met me, al stelden ze nooit meer voor na school samen uit te gaan. En toen ze hoorden dat mama en ik uit onze flat waren gezet en in een hotelkamer woonden, praatten ze zelfs niet meer tegen me, tenzij ik hun iets vroeg, en dan gaven ze heel haastig antwoord en wilden ze zo gauw mogelijk weg. Het leek wel of ze dachten dat wat mij en mama overkwam zo besmettelijk was als een of andere vreselijke ziekte. Uiteindelijk vond ik het bijna niet erg meer dat ik niet naar school kon.

Toen we een hoek omsloegen en mevrouw March zei: 'We zijn er', dacht ik eerst dat ze zich vergiste. Ik zag alleen maar mooie groene gazons, bomen en struiken, maar toen zag ik het gebouw boven op een kleine helling. Onderaan stond het bord PACIFICA JUNIOR-SENIOR HIGH SCHOOL.

'Rij naar binnen, Grover,' zei ze, en even later reden we over de oprijlaan. Het leek op geen enkel schoolgebouw dat ik ooit had gezien, en het zag er heel nieuw uit. Alles eromheen fonkelde. Sommige muren van mijn oude school waren beklad met graffiti, en zodra die verwijderd waren, kwamen ze weer terug. De ramen zagen er nooit zo helder en schoon uit als de ramen in dit gebouw. De kozijnen en sponningen leken pas geschilderd.

Het gebouw had twee verdiepingen en toen we dichterbij kwamen, zag ik dat het L-vormig was. Rechts waren de sportvelden. Op een ervan stonden goals voor hockey of voetbal, en het andere was een honkbalveld. Links was een parkeerterrein, waar slechts een stuk of zes auto's stonden.

'De school heeft een heel gezellige kantine, met tafels buiten, als je in de open lucht wilt lunchen,' begon mevrouw March. 'Achteraan links is de gymzaal, en rechts, vlak ernaast, is het theater.'

'Theater?'

'Nou ja, het is maar een heel klein theater, maar ze hebben het allermodernste geluidssysteem. Ik moet je nog vertellen dat deze school door Donalds – ons – bedrijf is gebouwd.'

'Bouwt hij ook scholen?'

'Alleen deze,' zei ze lachend. 'Het was bijna een gunst. Een groep welgestelde mensen, onder wie twee senatoren, besloten ongeveer twaalf jaar geleden een school te bouwen en smeekten Donald praktisch de uitvoering van het plan op zich te nemen. Dus als je Kiera hoort vertellen dat het haar school is, dan bedoelt ze dat. Eigenlijk,' ging ze na een korte pauze verder, 'denk ik dat ze echt gelooft dat het haar school is.'

'Hoeveel leerlingen heeft de school?'

'Ik denk op het ogenblik net iets minder dan driehonderd. Hij gaat maar van de zevende tot de twaalfde klas. Er is een aan deze school verbonden basisschool, die Alena en Kiera allebei hebben doorlopen. Je zult het hier vast naar je zin hebben. De klassen zijn niet groot, dus je krijgt een hoop persoonlijke aandacht.'

Grover stopte en ik staarde naar buiten.

'Ik heb nooit een mooiere school gezien,' zei ik.

'De directeur is dr. Steiner, een heel aardige vrouw. Ze heeft een doctoraat in pedagogie en is sinds de oprichting directeur van deze school. Je zit in de klas van meneer Hoffman, die ook je wiskunde-leraar is. Daarvoor heb ik gezorgd. Hij is tevens je persoonlijke ad-viseur, en hij is een van de beste leraren hier. Dus je ziet dat ik alles goed voor je heb geregeld. Ziet er mooi uit, hè?'

'Ja.'

'Ik dacht wel dat je onder de indruk zou zijn. Grover, je kunt ons nu naar huis brengen,' zei ze, en hij keerde op de oprijlaan.

'Rijdt Kiera samen met mij naar school?'

'We zullen zien. Dat moet Donald beslissen. Leerlingen uit de hogere klassen mogen zelf met de auto naar school. Ze hebben een parkeerterrein.' Even bleef ze zwijgen, toen ging ze verder. 'Er komt nog een hoorzitting. Donalds advocaat heeft die met succes weten uit te stellen, wat een juridische tactiek is, maar zoals ik hem heb gezegd, je kunt het wel blijven uitstellen, maar uiteindelijk zul je het toch onder ogen moeten zien, dat is onvermijdelijk. Maar laten we het daar niet over hebben, Sasha. Dat roept alleen maar nare herinneringen en verdriet bij je op.'

Ik bleef zwijgend zitten. Haar aandringen er niet over te praten, maakte weinig uit. Het was alsof je een torenklok vermaande niet te luiden. Het was onmogelijk. Ik had me al maandenlang afge-vraagd wat er met Kiera zou gebeuren. Wat er gebeurd was kon toch niet zomaar in de doofpot worden gestopt? Waren rijke mensen zo machtig?

Misschien om me nog wat meer op te vrolijken, voldeed mevrouw March aan haar belofte om alles wat ik nodig had om te kalligraferen voor me te kopen. Ze kocht zelfs een prachtig geïllustreerd boek erover, en ik zag een paar woorden die mama had gekopieerd. Ik had mevrouw March precies verteld wat ik nodig had, en alles werd klaargezet in de zitkamer. Ik ging meteen aan het werk. Ik wilde een kopie maken van mama's 'hemel'.

'Zorg dat ik er geen spijt van krijg,' zei mevrouw March twee dagen nadat ik met mijn werk begonnen was. Ik had niet veel anders gedaan. 'Je kunt je niet de hele dag opsluiten, Sasha.'

Ze had natuurlijk gelijk. Nu ik bevrijd was van het gips en niet langer afhankelijk van een kruk, wilde dokter Milan dat ik elke dag lichaamsbeweging nam. Mevrouw March liet om de dag een fysiotherapeut komen om met me te oefenen.

'We moeten zorgen dat je spieren weer sterk genoeg worden, zodat je je op school gemakkelijk kunt bewegen,' zei ze. De therapeut, Sheila Toby, was erg onder de indruk van het binnenzwembad van de Marches, en na een paar dagen stretchoefeningen, besloten we alle oefeningen voortaan in het water te doen.

Op een middag verscheen meneer March plotseling om naar ons te kijken. Hij bleef een hele tijd staan zonder iets te zeggen. Later, toen ik naar boven ging, naar mijn kamer, zag ik hem in de gang. Ik besefte dat dit de eerste keer was sinds ik hier was gekomen dat hij en ik alleen waren.

'Je schijnt goed vooruit te gaan,' begon hij. 'Ik denk dat je je elke dag sterker voelt.'

'Ja, dat doe ik ook.'

Ik verwachtte dat hij zou zeggen: *Oké, nu je je beter en sterker voelt, hoef je niet langer hier te wonen – en naar Kiera's school gaan, is eigenlijk niet zo'n goed idee*, maar dat zei hij niet.

'Ik heb even gekeken naar die kalligrafie waar je mee bezig bent,' ging hij verder, terwijl hij met me meeliep naar mijn suite. 'Vrij indrukwekkend.'

141

'Dank u.'

'Vertel er eens iets over,' zei hij.

'Wat wilt u weten?'

'Ik ben er niet zo vertrouwd mee. Jordan heeft eens iets gekocht, zoals ik al zei, maar ik moet bekennen dat ik niet veel aandacht heb geschonken aan de uitleg van de verkoper in de galerie. Ik heb begrepen dat je haar verteld hebt wat je nodig had. Wat is er precies voor nodig?'

'Ik werk met een inktpenseel, inkt, een speciaal soort papier en een inktsteen. Samen staan die bekend als de *Four Stones of the Study* (Vier stenen van de werktekening).'

'Werkelijk?' Hij glimlachte. 'Ga door. Vertel nog wat meer.'

We waren bij mijn deur.

'Het papier wordt plat gehouden door presse-papiers. Alles kan een presse-papier zijn, maar mijn moeder had vroeger houten blokken waarop ook afbeeldingen stonden. Die waren van haar moeder geweest.'

'Wat is daarmee gebeurd?'

'Dat weet ik niet. Op een dag waren ze verdwenen en toen gebruikte ze in plaats daarvan stenen die we op het strand vonden. Ik denk dat zij ze verkocht had.'

Hij knikte. 'Ga naar binnen,' zei hij. Hij volgde me de kamer in en liep naar mijn bureau. 'Wat is een inktsteen?'

'Je moet met water de inktstok erover wrijven om de inkt te maken.'

'En je moeder deed dat alles terwijl jullie dakloos waren?'

'Ja. Voor haar was het meer... meer als...'

'Een therapie, ontspanning?'

'Nee, ik geloof dat het iets religieus was.' Zijn ogen sperden zich open en verhelderden.

'En voor jou?'

'Hetzelfde.'

Hij glimlachte. Hij pakte het penseel op en bekeek dat aandachtig.

'Je moet het op een bepaalde manier vasthouden,' zei ik.

'Doe eens voor.'

Ik deed het.

'Ziet u, je houdt het verticaal met duim en middelvinger. Mijn moeder zei dat je, als je het penseel op de juiste manier vasthield, een ei in de palm van je hand kon houden.'

Hij lachte en probeerde het. Ik zette zijn vingers recht, zodat zijn ringvinger en pink de onderkant raakten van de steel van het penseel.

'Dat is moeilijk,' zei hij. 'Dat moet je goed oefenen.'

'Ja, je begint met het Chinese karakter *yong* om de acht basisstreken onder de knie te krijgen.'

'En wat betekent *yong*?'

'Voor eeuwig.'

'En wat betekent het karakter waar je nu mee bezig bent?'

'Dat betekent *moeder*,' zei ik.

'Je zult haar wel erg missen.'

'Ja.'

Hij knikte en hield zijn blik gericht op mijn kalligrafie. 'Nou,' zei hij, 'je tekenleraar zal aangenaam verrast zijn als hij ontdekt wat je kunt. Waarschijnlijk zal hij je vragen de klas les erin te geven.'

'O, dat zou ik nooit kunnen,' zei ik.

'Natuurlijk wel. Laat het me zien als het af is,' zei hij en draaide zich om. Hij wilde weggaan, maar stopte, en ik keek naar de deur.

Kiera stond op de drempel en ik zag aan haar gezicht dat ze daar al een tijdje gestaan had en had gehoord wat we zeiden.

'Wat is er?' vroeg hij.

'Niks,' zei ze bits en liep haastig weg.

Hij aarzelde en liep toen de gang in.

Vrij kort voor ons ongeluk, nadat mama en ik het grootste deel van onze dag op de promenade van Venice Beach hadden doorgebracht met het verkopen van haar kalligrafieën en mijn sleutelhangers, en ze bezig was onze spulletjes bijeen te pakken, kon ze plotseling stilhouden en naar de mensen zitten staren.

'Wat is er, mama?' had ik gevraagd. 'Voel je je weer misselijk?'

'Nee, nee,' had ze gezegd. Ze glimlachte naar me, en even kon ik door het gezwollen gelaat en de vermoeide ogen heen de glimlach zien op haar gezicht van jaren geleden toen ze nog mooi en energiek was. Niets maakte me gelukkiger. De rest van de dag zou ik zonder eten kunnen en me toch gelukkig voelen, alleen door het zien van die glimlach.

'Wat is er dan, mama?'

'Ik moest er net aan denken dat ze veranderen als ze naar de kalligrafieën kijken.'

'Wie verandert?'

'De mensen, de voorbijgangers. Pas als ze naar die kalligrafieën kijken, zien ze ons plotseling als mensen. Dan kijken ze naar óns, Sasha. Heb je dat weleens gemerkt?'

Nu ze het zei, besefte ik dat het waar was, en ik knikte.

'Hoe komt dat, mama?'

'De kalligrafie, net als alle andere mooie dingen, herinnert ons aan alles wat we als mens met elkaar gemeen hebben. Dat heeft je grootmoeder me eens verteld. Maar nu pas, vandaag, drong het tot me door wat ze daarmee bedoelde.'

Ze had weer geglimlacht en was toen weer verdergegaan met het verzamelen van haar spulletjes.

Ik keek naar mijn onafgemaakte werk en knikte, denkend aan meneer March, de zachtere klank van zijn stem, zijn nieuwsgierigheid, en zijn glimlach.

'Nu begrijp ik het ook, mama,' fluisterde ik.

Het was echt alsof ze vanuit het graf contact had gezocht om via mijn eigen kalligrafie tegen me te spreken. Het verwarmde mijn hart en gaf me de kracht om zelfs de jaloezie van Kiera het hoofd te bieden.

Op een dag, dacht ik – nee, zwoer ik – zou ik haar niet zozeer haten dan wel medelijden met haar hebben.

Maar ik wist dat het een lange tocht zou worden voordat ik dat doel bereikt had, over een weg vol valkuilen en gevaren. Ik wist alleen niet hoe gauw het allemaal zou beginnen.

15

Vonnis

Een paar dagen later hoorde ik dat, hoe machtig en invloedrijk meneer March ook was, en hoe goed zijn advocaat, Kiera's hoorzitting niet langer kon worden uitgesteld. Een week voordat de school begon, moest ze voor de rechter verschijnen. Niemand sprak erover waar ik bij was, maar ik hoorde genoeg om op de hoogte te zijn van de details, en ik begreep ook dat zowel mevrouw Caro als mevrouw Duval alles wist. Mevrouw Duval verontschuldigde zich zelfs toen ik op de patio bij het zwembad zat te lezen. Zonder dat ik het had gevraagd, bracht ze me een glas van mevrouw Caro's beroemde limonade.

'Heel erg bedankt, mevrouw Duval,' zei ik verrast. Ik begon te drinken, in de verwachting dat ze weg zou gaan, maar ze bleef naar de cabana staan kijken. Ik kon merken dat ze iets wilde zeggen, en wachtte af.

'Toen je pas hier kwam,' begon ze, 'dachten we allemaal dat je door een of andere organisatie was uitgekozen om je een kans te geven na het ongeluk en het overlijden van je moeder, en dat mevrouw March had aangeboden je in huis te nemen. Zij en meneer March hebben al veel fantastische dingen gedaan op liefdadig gebied. Niemand vertelde ons wat en wie de oorzaak was van het ongeluk dat jou en je moeder was overkomen. We hadden wel een vermoeden, maar niemand van ons achtte het nodig dat wij de waarheid zouden weten, dus niemand vroeg iets.'

Ik zei niets.

Hoofdschuddend ging ze verder. 'Als we de waarheid hadden geweten, zouden we je beter behandeld hebben toen je hier kwam.'

'U hebt me heel goed behandeld, mevrouw Duval. Iedereen.'

'Minder goed dan wanneer we geweten zouden hebben hoe je je moeder had verloren en wie daarvoor verantwoordelijk was,' verklaarde ze, en liep toen weg.

Ik waardeerde het dat ze me dat verteld had, maar ik maakte me bezorgd dat het nu nog meer wrijving zou veroorzaken tussen Kiera en mij, vooral nu de datum van haar hoorzitting was vastgesteld. Ik voelde me net zoals mama zich altijd voelde als ze me vertelde dat ze wachtte tot de tweede schoen zou vallen.

'Wat betekent dat?' had ik gevraagd.

'Het betekent dat als de tweede schoen valt, het hele plafond op je neerstort,' had ze geantwoord. 'Het probleem is dat het niet meteen gebeurt, dus dat je er altijd op blijft wachten, en dat is zenuwslopend. Zo is mijn leven geweest met die waardeloze vader van je. Altijd als de telefoon gaat of er staat iemand voor de deur, verwacht ik moeilijkheden.'

Misschien was dat de reden waarom ze bang was om de telefoon aan te nemen en als er werd aangebeld me altijd eerst uit het raam liet kijken om te zien wie er was voordat ze opendeed. Ik wou dat ík nu iemand had die dat allemaal voor me zou doen, die tussenbeide kon komen. Ik twijfelde er niet aan of de tweede schoen stond op het punt te vallen.

Twee dagen later gingen de Marches naar de rechtbank. Ik sloot me op in mijn kamer met mijn werk, mijn kalligrafie en de televisie. Minuten leken uren en uren leken dagen. Eindelijk, tegen zes uur, hoorde ik voetstappen in de gang. Ik hoorde Kiera's deur dichtslaan en toen het herkenbare *klik-klak* van mevrouw March' stilettohakken op de marmeren tegels, toen ze mijn richting uit kwam.

'Nou, dat hebben we voorlopig gehad,' zei ze toen ze binnenkwam. Ik zette de televisie uit. Ze liep naar de zitkamer en bleef daar naar me staan kijken. 'De rechter heeft haar een voorwaardelijke straf opgelegd, maar alleen als ze serieus in therapie gaat. Als ze dat niet doet, raakt ze voor onbepaalde tijd haar rijbewijs kwijt, dus weten we dat ze het wel zal doen. Wat het resultaat ervan is zullen we moeten afwachten.

'Ik wil er gewoon niet meer aan denken,' ging ze verder. 'Donald zal een afspraak maken met de psychotherapeut. Zover is het nu gekomen in dit land – dat een kind wel zal luisteren naar een therapeut, maar niet naar haar eigen ouders. Tenminste, zo denkt de rechter erover. En ik kan het niet oneens zijn met hem.'

Ik kon zien dat ze wachtte op mijn reactie, maar ik wist niet wat ik moest zeggen. *Goed? Is dat alle straf die ze krijgt?* Ja, wát?

'Ik vertel je dit allemaal zodat ze niet tegen jou zal zeggen dat de rechter vond dat het niet haar schuld was of zo,' ging mevrouw March verder. 'Dat zal ze waarschijnlijk wél tegen haar vriendinnen zeggen, degenen die de waarheid kennen, maar jij hoort beter te weten. Ik denk niet dat je nu erg tevreden bent, Sasha.'

Ze dacht blijkbaar dat ik wilde dat Kiera een veel zwaardere straf had gekregen. Ik zou het zeker niet erg hebben gevonden, maar aan de andere kant zou het mijn moeder niet hebben teruggebracht. Het kon me nu echt niet meer schelen. Ik mocht Kiera niet, en ik verwachtte niet dat een psychotherapeut dat zou doen. Hij of zij zou een toverstaf moeten hebben om Kiera in een ander mens te veranderen, niet zo egoïstisch en verwend.

'Laten we ons maar gewoon concentreren op prettige dingen, oké, Sasha?' zei mevrouw March. Ze keek om zich heen in de zitkamer alsof ze bang was dat er iets veranderd was, en liep toen de kamer uit.

Kiera zei niets tegen mij over het bevel van de rechter. Ze deed zelfs nog meer haar best mij te vermijden, verzon vaak een excuus om 's avonds niet aan tafel te komen, en was zoveel mogelijk het huis uit, om elkaar maar niet tegen te hoeven komen. Ik hoorde wel dat meneer March haar verboden had vrienden of vriendinnen uit te nodigen om een feestje te bouwen. Ik wist alleen niet zeker of hij dat deed bij wijze van straf of uit bezorgdheid voor mij. Sinds Kiera mij haar argument had opgedist dat ze voor haar verdediging aanvoerde, een argument dat in wezen mama en mij de schuld gaf dat we ons daar in de regen bevonden, dacht ik dat ze hetzelfde argument wel gebruikt zou hebben tegen haar vader en zelfs tegen de rechter. In ieder geval wist ik zeker dat de rechter haar excuus niet had geaccepteerd.

Misschien had meneer March Kiera opgedragen zo min mogelijk contact met me te hebben, om verdere conflicten te vermijden. Per slot was ik niet alleen nog hier in huis, maar ik was ook ingeschreven op haar school. Ze kon niet langer komen binnenvallen om me te vertellen dat haar vader me de deur zou wijzen. Ik wist zeker dat het haar overstuur maakte, en ook wat er gebeurde toen ik mijn kalligrafie van *moeder* voltooid had.

De volgende avond had ik hem bij me toen we aan tafel gingen; ik wist zeker dat meneer March die avond aanwezig zou zijn. Kiera was er deze keer ook. Ze keek alsof ze in lachen zou uitbarsten toen ik binnenkwam met mijn ingelijste kalligrafie, maar meneer March' uitroep 'Wow!' deed haar verstarren. Hij stond op, kwam naar me toe om de kalligrafie van me over te nemen en hield hem omhoog.

'Mooi, hè?' zei hij tegen mevrouw March.

Ze glimlachte. 'Verbluffend.'

'Weet je,' ging hij verder, nog steeds kijkend naar de kalligrafie in zijn hand, 'dit brengt me op een idee. Ik heb een samenwerkingscontract gesloten voor een bouwproject met een paar Zuid-Koreanen. We zouden een logo moeten hebben in kalligrafie.' Hij glimlachte naar me. 'Misschien zullen we jou aannemen om die te maken, Sasha.'

Ik wist niet wat ik daarop moest antwoorden. Hij lachte en gaf me de kalligrafie terug.

'Nee,' zei ik, en gaf hem weer aan hem terug. 'Het is een geschenk voor u en mevrouw March.'

'O, wat lief van je,' zei mevrouw March.

'Hij zal goed staan in de entertainmentkamer,' zei meneer March. 'Dank je.'

Hij nam hem mee toen hij weer ging zitten en legde hem naast zich neer.

'Hoe kun je zoiets hier in huis ophangen? Ik weet niet eens wat het moet voorstellen,' zei Kiera. 'Dat weet niemand.'

'We hebben meer kunstwerken hier die je moeder heeft gekocht en waarvan niemand weet wat het precies voorstelt,' zei meneer

March lachend. 'Maar in ieder geval weten we wat dit betekent.' Hij hield de kalligrafie omhoog.

'Wat dan?' vroeg Kiera.

'Sasha?' Meneer March keek naar mij.

'Het betekent *moeder*,' zei ik. '*Liefde*.'

Kiera keek alsof ze in een zure appel beet en prikte wat rond op haar bord. Ik ging zitten, en tijdens het grootste deel van de maaltijd beantwoordde ik vragen van meneer en mevrouw March over kalligrafie. Later vroeg meneer March me met hem mee te gaan naar de entertainmentkamer om samen met hem de juiste muur te zoeken voor mijn kunstwerk. Kiera ging regelrecht naar haar kamer.

De dag voordat de school begon was de laatste dag dat Sheila Toby, mijn fysiotherapeut, kwam. Ik legde inmiddels twintig baantjes af in het binnenzwembad. Tegen het eind van de sessie kwam mevrouw March kijken, en toen ik uit het water kwam, overhandigde ze me een handdoek en zei: 'Geweldig, Sasha. Ik wed dat je nu tien baantjes haalt in het Olympische buitenbad, net als Alena voordat ze ziek werd.'

Voor ik iets kon zeggen, draaide ze zich om naar Sheila Toby om haar te complimenteren met de resultaten die ze met me bereikt had.

'Het was niet moeilijk om te werken met een jong meisje dat zo goed en enthousiast meewerkt,' zei Sheila.

'Precies. En morgen gaat ze weer naar school,' zei mevrouw March. 'Kom, dan zal ik uw rekening voldoen,' zei ze tegen Sheila, en liep met haar de deur uit.

Ik droogde me af en kleedde me aan, ging toen naar buiten en liep naar het meer. Ik hinkte nog steeds, maar ik had geen pijn en voelde me veel sterker. Misschien zou ik op een goede dag wel die tien baantjes kunnen zwemmen, zoals mevrouw March zo graag wilde. Maar het wekte tegenstrijdige gevoelens bij me op. Bijna alles wat ze voor mij had gedaan en voor mij wenste, waren dingen die ze had gedaan en gewenst voor Alena.

Ik veronderstelde dat het niet meer dan normaal was voor een moeder die haar dochter had verloren, en nu een ander zag in haar kleren en in haar kamer. Ze kon onmogelijk naar mij kijken zonder aan Alena te denken, maar het zei me ook dat zolang ik hier woonde, ik nooit Sasha zou zijn. Ik zou niet de dochter van mijn moeder zijn. Wat meneer en mevrouw March ook voor me deden, dacht ik, zodra ik op eigen benen kon staan, zou ik weg zijn.

Was ik daarom ondankbaar? Net zo egoïstisch als Kiera? Altijd als ik zo dacht, kwam de herinnering boven aan wat Jackie Knee, mijn privéverpleegster in het ziekenhuis, tegen me gezegd had. Ik zou nooit ondankbaar kunnen zijn, omdat ze nooit genoeg voor me konden doen.

Ik zat op de steiger en liet mijn benen boven het water bungelen. De wind blies rimpels in de oppervlakte van het meer. Ik zag schrijvertjes navigeren tussen wat drijvende bladeren en grassprieten. De roeiboten die aan de steiger aangemeerd lagen, dobberden en zwaaiden zachtjes, en aan het eind van het meer zweefden de meeuwen die ik al eerder had gezien, schijnbaar centimeters boven het water voor ze omhoogvlogen naar de boomtoppen.

Morgen zou ik weer naar school gaan. Ik zou in een klas zitten, maar te midden van jongens en meisjes uit rijke families. Als ze naar me keken, zouden ze dan onmiddellijk zien hoe arm en verloren ik was geweest, ook al woonde ik nu in het huis van de Marches? Niet mijn privélerares, niet mijn fysiotherapeut, niet mijn kleren en schoenen, mijn gemanicuurde nagels en mijn stijlvolle kapsel – niets van dat alles kon de pijn verhelen van het verleden en het verlies dat ik had geleden. Misschien zou ik meer dan elke willekeurige leerling een curiositeit zijn. Hoe komt dat kind hier? zouden ze zich natuurlijk afvragen. Ze hoort hier niet. Ze hoort in de buitenwereld. Zou ik, ondanks alles wat mevrouw Kepler had gezegd, niet voldoen? Zou mijn stem haperen en overslaan als ik hardop vragen moest beantwoorden? Zou ik de repetities zo slecht maken dat ik algauw het uilskuiken van de klas zou worden? En wat moest ik doen als ze allemaal praatten over hun eigendommen, de reizen met het gezin, hun rijke ouders, en broers en zussen die aan dure universiteiten studeerden, mode en stijl, beroemde mensen die ze hadden ontmoet, shows die ze hadden gezien en nog zouden zien? Wat moest ik zeggen? Mijn zwijgen zou alles verraden. Hoe mooi mevrouw March me ook aankleedde, al werd ik elke dag met de limousine naar school gebracht en woonde ik in een groter huis dan een van hen, toch zouden ze terugdeinzen en fluisteren: 'Ze is een bedriegster. Ze hoort hier niet. Ze is niet echt een van ons.'

Als ik me al eenzaam had gevonden in de laatste dagen op mijn vorige school, hoe zou ik me dan op deze school voelen? Waarschijnlijk zou ik aan eenzaamheid de voorkeur geven boven wat ik hier zou aantreffen. Zou het niet beter, verstandiger, zijn geweest als mevrouw March me had laten inschrijven op een gewone openbare school? De andere leerlingen zouden niet zo superieur overkomen. Ik zou me meer op mijn gemak voelen. Waarom had ze daar niet aan gedacht?

En dan was Kiera er nog, wachtend en observerend, hopend dat ik zou mislukken. Als ik iets verkeerds deed of een slechte beurt maakte in de klas, zou ze dat onmiddellijk aan haar moeder overbrieven. Ik hoorde haar al zeggen: 'Dit is pijnlijk, moeder. Ze trekt me mee omlaag. Ze maakt ons belachelijk op school. Laat haar tenminste naar een openbare school gaan.'

Ik zou haar beslist niet tegenspreken. Ik hoopte zelfs half en half dat het zou gebeuren. Natuurlijk verwachtte ik dat als een van de andere leerlingen bij Kiera naar mij informeerde, ze zou zeggen dat ik een liefdadigheidsgeval was, een kind van de straat, dakloos, met een of andere besmettelijke ziekte. Ik kon haar in oren zien fluisteren, vooral in de oren van de andere meisjes in mijn klas. Ze zou me sowieso in de wielen rijden. Wat voor kans had ik om te slagen? Waarom zou ik zelfs de moeite nemen het te proberen?

Toen ik haar mijn naam hoorde zeggen, meende ik het me te verbeelden omdat ik zo intens aan haar gedacht had, maar ze zei het weer, en toen ik me omdraaide zag ik haar staan. Het overviel me, en ik sprong overeind.

'Wat wil je?' vroeg ik.

'Wat ik wil? Ik wil dat jij verdwijnt,' zei ze, en grijnsde toen. 'Maar dat zal niet gebeuren.'

'En? Wat wil je?'

'Relaxen,' zei ze, en liep naar het eindpunt van de steiger om naar de roeiboten te kijken. 'Ik ging vaak een eindje varen met mijn zusje,' zei ze. 'Vooral toen ze pas ziek werd.'

Zou ze me uitnodigen om een eindje met haar te gaan roeien? Om me te verdrinken misschien?

Ze draaide zich om en keek me aan. 'Ik heb twee gesprekken gehad met mijn therapeut. Kijk maar niet zo verbaasd. Ik weet dat moeder je alles verteld heeft.'

'Het verbaast me niet dat je naar een therapeut gaat, maar wel dat je het mij vertelt.'

'Het was niet mijn idee.'

'Wiens idee dan?' vroeg ik. Ik verwachtte dat ze zou zeggen: Van mijn moeder.

'Mijn therapeut.'

'Je therapeut? Waarom?'

'Het hoort bij mijn psychotherapie. Iets wat ik moet doen.'

'En dat is?'

'Met jou praten. Niet om je over te halen me te vergeven of zoiets,' voegde ze er snel aan toe.

'Waarom dan?'

'Dat heb ik je gezegd. Het is een onderdeel van mijn therapie. Ik begrijp zelf de helft er niet van, maar als ik het niet doe...' Ze haalde diep adem. 'Als ik het niet doe, zegt hij dat de therapie geen succes heeft. Wat dat ook mag betekenen. Het zou kunnen betekenen dat ik weer voor de rechter moet verschijnen, en dan... wie zal het zeggen?'

'Wat wil je van me?'

'Niks. Alleen... ik praat gewoon tegen je.' Ze wilde weglopen, bleef toen staan en draaide zich weer om. 'Niet dat veel mensen het weten van ons, wat er gebeurd is. Ik bedoel, wat er echt gebeurd is. Alleen een paar van mijn beste vriendinnen weten het. En zo wil ik het graag houden.'

'Wat wil dat zeggen?'

'Snap je dan helemaal niks? Ik bedoel, hou je mond op school. Praat er gewoon niet over. Niemand hoeft iets te weten.'

'Ze zullen toch willen weten waarom ik hier ben? Ze zullen vragen stellen. Ze zullen zien dat ik uit een ander milieu kom.'

'Waarschijnlijk wel, ja. Daarom heb ik moeder verteld hoe moeilijk dit voor me zou zijn en dat ik niet terugging naar school als ze niet iets deed. Papa was het met me eens, en ze hebben een verhaal verzonnen over jou.'

'Wat voor verhaal?'

'Je bent de dochter van een van mijn tantes die om het leven is gekomen bij een auto-ongeluk. Mijn moeder, die een wandelende soap is, wilde je in huis nemen, en dus ben je hier. Op die manier weet niemand dat je dakloos was en in een doos sliep.'

'Waarom heeft je moeder me dat niet verteld?'

'Ze wacht altijd met alles tot het laatste moment. Ze zal het je vanavond vertellen. We zijn het erover eens dat het voor ons allebei beter is.' Ze wilde zich omdraaien, maar bedacht zich weer.

'Maar ik rij je niet naar school en verwacht niet van me dat ik daar met jou rondhang.'

'Ik geloof niet dat ik iets anders verwacht had.'

'Ha ha. Je bent een leukerd,' zei ze, en liep weg.

Ik glimlachte.

Het was alsof ze echt naar mijn gedachten geluisterd had en mijn angst had gehoord.

Misschien zou het toch goed gaan op deze school.

Ik ging weer op de steiger zitten en staarde naar de insecten en de vogels en de rimpels in het water en de bomen en de wolken die loom in de blauwe lucht dreven als grote witte vogels die migreerden naar een andere horizon.

Net als ik.

16

Een andere horizon

Meneer March kwam die avond niet eten. Hij had een dinerafspraak in San Francisco. Kiera had kennelijk niet tegen haar moeder gezegd dat ze mij het verhaal had verteld dat de Marches verzonnen hadden om mijn aanwezigheid te verklaren. Toen we allemaal zaten, vroeg mevrouw March aan mevrouw Duval om in de keuken te wachten. Ze zei dat ze haar zou laten weten wanneer ze met serveren kon beginnen. Toen legde ze haar handen gevouwen op tafel, staarde er even naar en begon.

'Meneer March en ik hebben besloten dat het gemakkelijker zal zijn voor jullie, vooral voor jou, Sasha,' zei ze en hief haar hoofd op om me aan te kijken, 'als de andere leerlingen op school niet precies bekend zijn met jullie situatie.'

Ik keek naar Kiera. Ze glimlachte en sloeg haar ogen neer.

'Situatie?'

'Wat ik wilde zeggen is dat je eerder door de anderen zal worden opgenomen als ze denken dat je lid bent van onze familie. Wat ik hoop dat je binnen niet al te lange tijd zult worden,' voegde ze er snel aan toe. 'In ieder geval zou het beter zijn als je je klasgenoten vertelt dat je een nichtje bent van Kiera uit Donalds familie. Die familie zit zo ingewikkeld in elkaar dat niemand eraan zou twijfelen; er zijn maar weinig mensen die op de hoogte zijn van de details van zijn familie.'

'Vergeet het Chinese aspect niet, moeder,' zei Kiera.

'Val me alsjeblieft niet in de rede, Kiera,' zei mevrouw March streng. Ze keek weer naar mij. 'Het verhaal waar Kiera op doelt is simpel. Een van Donalds halfbroers trouwde met een Chinese vrouw. Jij werd geboren en alles ging prachtig, tot ze beiden om het leven kwamen bij een auto-ongeluk. Toen kwam jij bij ons wonen. Zeg eens, waar ben je geweest buiten Californië?'

'Nergens.'

'Je verhaal gaat niet op, moeder,' kirde Kiera.

'Kiera. Je werkt niet erg mee.'

'Goed dan,' ging mevrouw March verder. 'Waar ben je in Californië geweest?'

'Mijn vader heeft ons eens meegenomen naar Santa Barbara, maar ik kan me er bijna niets van herinneren.'

'Wow, helemaal naar Santa Barbara,' zei Kiera.

Mevrouw March keek haar woedend aan. 'Mooi. Perfect. Je zegt gewoon dat je daar gewoond hebt. Als iemand meer details wil horen, zeg je maar dat je het te pijnlijk vindt om erover te praten. Dat hoort wel te werken.'

'Maar de docenten, de directeur?' vroeg ik. 'Kennen zij de waarheid niet?'

'Dr. Steiner, de directeur, weet het, maar verder niemand, en niemand komt het ook te weten, dat kan ik je verzekeren.'

'Behalve als zij het hun vertelt,' mompelde Kiera, met een knikje naar mij.

'Waarom zou ze dat doen?' Mevrouw March glimlachte naar me. 'We willen alleen maar dat je succes zult hebben en je op je gemak en gelukkig zult voelen op school, Sasha. Oké? Begrijp je het?'

'Ja,' zei ik, en dacht toen plotseling: ik verraad mama weer door net te doen of ze nooit bestaan heeft. 'Maar ik hou er niet van om te liegen,' ging ik verder.

'O, zeg, doe me een plezier,' zei Kiera. 'Ik kan me precies voorstellen wat je mensen vertelde toen je op straat leefde.'

'Dat was iets anders.'

'Natuurlijk. Het is altijd iets anders als jij het doet,' zei ze. 'Ik zal met hetzelfde excuus komen als ik betrapt word.'

'Ik bedoel het niet als een excuus. Je begrijpt het niet.'

'Dat is het eerste zinnige wat je zegt. Wie zou het wél begrijpen?'

'Stop. Laten we hierover ophouden,' zei mevrouw March. 'Ze begrijpt het, en daarmee uit.' Ze riep mevrouw Duval.

Eerst was ik blij toen Kiera me vertelde wat er tegen de andere leerlingen en de docenten over mijn verblijf hier gezegd zou worden, maar nu ik het hoorde van mevrouw March, begon ik me zenuwachtig te voelen. Ik begon mijn nieuwe schoolleven op een drijvend vlot van leugens. Ik zou goed moeten oppassen wat ik tegen iemand zei over mijn verleden, waar ik geweest was, wat ik gedaan had. Eén verspreking, en ik zou van het vlot vallen in de woeste zee die kolkte rond iemand als ik.

Mevrouw March wilde niets liever dan van onderwerp veranderen. Tijdens de rest van de maaltijd ging ze er maar over door hoe geweldig ik het zou vinden op mijn nieuwe school.

'Haal je haar van gymles af, moeder? Ik denk niet dat ze aan wat voor sport ook kan meedoen met dat manke been.'

'Ze kan in ieder geval beter zwemmen dan jij,' merkte mevrouw March op. 'Het zal best gaan. Haar gymleraar zal er zeker begrip voor hebben.'

'Miss Raymond? Het enige waar zij begrip voor heeft is een vibrator.'

'Kiera!' snauwde mevrouw March.

'Ik denk niet dat ze zo gevoelig is, moeder. Denk maar aan waar ze vandaan komt.'

'Ik wens dat soort gesprekken niet aan tafel. Je vader zal hierover horen.' Ze keek haar weer woedend aan en draaide zich toen met een glimlach om naar mij. 'Heb je geleerd een instrument te bespelen op je oude school, Sasha?'

'Ja, ze speelde met het materiaal voor de sleutelhangers, weet je nog?'

'Kiera.'

'Nee,' zei ik. 'We hadden geen muziekles.'

'Nou, hier heb je die wel. Je komt in de band van leerlingen uit de hogere klassen. Alena speelde klarinet.'

'Ga je die ook al aan haar geven?' vroeg Kiera.

'Als ze klarinet wil spelen, zou het zonde zijn die te laten verstoffen, Kiera. Niemand heeft jou belet op een instrument te leren spelen.'

'O, ja, natuurlijk, de schoolband. Niks aanlokkelijker dan te zien hoe kinderen het spuug van hun mondstuk vegen.'

'Luister maar niet naar haar, Sasha. De band staat in hoog aanzien en geeft optredens en wordt vaak gevraagd te spelen op publieke evenementen.'

'Joepie!' mompelde Kiera. 'Je bent vergeten haar te vertellen dat ze het uniform van de band moet dragen. Verschrikkelijk vond ik dat.'

'Ik weet zeker dat je van de klarinet zult houden, Sasha,' hield mevrouw March vol. 'Het zal heerlijk zijn de klanken van die klarinet weer hier in huis te horen. En met jouw artistieke talent zou je erover kunnen denken lid te worden van de theaterclub en met de decors te helpen.'

'Ze zou beter zijn als actrice,' zei Kiera.

'Heb jij daar je opleiding gekregen?' vroeg ik. Ze kreeg zowaar een kleur, vooral toen mevrouw March lachte.

'Alena kon je net zo van repliek dienen,' zei ze.

Kiera perste haar lippen op elkaar. Haar gezicht zwol op en leek op het punt staan te exploderen. Ze schoof haar bord weg en stond op. 'Ik heb nog een en ander te doen,' kondigde ze aan en liep de kamer uit.

'Als je vader hier was, zou je je excuseren voor je opstond,' riep mevrouw March haar achterna. Kiera gaf geen antwoord. 'Dit zal hij ook te horen krijgen,' voegde ze eraan toe. Ik hoorde Kiera stampvoetend de trap oplopen.

Mevrouw March schudde haar hoofd en we aten door. Het duurde even voor ze gekalmeerd was, en toen praatte ze weer over de school en hoe jammer het was dat Alena nooit haar diploma had kunnen halen.

'Als je morgen op school komt, ga dan meteen naar het kantoor van de directeur,' zei ze, toen we gegeten hadden. Ze liep met me mee naar de trap. 'Grover zal na het ontbijt voor de deur op je wachten en precies aan het eind van de schooldag komt hij je ha-

len. Ik zal thuis op je wachten om te horen hoe je dag verlopen is.'
Ik knikte en draaide me om naar de trap, maar ze stak haar hand uit om me tegen te houden.

'Laat je niet van de wijs brengen door Kiera's malle opmerkingen, en maak je niet zenuwachtig, Sasha. Het zal prima gaan.' Ze liet mijn arm los en glimlachte. 'Ik heb altijd genoten van de eerste schooldag. Al die opwinding, die verwachtingen. Ga maar vroeg naar bed, ik zal zorgen dat je vroeg genoeg opstaat.' Ze keek langs de trap omhoog. 'De helft van het jaar moet ik op Kiera's deur bonzen om haar uit bed te krijgen.'

Ik begon de trap op te lopen.

'O,' zei ze. 'Ik heb een mooie verrassing voor je. Morgenochtend heb ik hem bij me.'

'Wat is het?'

'Als ik het je vertel, is het geen verrassing meer, toch?' Lachend liep ze weg.

Wat zou het zijn? Nog meer kleren? Schoenen? Sieraden? Gadgets? Of een speciale lunch op het strand om het eind van mijn eerste week op school te vieren? Ik had nooit gedacht dat ik zo weinig belangstelling zou hebben voor dat alles. Ik was zo heel anders dan Kiera. Zij zou die belangstelling nooit verliezen.

Haar deur was dicht toen ik langs haar kamer kwam, maar ze moest naar mijn voetstappen geluisterd hebben, want zodra ik in mijn eigen kamer was, stond ze achter me. Ik draaide me om toen ze de deur dichtdeed.

'Wat wil je?' vroeg ik.

'Regels,' zei ze.

'Regels? Wat voor regels?'

'Regels waar je je aan moet houden,' antwoordde ze en zette haar rechterhand op haar heup. 'Ik had je verteld dat mijn moeder je zou uitleggen wat op school hun verklaring is voor jouw komst, maar daar waren mijn regels niet bij inbegrepen.'

Ik sloeg mijn armen over elkaar en keek haar met samengeknepen ogen aan. 'Ik dacht niet dat jij je aan regels hield,' zei ik. Ze lachte.

'Je bent echt een brutale straatmeid.'

'Hou op met dat te zeggen.'

'Oké, regel één. Zeg nooit iets over mij tegen die kleine vriendinnetjes uit jouw klas. Ik bedoel niet alleen over het ongeluk. Ik bedoel over alles wat je hier ziet of hoort. Ik mag nooit het onderwerp van gesprek worden tussen jou en die andere kleuters.'

'Dat is niet moeilijk. Je bent het oninteressantste meisje dat ik ooit heb gekend. Ik zal het heus niet over jou hebben. Er valt niet veel te vertellen.'

'Regel twee,' zei ze, mijn woorden negerend. 'Waag het niet naar me toe te komen in de kantine of als ik buiten zit te eten, om me iets te vragen. Mijn vriendinnen weten al hoe ik erover denk dat mijn zogenaamde nichtje bij ons komt wonen. Wat mij betreft, besta je niet. Je bent er niet.'

'Prima,' zei ik.

'Regel drie. Je zegt thuis geen woord over iets wat je me ziet doen, vooral niet als er na schooltijd iemand bij me in de auto zit. Mijn vader heeft het me voorlopig verboden, al zal hij daar gauw genoeg op terugkomen.

'Regel vier,' ging ze snel verder, om elk commentaar van mij te voorkomen. 'Waag het niet iemand te vertellen dat ik in therapie ben.'

'Ik denk dat de meeste mensen die je kennen dat toch wel zullen vermoeden,' zei ik.

Ze keek me kwaad aan en lachte toen heimelijk, als iemand die zojuist een groot geheim heeft ontdekt. 'Hoe weten we eigenlijk hoe oud je precies bent?'

'Wát?'

'Misschien ben je wel in de groei blijven steken en ben je in werkelijkheid zeventien of achttien.'

'Je bedoelt, omdat ik net zo slim ben als jij? Dat is makkelijk genoeg. Geestelijk ben je nog geen zeventien.'

'Hou je maar stoer, maar vergeet één ding niet. Als je ook maar één regel van me overtreedt, zul je het bezuren.'

Ze liep de kamer uit en ik bleef even staan kijken naar de gesloten deur. Alena kon niet erg gelukkig zijn geweest met zo'n oudere zus, dacht ik. Ik ging naar de zitkamer om televisie te kijken en mijn gedachten af te leiden van Kiera en de komende dag. Ik ging wel vroeg naar bed, maar lag heel lang wakker. Zou ik het verhaal van meneer en mevrouw March waar kunnen maken? Dat, en de vraag of mevrouw Kepler wel gelijk had dat ik er klaar voor was, maakten dat ik bleef liggen draaien en woelen.

Eindelijk viel ik in slaap, maar zo diep, dat ik nooit op tijd zou zijn opgestaan als mevrouw March me niet wakker had gemaakt. Ze leek enthousiaster dan ik.

'Hoewel je veel ouder bent dan toen Alena voor het eerst naar school ging, heb ik het gevoel dat het net zo'n soort ochtend is. Ze was zo'n onafhankelijke kleine meid. Ze wilde niet dat ik meeging. "Het gaat heus heel goed, mam," zei ze tegen me. "Je hoeft er niet bij te zijn." Kun je je voorstellen dat een kind van vijf zoiets zegt? Ze wist het niet, maar ik sloeg haar van een afstandje gade, om zeker te weten dat alles in orde was.

'Maar maak je niet ongerust,' ging ze verder, en haalde mijn schooluniform uit de kast. 'Ik zal je niet achterna komen. Ik weet absoluut zeker dat het prima zal gaan. Kom beneden ontbijten zodra je bent aangekleed. Nu moet ik controleren of Kiera al op is. Omdat haar vader het goedvond dat ze met haar eigen auto naar school gaat, zal ze het tot de allerlaatste minuut uitstellen. Ik wacht op je aan de ontbijttafel.'

Ik waste me en kleedde me aan, borstelde gauw mijn haar en ging toen haastig naar beneden om te ontbijten.

'Was Kiera al op?' vroeg ik toen ik ging zitten en zag dat ze niet beneden was.

Even dacht ik dat mevrouw March me niet gehoord had, zo diep was ze in gedachten verzonken, maar dat had ze wel.

'De grote verrassing... Ze was niet alleen opgestaan en klaar, maar ze was al op weg naar buiten. Het schijnt dat zij en een paar vriendinnen hadden afgesproken om te ontbijten tijdens de rit naar school.'

Mevrouw Duval verscheen met sinaasappelsap, mevrouw Caro's zelfgebakken broodjes en een blad met allerlei soorten jam.

'Mevrouw Caro heeft je roereieren gemaakt zoals jij ze graag hebt,' vertelde ze me. Ik had eens gezegd dat ik van roereieren met kaas hield, en die maakte ze vaak voor me klaar. 'En ze zegt dat een goed ontbijt noodzakelijk is als je naar een nieuwe school gaat,' voegde mevrouw Duval eraan toe. 'Daar ben ik het helemaal mee eens. Ik weet zeker dat Kiera en haar vriendinnen niet half zo'n goed ontbijt zullen hebben als jij,' zei mevrouw March.

Ik nam een slokje van mijn sap. 'Is meneer March al terug?'

'Nee. Hij moest nog een dag langer blijven.'

Ik dacht dat ze zich daarover ergerde, maar toen glimlachte ze. 'Het is niet erg,' zei ze. 'Ik heb het vandaag druk met mijn liefdadigheidsbijeenkomsten, een lunch op de golfclub, en dan een paar boodschappen bij Saks in Beverly Hills, voordat ik naar huis ga om alles over je eerste dag te horen. Hier,' zei ze, terwijl ze iets uit haar tas haalde. Het was een mobiele telefoon. 'Die is voor jou. Mijn nummer staat er al in.' Ze liet het me zien. 'Je hoeft alleen maar op dit knopje te drukken en je krijgt mij aan de lijn. Dus aarzel niet als je iets nodig hebt.'

'Dank u.' Ik pakte hem van haar aan.

'Het is een heel geavanceerde mobiele telefoon. Je kunt er ook foto's mee maken, maar dat weet je natuurlijk allemaal al.'

'Nee. We hebben er nooit een gehad,' zei ik, terwijl ik hem bekeek.

'O, hier is de handleiding. Maar voorlopig hoef je alleen maar te weten hoe je mij kunt bellen als je iets nodig hebt.'

'Is dit de verrassing die u me beloofde?'

'Nee, die ligt op je te wachten in de limousine.'

Nu werd ik pas echt nieuwsgierig.

Mevrouw Duval bracht me mijn roereieren en bleef naar me kijken terwijl ik ze haastig naar binnen schrokte. Zenuwen maakten me hongerig. Later, toen ik naar buiten ging om in de limousine te stappen, zag ik dat mevrouw Duval en mevrouw Caro me samen met mevrouw March nakeken.

Grover hield het portier voor me open en ik keek achterom naar hen.

'Succes, lieverd,' riep mevrouw Caro.

'Ja, veel succes,' zei mevrouw Duval.

Mevrouw March stond er glimlachend bij, maar het leek dat ze door haar tranen heen lachte.

Ik stapte in de auto. In mijn eentje in die grote auto voelde ik me kleiner en hulpelozer dan ooit. Grover ging achter het stuur zitten, keek achterom naar mij, knipoogde en reed weg.

Ik draaide me om en zag toen het pakje dat op de bank lag. Langzaam maakte ik het open.

Mevrouw March had een leren boekentas voor me gekocht, die ze had gevuld met ballpoints en potloden, blocnotes, bijna alles wat een leerling nodig kon hebben. Op de buitenkant van de tas stond mijn naam in goudreliëf, maar vanwege de fictieve biografie luidde die 'Sasha March'.

Het was haar gelukt de verandering van mijn achternaam te rechtvaardigen. Nu vroeg ik me af of ze misschien ook een manier zou weten te vinden om ook mijn voornaam te veranderen.

17

School

Niemand leek veel aandacht voor me te hebben toen ik uit de limousine stapte, zelfs niet met een chauffeur in uniform, die het portier voor me openhield. Misschien was het voor de leerlingen op die school niets bijzonders om door een limousine te worden gebracht. Aan hun gezicht, de manier waarop ze haastig naar binnen liepen, elkaar riepen, omhelsden, de hand schudden, zelfs zoenden, kon ik zien dat de meesten elkaar kenden. Behalve de leerlingen in de laagste klas, die net van de basisschool kwamen, dacht ik niet dat er veel nieuwkomers waren zoals ik.

Omdat ze weinig belangstelling hadden voor mijn limousine, zouden ze misschien ook niet erg op mijn manke been letten. Al liep ik er al een tijdje mee rond, toch was ik me er nog intens van bewust. Ik liep alsof ik met mijn rechtervoet op hete kolen trapte.

Toen ik in het gebouw kwam, zag ik een bord op de muur dat met een pijl naar het kantoor van de directeur wees. Alles in de school zag er onberispelijk uit, van de gewreven tegelvloer tot de glinsterende ramen en de glimmende lessenaars die ik door de open deuren van de klaslokalen kon zien. Het was geen opvallend grote hal, en het gepraat en geroezemoes weergalmde om me heen. Een kleine blonde jongen, waarschijnlijk uit de laagste klas, botste tegen me op, draaide zich met een flitsende glimlach naar me om en verontschuldigde zich. Voor ik kon reageren was hij alweer verdwenen. Langzaam liep ik naar het kantoor van de directeur.

Bij de balie verdrongen zich andere leerlingen met vragen en problemen, en twee jonge vrouwen, bijna net zo chic gekleed als mevrouw March, gaven antwoord op vragen en deelden papieren uit. Ik ging achter de laatste leerling in de rij staan. De vrouw die aan de rechterkant zat zag me en fluisterde iets tegen de ander. Toen liep ze om de balie heen en wenkte. Ik wist niet zeker of ze mij bedoelde, maar ze bleef wenken tot ik op mezelf wees, en ze knikte. Alle leerlingen zwegen plotseling en keken naar mij toen ik naar voren liep.

'Jij bent Sasha March, niet?'

'Ja.' Ik vermoedde dat ze haar verteld hadden dat ik Aziatische gelaatstrekken had.

'Ik ben mevrouw Knox. Dr. Steiner wilde dat ik je zodra je kwam, bij haar bracht. Kom maar mee.' Ze deed een stap opzij.

Ik volgde haar naar het kantoor van de directeur. Ze glimlachte naar me en klopte aan.

'Ja,' hoorde ik.

Ze deed de deur ver genoeg open om naar binnen te kunnen kijken en zei tegen dr. Steiner dat ik er was.

'Laat haar maar binnenkomen, Louise.' Mevrouw Knox hield de deur voor me open.

Dr. Steiner was een gezette vrouw met een zware boezem. Ze droeg een donkerbruine rok en een blouse met ruches aan de kraag. Ze had grijzend donkerbruin krullend haar en was zo te zien niet langer dan een meter vijfenvijftig. Behalve lippenstift, had ze geen make-up, zelfs niet om de sproeten of ouderdomsvlekjes op haar jukbeenderen te camoufleren. Ze stond achter haar bureau toen ik binnenkwam en staarde me een paar ogenblikken lang alleen maar aan, zoals iemand een vreemde zou opnemen om te zien of hij of zij aan de verwachtingen beantwoordde.

'Welkom op Pacifica High School, Sasha,' zei ze, en knikte naar de stoel tegenover haar bureau. 'Ik ben dr. Steiner.'

Ik ging zitten. Zonder me ervan bewust te zijn klemde ik mijn nieuwe schooltas dicht tegen me aan, alsof ik bang was dat iemand hem zou kunnen stelen. Het deed me denken aan de manier waarop mama, als ze over straat liep, haar handtas altijd dicht tegen haar borst drukte om diefstal te voorkomen. Dr. Steiner zag hoe stevig ik mijn schooltas vasthield, glimlachte en ging zitten. Ik liet mijn greep verslappen.

'Ik kan me indenken dat je je een beetje angstig voelt nu je op een nieuwe school komt, maar je hoeft niet bang te zijn. We hebben geweldige, intelligente en zorgzame docenten hier. Je zult merken dat we één grote familie vormen op deze school,' zei ze. Ze sprak een beetje door haar neus, als iemand die zwaar verkouden is. Haar grijsblauwe ogen gingen wijd open aan het eind van elke zin. Haar linkerhand lag plat op het bureau, maar ze hief de wijsvinger van haar rechterhand op en bewoog die op en neer om haar woorden te benadrukken. Toen ik niets zei, ging ze verder.

'Ik heb je privélerares, mevrouw Kepler, gesproken, en ze heeft er het volste vertrouwen in dat je voldoende bent bijgewerkt. Ik heb veel respect voor haar mening, dus ben ik ervan overtuigd dat ze gelijk heeft. Dit is je lesrooster.' Ze hief een kaart op die niet groter was dan een pakje sigaretten. 'Je lessen en de namen van je docenten staan hierop vermeld. Achterop vind je ons motto.' Ze draaide de kaart om en las voor. 'Pacifica High School, waar iedereen ernaar streeft alles te worden wat in zijn of haar vermogen ligt.'

Ze boog zich naar voren.

'Wat er in je verleden is gebeurd, Sasha, is geen reden waarom je niet alles zou kunnen worden wat in je vermogen ligt. Ik verzeker je dat ik alles zal doen wat ik kan om je te helpen dat doel te bereiken, en ik ben ervan overtuigd dat je docenten dat ook zullen doen. Ze zijn heel toegewijde leerkrachten.'

'Goed,' ging ze verder en leunde weer achterover. 'Ik heb mevrouw March beloofd dat ik er persoonlijk op zou toezien dat je geen problemen hebt en dat ik je zelf naar je klas zou brengen. Daar zul je een heel aardig jong klasgenootje van je ontmoeten, Lisa Dirk, die aangeboden heeft vandaag je grote zus te zijn. Ze heeft hetzelfde lesrooster als jij en zal je begeleiden, oké?'

Ik kon zien dat het haar hinderde dat ik nog niets gezegd had.

'Is er iets dat je me wilt vragen voor we naar de klas gaan om kennis te maken met meneer Hoffman?'

'Nee,' zei ik.

'Nee? Nou, er zal zich vast wel het een en ander voordoen als je eenmaal begonnen bent, en als je niet terechtkunt bij je docenten of de andere leerlingen, klop je maar bij mij aan, oké?'

Ik knikte.

'Ik heb gehoord dat je een artistieke aanleg hebt. Ik weet dat meneer Longo, onze tekenleraar voor de hogere klassen, daar heel blij mee zal zijn.'

'Ik weet niet of ik wel zo artistiek ben.'

Ze boog zich naar me toe met een glimlach die haar kleine tanden liet zien. 'Je zult er gauw genoeg achter komen dat bescheidenheid op deze school een nadeel is. Wees trots op wat je kunt. Natuurlijk,' vervolgde ze, 'zijn veel leerlingen dat ook al zonder dat daar veel reden toe is. Ik weet natuurlijk niet erg veel over je, maar ik durf te wedden dat zelfvertrouwen op het ogenblik niet je sterkste punt is. Ik hoop dat dat zal veranderen.' Ze kneep haar ogen samen. Ze klonk en keek alsof ik daar maar gauw voor moest zorgen. 'Oké, kom maar mee,' zei ze, en stond op. 'We zullen je op weg helpen om aan een mooi schooljaar te beginnen. Ik zal je eerst naar je kluisje brengen en je de combinatie geven.'

Ze liep om haar bureau heen naar me toe en verraste me door haar arm om mijn schouders te slaan. Toen ze de deur opendeed, zag ik dat de leerlingen bij de balie waren verdwenen. Mevrouw Knox en haar collega draaiden zich allebei om en keken met een verbaasd lachje naar ons. Dr. Steiner hield nog steeds haar arm om me heen.

'Mevrouw Knox, mevrouw Fraser, dit is Sasha March, onze nieuwe leerling. Zorg ervoor dat ze zich hier thuis voelt. We gaan eerst naar haar kluisje en dan naar de klas om kennis te maken met meneer Hoffman,' zei ze. 'Neem de zaken hier zolang waar.'

Ze knikten en keken naar me alsof ik, niet Kiera, de dochter van de rijke meneer March was. Kreeg ik die speciale behandeling van mevrouw Steiner vanwege mevrouw March of omdat mevrouw March haar over mij verteld had? Wat de reden ook was, ik voelde me er niet prettig bij. Ik hoopte dat dit de eerste en laatste keer was dat ik eruit werd gepikt om te worden bevoorrecht. Zo lang was het nog niet geleden dat ik op school was, en ik herinnerde me nog maar al te goed hoe leerlingen zich ergerden aan kinderen die door hun docenten werden voorgetrokken.

De hal was leeg en het was er heel stil. Evenals de gang naar de klaslokalen. Waar was iedereen zo gauw gebleven? Dr. Steiner zag mijn verbaasde blik.

'De bel is al gegaan, maar hij gaat niet over in mijn kantoor,' zei ze. 'Ik heb al genoeg lawaai van buiten. Wie na de bel nog in de gangen rondhangt, moet nablijven.'

Onwillekeurig vroeg ik me af of Kiera nog op tijd was geweest. Toen dr. Steiner me mijn kluisje had laten zien en me de combinatie had gegeven, liepen we de lange gang door naar het laatste lokaal in die vleugel van het gebouw. Toen we binnenkwamen, draaide een tiental leerlingen hun hoofd naar ons om. Ook meneer Hoffman, een man die mijn moeder zo dun als een botermesje zou hebben genoemd, stopte met praten om naar ons te kijken.

'Meneer Hoffman, dit is uw nieuwe leerling, Sasha March. Juffrouw Dirk zal haar vandaag begeleiden.'

Een mollig Afro-Amerikaans meisje met donker haar en een lichte huid, stond op. Ze keek naar meneer Hoffman, die haar een knikje gaf, en kwam toen naar ons toe. Ze was niet veel langer dan ik, en als ze niet zo'n bol, rond, opgeblazen gezicht had, zou ze heel knap kunnen zijn, dacht ik. Ze had een unieke kleur ogen; ze leken heel donkerblauw. Iedereen bleef naar ons kijken, alsof we op het punt stonden een of ander traditioneel begroetingsritueel uit te voeren.

'Hoi. Ik ben Lisa,' zei ze en stak haar hand uit. Ik nam hem aan en knikte. 'Je zit recht achter me,' ging ze met luide stem verder, en de jongen die daar zat stond op en liep naar de achterste rij.

Dr. Steiner zag het allemaal aan en lachte tevreden.

'Je bent nu in goede handen, Sasha. Zorgen jullie er allemaal voor dat ze zich hier thuis voelt.' Ondanks de neusklank klonk haar stem gezaghebbend. Ze knikte naar meneer Hoffman, overhandigde me mijn lesrooster en verliet het lokaal.

Ik volgde Lisa naar mijn plaats.

'Welkom, Sasha. Ik was juist bezig met het bespreken van een paar veranderingen in de schoolregels,' zei meneer Hoffman, en ging toen verder. 'Nummer drie.'

De enige verandering die de leerlingen om me heen deed morren was het verbod om mobieltjes aan te laten staan tijdens de lesuren. Sms'en in de klas kon schorsing tot gevolg hebben. De roodharige jongen aan de overkant boog zich naar me toe en fluisterde: 'Dat komt omdat Jean Trombly betrapt werd op spieken. Iemand sms'te haar de antwoorden op de vragen van het proefwerk.'

Ik sperde mijn ogen open. En toen besefte ik dat de telefoon die mevrouw March me gegeven had, nog aanstond. Haastig zocht ik in mijn schooltas, haalde hem eruit en zette hem uit, waarbij hij een melodieuze ringtoon liet horen. Iedereen keek naar me, de meesten grijnzend en lachend. Er kon geen lachje af bij meneer Hoffman. Ik stopte mijn mobiel snel weer in mijn tas.

'Nummer vier,' zei hij streng, en ze richtten hun aandacht weer op hem. Hij behandelde nog vijf verdere veranderingen, voordat hij eindigde.

Toen eindelijk de bel klonk, draaide Lisa zich naar me om.

'Laat me je lesrooster eens zien,' zei ze. Ik gaf het haar. 'O, mooi, je hebt eerst muziekles. Ik was al bang dat je die niet zou hebben.'

'Muziek?' Ik had niet op de kaart gekeken. Ze gaf me het rooster terug om het me te laten zien.

'Lokaal veertien,' zei ze. 'Een eindje lopen. Wat voor instrument heb je?'

'Geen enkel,' zei ik.

Ze hield haar hoofd schuin en perste haar lippen opeen. 'Speelde je niet op een instrument op je vorige school?'

'Nee. We hadden geen schoolband.'

'Wij hebben een orkest. Geen band,' verbeterde ze me. Ik volgde haar naar buiten. 'We hebben drie volle minuten tussen de verschillende lessen, dus wordt te laat komen als een ernstige overtreding beschouwd. Twee keer te laat in de klas komen betekent een dag nablijven. En dat is geen pretje hier. Meneer McWaine heeft het toezicht, en hij laat de leerlingen een uur lang helemaal niets doen. Niet lezen, geen huiswerk, niks anders dan met gevouwen handen rechtop zitten. Niet dat ik ooit heb moeten nablijven,' ging ze verder. 'Jij?'

'Nee.'

'Misschien kun jij de dans ontspringen omdat je mank loopt.'

'Ik wil voor wat dan ook de dans niet ontspringen omdat ik mank loop,' zei ik vinnig, maar ze merkte mijn ergernis niet op, of als ze dat wel deed, negeerde ze het.

'Daar is de kantine,' zei ze met een knikje naar links. 'Op dinsdag en woensdag hebben ze pizza. Die is dik en zit vol kaas, en als je wilt kun je vragen of ze er pepperoni op doen. Ik hou van pepperoni. De laagste en de hoogste klassen hebben meestal les in de lokalen aan deze kant,' ging ze verder. Toen boog ze zich naar me toe en zei: 'Iedereen zal me van alles over jou vragen. Om te beginnen, wie was Chinees? Je vader of je moeder?'

'Mijn moeder.'

'At je met eetstokjes? Vreselijk vind ik dat. Het duurt veel te lang voor je klaar bent met eten. Mij vingers zijn trouwens te dik en onhandig.'

'Thuis aten we niet met eetstokjes,' zei ik. 'Wel in een Aziatisch restaurant. Je mag trouwens toch niet te snel eten. Dat is niet goed voor je.'

'O, ben je een van die gezondheidsmaniakken?'

'Nee.'

'Woonde je in Santa Barbara?'

Ik knikte.

'Daar ben ik natuurlijk wel geweest. Leuke plaats. Mis je het?'

'Ik mis een heleboel,' zei ik bits. Dat was natuurlijk ook zo, maar het had voornamelijk te maken met mama.

Ze zag de tranen in mijn ogen. 'O, we moeten opschieten. We hebben nog maar dertig seconden.' Ze begon sneller te lopen. Om haar bij te houden, begon ik nog opvallender te hinken, en om de een of andere reden deed mijn heup pijn.

Vlak voordat we bij het muzieklokaal kwamen, bleef ze staan en zei: 'De muziekleraar heet Denacio. Iedereen vindt hem aardig, maar toch noemen ze hem Mussolini. Weet je wie dat was?'

'Ja.'

'Dan weet je dat je hier niet moet rotzooien,' zei ze toen we naar binnen gingen.

Ik was razend nieuwsgierig. Waarom kreeg ik les in muziek? Mocht ik niet zelf kiezen? Lokaal veertien was een vrij grote ruimte. Denacio was lang en slank, had gitzwart haar en een gitzwarte snor. Hij had ook doordringende donkere ogen. Hij had zijn jasje uitgetrokken en de mouwen van zijn witte overhemd opgerold tot aan zijn ellebogen.

'Laten we geen tijd verspillen,' zei hij zodra de bel ging voor het begin van de les. 'Ik wil zien wie van jullie echt heeft geoefend in de zomer, en denk maar niet dat jullie me voor de gek kunnen houden.'

De leerlingen om me heen gingen naar hun instrumenten. Ik bleef staan. Ik voelde me als een idioot.

'Oké,' zei hij met een knikje naar mij. 'Sasha March?'

'Ja.'

'Mijn naam is Denacio. Ik heb begrepen dat je hier bent om klarinet te leren spelen.'

Ik staarde hem dom aan. Voor ik iets kon zeggen, reikte hij achter zich en pakte een foedraal.

'Het is een mooi instrument,' zei hij. 'Ga daar maar zitten.' Hij knikte naar een lege lessenaar rechts van me. 'Ik kom zo bij je.'

'Ik heb nog nooit klarinet gespeeld,' zei ik.

'Daarom ben je hier, om het te leren, juffrouw March. Kijk om je heen. Geen van die genieën wist iets van de instrumenten af waarop ze nu spelen. Daarom noemen we dit een opvoedkundige instelling.'

Niemand lachte hardop, maar iedereen grijnsde. Hij overhandigde me het foedraal met het instrument en ik liep naar mijn lessenaar. Lisa zat achter in de klas en haalde een fluit tevoorschijn. Ik maakte het foedraal open en zag de inscriptie op de binnenkant van het deksel.

Alena March.

Daaronder stond haar adres, en helemaal onderaan was een verguld plaatje met het opschrift: *We houden van je. Papa en mama.*

Ik klapte het deksel weer dicht. Waarom had mevrouw March me niet verteld dat ze dit al voor me geregeld had? Ik had nooit gezegd dat ik klarinet wilde spelen. Zou het ondankbaar zijn als ik weigerde?

Ik zag hoe Denacio de vorderingen van elke leerling controleerde. Hij gaf maar twee van hen een complimentje en zei tegen de anderen dat ze extra hard moesten oefenen om de verloren tijd in te halen. Hij gaf iedereen een opdracht en kwam toen bij mij.

'Zo,' begon hij. 'Toevallig kan ik nog een klarinet gebruiken in het orkest van gevorderden. Hé, kijk niet zo benauwd. Je maakt me nerveus.' Eindelijk lachte hij.

'Ik ben niet benauwd. Ik ben alleen verbaasd,' zei ik.

'Verbaasd? Waarom?'

'Ik wist niet dat die klarinet op me lag te wachten.'

'O, die heeft je tante vorige week gebracht. Heeft ze je dat niet verteld?'

Ik schudde mijn hoofd.

'Dan zal het bedoeld zijn als een verrassing, maar een leuke verrassing, toch?'

Ik keek naar het foedraal met het instrument en haalde mijn schouders op.

'Enthousiast, zie ik. Oké, je bent wat ik noem een uitdaging, en waarom niet op de eerste schooldag? Waarom zou iets gemakkelijk voor me moeten zijn?'

Hij pakte de klarinet en liet me zien hoe ik hem in elkaar moest zetten, de tong moest aanbrengen en het mondstuk op de juiste manier vasthouden. Hij zei dat ik het tussen mijn tanden moest klemmen, net doen of ik 'doe' zei, en blazen.

'Zo is het goed,' zei hij. 'Door het blazen van lange tonen raken je buikspieren gewend aan de druk.'

Ik deed het nog eens, en toen weer, en hij lachte.

'Dat klinkt goed. Iets zegt me dat ik mijn nieuwe klarinettist heb gevonden.' Hij zei het alsof hij al heel lang op me gewacht had.

Ik rilde, want dat was precies het gevoel dat mevrouw March me soms gaf.

Ik keek achterom naar Lisa, die haar fluit liet zakken en glimlachte. Misschien was het mijn verbeelding, maar ik kreeg de indruk dat iedereen naar me glimlachte.

Alsof iedereen, te beginnen bij dr. Steiner, op mij had gewacht, alsof ze allemaal hadden geweten dat wat er op een regenachtige dag op een autoweg in Santa Monica zou gebeuren, me naar deze plek zou voeren.

18

Snelle leerling

'Je was een hit bij Denacio,' zei Lisa nadat de bel was gegaan. Ik borg de klarinet op in het kluisje dat me was toegewezen. Zij borg haar fluit op, en samen liepen we naar de Engelse les. 'Ik merkte het omdat hij altijd geërgerd kijkt als hij met een leerling bij het begin moet beginnen. Hij wil graag dat iedereen die bij hem in de klas komt, al zover is dat hij of zij in zijn orkest kan spelen.

'Dus zeg eens eerlijk,' zei ze bijna fluisterend. 'Je hebt wél klarinet gespeeld op je vorige school, hè?'

'Nee, echt niet.'

'Waarom lag er dan een instrument voor je klaar?'

'Dat was bedoeld als een verrassing.'

Ze knikte, alsof ze begreep waarom ik niet de waarheid zei. 'Iedereen vertelt hier onschuldige leugentjes,' merkte ze op.

'Ik niet.'

Ze glimlachte weer heimelijk en liep zwijgend verder. Tot de lunchpauze had ik weinig gelegenheid met een van mijn andere klasgenoten te praten. De hele tijd dat ik met haar in de klas zat, en ook op weg erheen, kon ik zien dat Lisa me gebruikte om de aandacht op zichzelf te vestigen. Toen we in de kantine kwamen, werd dat nog duidelijker. Leerlingen die verlangend waren om meer over me te weten te komen keken vol verwachting op van hun tafel. Ze deed er lang over om te beslissen waar en bij wie we zouden gaan zitten en koos ten slotte een tafel met drie andere meisjes.

We legden eerst onze boeken neer en daarna stelde Lisa me voor aan Charlotte Harris, Jessica Taylor en Sydney Woods. Charlotte en Jessica hadden lichtbruin haar dat op vrijwel dezelfde wijze geknipt was. Sydney had kastanjebruin haar dat los op haar schouders viel. Ik vond geen van hen bijzonder knap, maar toen Lisa ons allemaal aan elkaar had voorgesteld, praatten en gedroegen ze zich alsof ze een schoonheidswedstrijd hadden gewonnen.

Lisa begon met hun alles over me te vertellen wat ze wist. Ik begon me zenuwachtig te maken, omdat ze allemaal onlangs in Santa Barbara waren geweest en ik dacht dat ze me uitvoerig zouden ondervragen over populaire winkels en restaurants. Ik wachtte om te horen wat ze leuk vonden in die plaats en was het dan snel met ze eens.

'Heb jij geen speciale plek waar je graag komt?' vroeg Sydney Woods.

Ik deed of ik erover nadacht en schudde toen mijn hoofd. 'We gingen niet zo vaak uit eten en mijn vader had een hekel aan het strand.'

Dat was zeker waar wat papa betrof, dacht ik. De paar keer dat we erheen gingen moest mama hem praktisch meesleuren, en dan klaagde hij alleen maar over het hete zand en het koude water.

'Hoe komt het dat je mank loopt? Ben je daarmee geboren?' vroeg Jessica Taylor.

'Nee, een auto-ongeluk,' antwoordde ik.

Terwijl ik zat te eten, zag ik dat Lisa zich naar haar toe boog en iets in haar oor fluisterde. Hoe lang zou het duren voor het verhaal dat de Marches voor me hadden verzonnen de ronde had gedaan op school?

'Mijn ouders kennen je oom en tante,' zei Charlotte Harris. 'Ze zeggen dat ze een van de rijkste families zijn in Zuid-Californië. Is dat zo?'

'Ik zou het niet weten,' zei ik. 'Ik ken de andere rijke families niet.'

Iedereen lachte, en toen ze zagen dat ik het niet grappig bedoeld had, keken ze elkaar aan en lachten nog harder. Later luidde het gerucht dat zich op school verspreidde: 'Sasha kent de andere rijke families niet.'

Ik prentte me in dat het me niet kon schelen, maar wie wil er nou geen nieuwe vrienden maken? Voordat de dag voorbij was, zag ik Sydney Woods in de gymzaal met een paar andere meisjes praten. Blijkbaar imiteerde ze mijn kreupele loop en reciteerde ze mijn nu al beroemde uitspraak: 'Ik ken de andere rijke families niet.' Nieuwe meisjes zijn natuurlijk een bedreiging, dacht ik – al zag ik mezelf niet als knapper of slimmer of zelfs gewoon aardiger dan de meisjes in mijn klas. Althans een tijdlang was ik een beetje een mysterie voor hen en ook voor de jongens. Ik kon bijna geen klas binnenkomen of zelfs maar door de gang lopen naar een volgende les, zonder aandachtig te worden bekeken. Ik was me nog bewuster van mijn kreupelheid, en toen de bel ging om het einde aan te kondigen van de laatste les, voelde ik me als een oester die volledig in zijn schulp was gekropen.

Lisa was na die ene dag blijkbaar tot de conclusie gekomen dat ze beter af zou zijn als ze meer afstand van me nam.

'Ik denk dat je het verder wel in je eentje kunt, hè?' zei ze toen we naar het parkeerterrein liepen. In mijn nieuwe schooltas zaten mijn boeken en in de andere hand droeg ik mijn klarinet. Denacio had me gezegd wat ik moest doen. Hij zei dat ik elke avond minstens een uur moest oefenen en voegde eraan toe dat hij het zou weten als ik het niet had gedaan.

'Ja. Bedankt dat je me vandaag geholpen hebt,' zei ik tegen Lisa.

Ze glimlachte even en liep toen haastig naar haar vriendinnen. Ik hoorde ze lachen toen ze uit school kwamen. Dr. Steiner stond op de drempel van haar kantoor en riep me.

'Ik hoor dat je het goed hebt gedaan vandaag,' zei ze.

Ik dacht: Ja, ik was niet stoned. Ik keek haar slechts aan.

'Dat hebben je docenten me verteld. Ik heb meneer Cohen, je wiskundeleraar, nog niet gesproken, omdat je net uit zijn les komt, maar alle anderen vinden dat je het heel goed doet, en meneer Denacio is diep onder de indruk. Vond je het plezierig vandaag en heeft Lisa je goed geholpen?'

Ik probeerde enthousiast te klinken, maar ik kon de radertjes in haar hersenen bijna zien draaien.

'Het is voor niemand eenvoudig om ergens opnieuw te beginnen,' zei ze, terwijl ze haar stem wat liet dalen, 'maar voor jou moet het extra moeilijk zijn, Sasha. Ik begrijp het, en ik weet zeker dat je je hier thuis zult gaan voelen. Concentreer je op je schoolwerk. Al het andere komt vanzelf.'

Ik bedankte haar en liep weg. Een paar kinderen uit mijn klas hadden door de deur naar me staan kijken. Haastig liepen ze naar Lisa en de anderen. Iedereen draaide zich naar me om. Dachten ze soms dat ik over ze had geklaagd? Ze lachten niet. Ze leken op een groep heksen die vervloekingen mijn kant op stuurden. Ik keek ze na toen ze naar hun diverse auto's liepen. In de meeste auto's wachtte een moeder, maar ik zag ook een paar vaders. Grover stond bij de limousine, en ik holde naar hem toe.

Voor ik bij hem was, had Kiera me ingehaald. Deidre was bij haar en ook een van de jongens die ik bij het zwembad had gezien. Kiera botste met opzet tegen me aan, en ik draaide me om.

'O, sorry, nicht,' zei ze. 'Hoe ging het vandaag? Voel je je al als een kleine stompzinnige loser?' Lachend liep ze weg. De jongen grijnsde, maar draaide zich om teneinde mijn reactie te zien. Ik boog mijn hoofd en liep door naar de limousine. Plotseling was die mijn toevluchtsoord geworden en wilde ik niets liever dan me er zo snel mogelijk in opsluiten.

Mevrouw March stond op me te wachten toen we kwamen aanrijden. Ze kwam zo snel naar me toe, dat ik even dacht dat zij mijn portier zou openen en niet Grover.

'Ik was zó nieuwsgierig om te horen hoe je het hebt gehad vandaag,' zei ze toen ik uitstapte. 'Ik heb dr. Steiner gesproken. Ik was zo blij met de goede berichten die ik kreeg. Hoe vond je de school, je docenten? Vind je het er niet fijn?'

'Ja,' zei ik. Iets anders zou een aardschok hebben veroorzaakt. 'Maar u had me niet verteld dat u die klarinet voor me had gebracht.'

'O. Heb ik dat niet gezegd? Ik dacht van wel. Blijkbaar denkt meneer Denacio dat je een aangeboren talent hebt. Je zult wel popelen om naar boven te gaan en met je huiswerk te beginnen. Zo was Alena ook. Kiera vond dat verschrikkelijk. Maar wat Kiera ook deed of zei, ze kon Alena er niet toe brengen haar huiswerk uit te stellen. Ze was zo'n verantwoordelijke kleine meid, net als jij bent, dat weet ik zeker.'

Even dacht ik erover iets te doen om haar mening over mij te herzien, ook al had ze gelijk. Ik wilde meteen aan mijn huiswerk beginnen. Ik was veel te blij dat ik huiswerk had. Per slot was het al een jaar geleden dat ik iets voor school moest doen.

'Heb je al een paar leuke vriendinnen gevonden?' vroeg ze toen we naar binnen gingen.

'Nog niet.'

'O, dat komt wel. Meneer March zal zo wel bellen. Hij was ook erg benieuwd naar je.'

'Heus?'

'Natuurlijk, Sasha. Die school was als een kind voor hem. Die heeft zijn persoonlijke belangstelling.'

'O,' zei ik. Ik dacht dat hij dus niet zo erg in mij geïnteresseerd was, maar zeker wilde weten dat de school zijn uitstekende reputatie waarmaakte. Mevrouw March zag het verschil niet, dacht ik, en ik ging naar boven naar mijn kamer, waar ik me meteen op mijn werk stortte.

Ik ging er zo in op dat ik niet besefte hoeveel tijd er verstreken was. Mevrouw March kwam binnen om me te vertellen dat we al bijna aan tafel gingen, maar dat was niet de voornaamste reden voor haar komst.

'Heb je Kiera nog gezien vandaag?' vroeg ze.

'Ja, aan het eind van de dag.'

'Goddank. Ik was al bang dat ze de eerste dag gespijbeld zou hebben. Verleden jaar heeft ze dat met een paar vrienden en vriendinnen gedaan en gedroeg zich alsof het een enorme prestatie was. Haar vader was woedend.'

Niet woedend genoeg om haar te verbieden in haar auto te rijden, dacht ik.

'Heb je enig idee waar ze na school naartoe kan zijn gegaan? Ze neemt haar mobiel niet op.'

Ik schudde mijn hoofd.

Ze keek bezorgd, maar zette het toen van zich af en lachte naar mij. 'Maar eerst is al onze aandacht voor jou. Kom over tien minuten beneden en vertel me dan alles over je huiswerk. We wachten niet met eten op Kiera.'

Toen ik beneden kwam, was Kiera nog niet thuis, en meneer March ook niet. Mevrouw March en ik waren weer alleen. Ze vroeg nog meer over de school en mijn lessen, maar voor ik uitvoerig antwoord kon geven, ging ze weer door over Alena en haar eerste schooldagen. Ik dacht dat ze zoveel praatte om niet te laten merken hoe zenuwachtig ze was omdat Kiera nog niet thuis was. Eindelijk, vlak voordat ons dessert werd opgediend, hoorden we haar binnenkomen. Onmiddellijk stond mevrouw March op, met het voornemen haar te spreken voor ze naar boven ging, maar Kiera verraste haar door snel naar de eetkamer te komen.

'Sorry dat ik zo laat ben!' riep ze.

'Waar was je? Waarom nam je je telefoon niet op?' vroeg mevrouw March.

'Ik zag pas dat je gebeld had toen ik onderweg naar huis was, en toen dacht ik dat je wel aan tafel zou zitten. Ik wilde je ontzien, snap je dat dan niet? Ik hou rekening met je, en jij gaat zitten jammeren.'

Even werd mevrouw March van de wijs gebracht, maar toen had ze zich weer onder controle. 'Waar ben je geweest? Waarom kwam je niet rechtstreeks naar huis na school? Dat hebben je vader en ik je allebei gezegd. Je hebt toch niemand meegenomen in je auto?'

'O, nee, en dat kwam heel slecht uit. Ik moest met Clarissa meerijden, zodat ze me niet zou vragen waarom ik niemand meenam in mijn auto.'

'Waarheen?' Mevrouw March schreeuwde het bijna.

'Naar het huis van Paula Dungan. Ik heb je verteld dat we besloten hebben een huiswerkclub op te richten.'

'Wát?' Mevrouw March keek naar mij om te zien of ik het wist. Ik zei niks en ze draaide zich weer om naar Kiera. 'Dat heb je me nooit verteld. Een huiswerkclub?'

'We zitten in de hoogste klas, en dit eerste halfjaar is erg belangrijk, moeder. De meesten van ons sturen binnenkort al een aanvraag naar een universiteit.'

Een tijdlang staarde mevrouw March Kiera aan.

'Ik heb honger,' zei Kiera en liep naar de deur van de keuken om tegen mevrouw Duval te zeggen dat ze haar eten kon opdienen. Toen ging ze op haar stoel zitten en schonk water in haar glas. Mevrouw March was nog niet teruggekeerd aan tafel. Ze staarde haar aan. 'Wat is er?' vroeg Kiera.

'Je hebt me nooit iets verteld over een huiswerkclub.'

'Wel waar. Ik heb je gezegd dat het moeilijk voor me zou worden, omdat ik elke dinsdag en donderdag na school naar die stomme therapeut moet. Als ik het niet goed doe in het eerste halfjaar, komt het daardoor.'

Mevrouw March ging zwijgend weer zitten.

Kiera grijnsde naar mij. 'Wedden dat je zelfs nog niet aan je huiswerk bent begonnen?' zei ze.

'Ik ben bijna klaar,' antwoordde ik.

'Ze is meteen na school eraan begonnen, net als Alena altijd deed,' zei mevrouw March om mij te hulp te schieten.

Kiera haalde haar schouders op. 'Waarschijnlijk hebben ze het voor haar gemakkelijker gemaakt.'

'Natuurlijk niet,' zei mevrouw March.

Kiera schokschouderde weer. 'De meiden komen hier eens in de veertien dagen op woensdag, tot ik van die therapietroep af ben. Dan kan ik ze twee of drie keer per week hier laten komen.' Ze keek weer naar mij. 'Ik heb gehoord dat je indruk hebt gemaakt op een paar meiden uit jouw klas.'

'O?' zei mevrouw March.

'Ja,' zei Kiera. 'Ze lopen nu allemaal mank.'

Ze lachte om haar eigen grap, juist toen mevrouw Duval het eten binnenbracht. Mevrouw March keek of alle lucht uit haar longen werd geperst. Ik begon aan mijn dessert. Kiera was er erg goed in om haar moeder uit haar evenwicht te brengen. Eerst frustreerde ze haar met haar antwoorden, en dan ging ze verder over dingen waarvan ze wist dat ze haar moeder zouden interesseren: wat de meisjes aanhadden, wat ze had gehoord over de reisplannen van hun ouders in de zomer, en wie wat voor hun huis had gekocht. Ik begon me weer onzichtbaar te voelen en vroeg me te excuseren. 'Ik wil mijn huiswerk afmaken en op mijn klarinet oefenen,' zei ik. Het waren magische woorden voor mevrouw March. Ook ik wist hoe ik haar moest manipuleren als ik dat wilde, maar het gaf me geen prettig gevoel om me te vergelijken met Kiera. Ze keek me aan met een mengeling van woede en ontzag. Op dat moment besefte ze dat ik meer was dan een straatmeid, ik kon haar op haar eigen terrein verslaan. Ik leerde veel sneller dan ze verwacht had, en voor het eerst dacht ik dat ze weleens bang voor me zou kunnen zijn. Ik kon haar bezorgdheid bijna horen.

Voor het eerst in lange tijd, feitelijk sinds Alena's overlijden, was er sprake van een reële wedijver om de gunst van haar ouders. Straks zou die ook gaan om hun liefde en dat was meer dan ze kon verdragen.

Misschien, mama, dacht ik, kunnen we op deze manier wraak nemen, kan er toch gerechtigheid geschieden.

Waarom zou ik anders hier zijn?

19

Nachtmerries

Omdat ik echt geloofde dat die avond in Kiera's gezicht te hebben gezien, begon ik me wat meer op mijn gemak te voelen op school en ook thuis. Ik leerde een paar meisjes kennen in mijn klas, maar in niemand zag ik een eventuele goede vriendin. Misschien kwam het omdat ik mank liep. Misschien kwam het door mijn uiterlijk. Of misschien door de geruchten die over me de ronde deden, geruchten die Kiera waarschijnlijk had rondgestrooid. Hoe dan ook, ik voelde een kloof tussen mij en de anderen, een kloof die elke dag breder en niet smaller leek te worden.

Toen de eerste weken, en toen maanden, verstreken, hoorde ik over party's van mijn klasgenoten, maar niemand nodigde mij ooit uit. Ik wist dat ze in de weekends samen uitgingen, naar de bioscoop, of naar winkelcentra, waar ze rondhingen om te flirten met jongens, maar niemand vroeg me ooit om mee te gaan. Ik had weleens het gevoel dat sommigen alleen maar vriendelijk tegen me waren omdat ze hoopten in het huis van de Marches te worden uitgenodigd. Als ze er iets over zeiden en ik ging er niet op in, dropen ze gewoonlijk af.

Mevrouw March informeerde voortdurend naar mijn school-belevenissen en hoe ik met de andere meisjes kon opschieten. Ik probeerde zo opgewekt mogelijk te reageren, en ze accepteerde het, óf omdat ze het geloofde, óf omdat ze het wílde geloven. De berichten over mijn eerste studieresultaten kwamen binnen bij meneer en mevrouw March, en als hij thuis kwam eten gaf hij me een complimentje over mijn vorderingen. Dan zat Kiera te pruilen of probeerde het te negeren. Wat haar het meest dwarszat, dacht ik, was het feit dat ik de basisbeginselen van het spelen op een klarinet zo snel onder de knie had. Haar vader leek nog meer onder de indruk dan mevrouw March en kwam een paar keer naar mijn suite om me te horen spelen.

Kiera deed haar best mijn prestaties onderuit te halen, vooral toen ik op een avond vlak voor het eten mijn eerste muziekstukje speelde in de zitkamer. Ze wilde niet komen luisteren, maar meneer en mevrouw March stonden erop dat ze kwam. Ik probeerde niet naar haar te kijken, want haar zure gezicht zou zelfs Denacio valse tonen kunnen ontlokken.

'Het is gewoon niet te geloven hoe snel ze muziek heeft leren lezen,' zei meneer March toen ik uitgespeeld was.

'Misschien kon ze dat al,' opperde Kiera. 'Heeft ze het op haar oude school geleerd.'

'We hadden geen orkest, geen band,' zei ik. 'De school moest bezuinigen, en kunst- en muziekonderricht werd geschrapt.'

'Dat is waar,' beaamde meneer March. 'Dat weten we.'

'Haar moeder kan het haar hebben geleerd,' hield Kiera vol.

'Dat denk ik niet,' zei mevrouw March, die me zo vol bewondering aankeek dat ik een kleur kreeg. 'Die had wel wat anders te doen.' Ze draaide zich om naar Kiera. 'Overleven bijvoorbeeld.'

Gefrustreerd deed Kiera er het zwijgen toe. Ze zei geen woord meer over mij of mijn verleden. Toen we ons eerste rapport kregen en ik allemaal hoge cijfers had, was ze toe aan een dwangbuis. Ze had alleen maar net voldoende en een paar onvoldoendes. Meneer March keek teleurgesteld, maar mevrouw March nam haar die avond na het eten flink onderhanden.

'Je zei dat je met je vriendinnen een huiswerkclub had opgericht omdat de eerste helft van dit schooljaar zo belangrijk was.'

'Alle leraren haten me,' kermde Kiera. 'Ze hebben een hekel aan ons omdat we zo rijk zijn.'

Haar vader hief zijn hoofd op. 'Hoezo, heeft iemand iets tegen je gezegd dat daarop zou kunnen wijzen?'

'Ze zeggen het niet recht in je gezicht, papa. Daar zijn ze te slim voor, maar ik zie het aan hun houding.'

'Dat is belachelijk,' zei mevrouw March. 'Alle leerlingen komen uit een rijke familie. Hoe zouden ze anders die torenhoge schoolgelden kunnen betalen? Niemand zou jou om die reden buitensluiten, Kiera. Het is een zielig excuus voor het feit dat je je studie verwaarloosd hebt.'

'Je moeder heeft gelijk, Kiera,' zei haar vader. 'Als een meisje als Sasha, met haar achtergrond, het zo goed doet op school, kun jij dat ook. Ik wil wat meer inspanning van je zien.'

Haar gezicht betrok. Haar ogen vulden zich met tranen. Ze keek naar mij en beet op haar lip. 'Het komt door die stomme therapie!' riep ze uit. 'Die maakt me gek. Ik kan niet normaal meer denken.'

'De gevangenis wacht op je als je afhaakt,' zei haar moeder.

Kiera keek naar haar vader, maar hij was het duidelijk met zijn vrouw eens.

'Nou, dan zullen jullie me moeten verdragen tot ik daarmee klaar ben,' zei ze met de houding en op de toon van een door en door verwend kind. Ze ging weer zitten mokken en prikte rond op haar bord.

Ik verkneukelde me niet, maar innerlijk had ik voor het eerst in lange tijd weer een goed gevoel over mezelf. Het motiveerde me om nog harder te werken. Ik begon ook plezier te krijgen in de klarinet, en sommige avonden oefende ik soms bijna twee uur lang. Ik hoorde Kiera klagen tegen haar vader over het lawaai, maar hij zei dat ze haar koptelefoon maar op moest doen, zoals ze praktisch altijd al deed. Ik moest er stiekem om lachen.

Kiera was nog niet bereid op school iets tegen me te zeggen, maar ik zag haar vaak naar me kijken als ik met andere leerlingen in de kantine zat. Een paar keer at ik buiten met een paar klasgenootjes, en ik dacht dat ze naar me toe zou komen om met me te praten, maar dat gebeurde niet. Ik dacht dat ze ook anders naar me keek. Ik zag wat minder minachting en gebrek aan respect. Het leek eerder of ze nieuwsgierig was naar me, wat me een nog beter gevoel gaf.

Als ze na schooltijd iets tegen me zei was het altijd een sarcastische of bitse opmerking, maar op een dag volgde ze me naar buiten en zei: 'Je hangt rond met oenen en losers. Als je daarmee ophoudt, zouden de anderen je misschien weleens uitnodigen.' Ze wachtte niet op mijn antwoord. Ze liep terug naar haar vriendinnen.

Had ik dat goed gehoord? Aan haar stem te horen wilde ze me een goede raad geven, had ze het echt goed met me voor. Waar was ze nu weer mee bezig? Hadden meneer en mevrouw March haar op haar vingers getikt omdat ze niet aardig tegen me was? Hadden ze haar iets beloofd als ze dat wél zou zijn? Ik kon me niet voorstellen dat ik haar ooit zou vertrouwen of geloven, maar toch zou ik dat graag willen.

Het enige wat ik wil is haar haten, dacht ik. Het was gemakkelijker haar te haten als ze agressief en arrogant en gemeen was. En ik haatte haar ook omdat ze rijk en mooi was en populair bij haar vriendinnen. Maar hoe ik ook probeerde me ertegen te verzetten, toch begon ik ook medelijden met haar te krijgen. In haar verbeelding was ze bezig haar vader te verliezen en was ze haar moeder al kwijt. Misschien voelde ze zich langzamerhand net zo'n weeskind worden als ik was.

Met alles wat ik nu zowel op materieel als emotioneel gebied kreeg, was het soms moeilijk om me te herinneren dat ik een weeskind was. Op een middag, of het opzet was of niet, deed mevrouw March me er weer aan denken. Zoals gewoonlijk kwam Grover me aan het eind van de schooldag halen om me naar huis te brengen, maar toen hij het portier voor me opende, zag ik mevrouw March zitten, die me lachend aankeek. Ik was zo verbaasd dat ik me niet bewoog.

'Kom, stap in, malle meid,' zei ze.

Ik gehoorzaamde, en Grover deed het portier weer dicht. Mevrouw March had de vorige avond of aan het ontbijt er met geen woord op gezinspeeld dat ze met Grover mee zou komen. Eerst dacht ik dat ze op weg was naar huis en het zo had getimed dat ze een omweg kon maken langs de school, maar dat was niet het geval.

'Ik wil je wat laten zien,' zei ze.

'Waar?'

'Dat zie je straks wel. Hoe ging het vandaag?'

Ik liet haar een wiskundeproefwerk zien dat ik had gemaakt. Ik had er een achtenhalf voor, en een negen voor mijn Engelse opstel. Lachend bekeek ze de cijfers.

'Meneer March schept tegenwoordig zelfs over je op. Ik hoorde hem gisteren met mevrouw Duval praten. We zijn allemaal erg trots op je prestaties in zo korte tijd, Sasha.'

'Dank u.'

Ik zag dat we niet in de richting van huis reden.

'Waar gaan we naartoe?' vroeg ik weer.

'Een belofte vervullen,' antwoordde ze. 'Is het waar dat je dit jaar meespeelt in het voorjaarsconcert?'

'Meneer Denacio maakte er een opmerking over, maar zei niet dat het zeker was.'

Ze knikte, maar keek alsof ze er meer van wist. 'Het zou heel wat zijn als een eerstejaarsleerling zou worden opgenomen in het orkest van de oudere leerlingen. Ik wist dat je talent zou hebben voor de klarinet.'

Ik moest toegeven dat ik niet had gedacht dat ik het zo leuk zou vinden.

'Je verdient je momenten van geluk,' zei ze, ' en dat is precies waar het vandaag om gaat.'

Ze zweeg en we reden verder. Het werd me algauw duidelijk waar we naartoe gingen, en dat besef maakte dat ik begon te beven zoals lang niet meer het geval was geweest. Enkele minuten later reden we zo ver we konden het kerkhof op, waarna mevrouw March en ik moesten uitstappen om verder te voet naar mama's graf te gaan. Toen we dichterbij kwamen, begreep ik waarom we hier waren.

Op de grafsteen zag ik de inscriptie waarom ik had gevraagd. Onder mama's naam en data stond: *die haar dochter een stukje hemel had laten zien.* En daaronder de kalligrafie van *hemel.* Het leek precies op mama's werk dat in de Gravediggers hing.

Mevrouw March deed een stap achteruit en keek glimlachend toe terwijl ik naar de steen liep en de gegraveerde woorden aanraakte. De gravure maakte iets bijzonders van de grafsteen, maar toen ik ernaar stond te kijken, kon ik me gewoon niet voorstellen dat mama daaronder lag, opgesloten in de donkere, kille aarde. De meeste tijd dat ik samen met haar was, had ze het gevoel gehad dat ze in de val zat, door papa's verraad en onvermogen om voor ons te zorgen zoals hij had moeten doen, en later, toen hij ons had verlaten en we een afschuwelijk leven tegemoetgingen. En ze was zelf in de val gelopen door haar drankzucht, en nu door de dood. Hoe had ik haar ooit kunnen bevrijden?

'Is het wat je wilde?' vroeg mevrouw March. Zonder me om te draaien, knikte ik. 'Ik wacht op je in de auto, Sasha,' zei ze, en liep weg.

Mijn beenspieren verslapten, en ik ging op mama's graf zitten, met mijn voorhoofd tegen de koele grafsteen. 'Wees maar niet bang, mama,' fluisterde ik. 'Ik ben je niet vergeten. Ik zal je nooit vergeten, hoeveel ze me ook geven of voor me doen, waar ik ook heenga en wat ik zal worden. Jij zult altijd bij me zijn.'

Ik dacht dat ik zou blijven huilen, maar plotseling kwam er een vastberadenheid in me op die me kracht gaf, me sterker maakte. Ik haalde een paar keer diep adem, kuste de grafsteen, stond op en liep terug naar de auto.

Toen ik instapte, zei mevrouw March: 'Ik hoopte dat je blij zou zijn en niet verdrietig, Sasha.'

'O, ik ben er ook blij om, mevrouw March. Dank u.'

Ze staarde me even een beetje gekwetst aan. Hoe had ze verwacht dat ik haar zou noemen, 'Moeder'?

'We gaan naar huis, Grover,' zei ze, en we reden het kerkhof uit. Een tijdlang bleven we zwijgen. Ik staarde uit het raam. Kort voordat we thuis waren, vertelde ze me dat ze voor het eerst sinds ik hier was, dit weekend weg zou zijn met meneer March.

'Het is een traditie die we elk jaar trouw blijven. We ontmoeten een paar van Donalds oude vrienden in San Francisco en gaan naar Carmel. Ik zal nauwkeurige instructies achterlaten bij mevrouw Duval, die uitstekend voor alles en ook voor jou kan zorgen tijdens mijn afwezigheid, en ik zal vaak bellen.'

'Het zal heel goed gaan,' zei ik.

'Natuurlijk. Waarom zou het niet?'

Ik dacht dat ze eraan zou toevoegen dat met Alena alles altijd perfect was gegaan als ze weleens weg was, maar ze zei verder niets meer. De avond voordat ze vertrokken waarschuwden meneer en mevrouw March Kiera om geen misbruik te maken van hun afwezigheid. Zelfs meneer March zei het streng en dreigend. Kiera hield haar hoofd gebogen en reageerde niet brutaal. De laatste paar dagen was ze meteen uit school thuisgekomen en had ze zich opgesloten in haar kamer, en als ze thuiskwam na haar therapie bleef ze niet alleen in haar kamer, maar weigerde ook beneden te komen eten.

Eerst dacht ik dat dit weer een manier was om haar ouders te manipuleren. Ze hoopte hen te straffen omdat ze haar dwongen haar verplichtingen jegens de rechtbank na te komen en de psychotherapie die ze haatte, vol te houden, maar aan tafel zweeg ze erover. Tot mijn verbazing liet ze hun zelfs haar wis- en natuurkunderepetities zien, waarvoor ze ruim voldoende had gehaald.

Meneer March keek tevreden. 'Heel goed, Kiera.' Tegen mevrouw March ging hij verder. 'Sommige mensen doen er gewoon wat langer over om zich te realiseren wat belangrijk is.'

'Ja,' zei ze, maar ze leek minder overtuigd van Kiera's verandering dan hij. 'Blijf zo doorgaan, Kiera.'

Door een wijziging in haar rooster, had Kiera een sessie bij haar therapeut op de vrijdag dat de Marches vertrokken voor hun lange weekend. Zoals de laatste tijd haar gewoonte was, ging Kiera toen ze thuiskwam onmiddellijk naar haar kamer en vroeg haar eten boven te brengen. Ik at in mijn eentje. Zowel mevrouw Duval als mevrouw Caro bleef binnenkomen om met me te praten en me gezelschap te houden. Ze leken zich allebei zenuwachtig te maken over me.

'Maakt u zich maar geen zorgen,' zei ik. 'Ik heb zo vaak alleen gegeten.'

'Dat geloof ik graag, lieverd,' zei mevrouw Caro. Ze zuchtte diep en keerde terug naar de keuken.

Later keek ik televisie en repeteerde de muziek die Denacio me had meegegeven. Om halftien voelde ik me moe genoeg om naar bed te gaan. Toen ik het licht had uitgedaan en me onder mijn dekbed liet glijden, luisterde ik naar wat ik de droeve stilte noemde van het grote huis, maar plotseling hoorde ik een ander geluid. Ik spitste mijn oren en stond toen op en drukte mijn oor tegen de muur tussen Kiera's suite en die van mij. Ik wist het nu zeker. Ze huilde. Het was niet de televisie. Het was Kiera.

Nieuwsgierig trok ik mijn ochtendjas aan en liep de gang in naar haar deur. Daar bleef ik even staan luisteren. Weer hoorde ik duidelijk dat ze huilde. Het was iets waarover ik me zou moeten verheugen, dacht ik, maar ik voelde niet de voldoening die ik verwacht of gehoopt had te voelen. Ik probeerde het zelfs te negeren en wilde teruggaan naar mijn kamer, maar mijn voeten leken aan de vloer gelijmd. Ik had geen idee wat ik verwachtte, maar ik klopte zachtjes op de deur. Het huilen ging door, dus klopte ik harder, en toen stopte het.

'Wie is daar?' hoorde ik haar vragen.

'Sasha,' zei ik, voorbereid op een bitse opmerking om me terug te sturen naar mijn eigen kamer. In plaats daarvan deed ze open.

Ze was in haar nachthemd. Haar haar zag eruit alsof ze met honderd kilometer per uur in een open auto had gereden. Ze veegde de tranen van haar wangen en draaide zich om naar haar bed. Weer verraste ze me door de deur open te laten staan. Ik ging naar binnen en deed hem achter me dicht.

'Waarom huil je?' vroeg ik. Ze lag op haar rug en staarde naar het plafond.

'Het is de schuld van die therapie,' antwoordde ze.

'O.' Ik wachtte erop dat ze zou gaan klagen, maar alweer verbaasde ze me.

'Ik krijg er nachtmerries van.'

'Nachtmerries?'

Ik liep dichter naar het bed toe. Ik zag dat ze zich snel had uitgekleed, alles in het rond had gesmeten, haar rok op een stoel, sokken en schoenen op de grond, haar slipje ernaast. Het leek alsof iemand woedend de kamer was binnengekomen en daarin had huisgehouden. Boeken en tijdschriften lagen op de grond naast een tafel, de spulletjes op haar toilettafel waren omgegooid, zonder dop of deksel, en waren overal verspreid.

'Wat voor nachtmerries?' vroeg ik.

Nog steeds omhoogstarend, praatte ze alsof ze in trance was. 'Nachtmerries over die avond. Ik kan het gezicht van je moeder maar niet uit mijn hoofd zetten. Ik vertelde het aan mijn therapeut, en die zei dat dat goed was.'

Eindelijk keek ze me aan.

'Kun je je dat voorstellen? Hij zei dat het goed was, goed dat ik haar nu bijna elke nacht zie, goed dat ik over die avond droom. Ik kan niet slapen. Het is of ik inwendig verscheurd word – en hij knikt en zegt: "Je gaat vooruit, Kiera. Dat is goed."

'Altijd als ik nu naar hem toe ga begin ik te beven. Hij heeft zo'n kalme, zachte stem, maar dat maakt het niet minder erg. En het maakt het pijnlijk om naar jou te kijken,' ging ze luid en gespannen verder. Haar lippen trilden. Ze draaide zich van me af om het te demonstreren.

Ik wilde absoluut geen medelijden met haar hebben, maar ik kon het ook niet opbrengen iets hatelijks te zeggen. Ik wachtte, waarschijnlijk in de hoop dat ze iets zou doen of zeggen dat elk greintje sympathie zou wegnemen dat ik voor haar had kunnen hebben. Maar ze huilde, veegde de tranen uit haar ogen en ging rechtop zitten.

'Wat ik haat van mijn therapeut is dat hij me zonder iets te zeggen een minderwaardig gevoel geeft. Soms lijkt het of hij een spiegel is geworden.'

'Een spiegel?'

'Ja, een spiegel waarin ik mezelf anders zie. Ik zie hoe ik geworden ben voor de mensen van wie ik hou, hoe ik mijn ouders verdriet heb gedaan.'

Ze haalde diep adem en keek me een tijdlang zwijgend aan.

'Ik haatte je de eerste dag dat moeder hier met je aankwam. Ik wilde je altijd blijven haten, maar mijn therapeut wees me erop dat ik dat deed om me zelf beter te voelen. Als ik jou kon haten, kon ik zoveel gemakkelijker leven met wat ik had gedaan, maar haat vermindert de pijn niet en maakt geen eind aan de nachtmerries, en jij bent... veel aardiger voor mij geweest dan ik ooit voor jou zou zijn geweest als de situatie omgekeerd was. Ik heb zelfs heel erg mijn best gedaan ervoor te zorgen dat je mij nog meer zou gaan haten.'

'Dat is waar,' zei ik.

Ze veegde nog een paar tranen weg en glimlachte.

'Toen mijn moeder je Alena's kamer gaf en Alena's spullen, haatte ik je echt, maar je hebt er nooit je voordeel mee gedaan. Ik klaagde. Ik klaagde tegen mijn moeder en tegen mijn vader, maar ik zag dat het hun alleen maar meer verdriet deed, dus hield ik op met klagen. Toen ik dat deed, en over jou praatte met mijn therapeut, besefte ik dat ik je haatte omdat je zoveel op Alena leek.'

'Waarom zou je me daarom haten? Vond je je zusje niet aardig?'

'Natuurlijk vond ik haar aardig. Ik hield van haar.' Ze wendde haar hoofd even af, maar keek me toen weer aan. 'Ik wilde meer op haar lijken, wilde dat mijn ouders dat zouden geloven en zien, maar ik kon het niet, en toen kwam jij, en jij kon het wel. Mijn therapeut heeft me dat allemaal doen inzien.'

'Ik probeer op helemaal niemand te lijken,' zei ik.

'Je hoeft het niet te proberen. Het ís gewoon zo.' Ze zuchtte en trok haar schouders op. 'Mijn moeder weet niet hoe hecht de band was tussen Alena en mij. Ik ging 's nachts heel vaak naar haar toe als ze verdrietig was en zij kwam bij mij. Ik vond het vreselijk dat ze zo ziek werd. Ik haatte iedereen die gezond was. Ik haatte zelfs mijn ouders omdat ze haar geen gezonde genen hadden gegeven, en vooral haatte ik de wereld en God. Ja, ik was er niet voor haar zoals ik had moeten zijn toen ze stervende was. Ik was er niet tegen opgewassen. Ik was niet sterk genoeg.

'Misschien geloof je me niet, maar ik verheugde me erop haar grote zus te zijn, haar voor alle gevaren te behoeden die meisjes bedreigen. Ik wilde er voor haar zijn als ze haar eerste vriendje kreeg. Ik vond het verschrikkelijk om als enig kind achter te blijven. Ik vind het nog steeds verschrikkelijk. Alles wat ik heb gedaan om het mijn ouders moeilijk te maken heb ik gedaan uit woede.

'En nu,' besloot ze, 'heb ik dus die nachtmerries.'

'Ik vind het heel erg voor je,' zei ik. Ik had nu echt medelijden met haar. 'Maar wat kan ik doen?'

'Je kunt me helpen,' zei ze snel.

'Ik? Hoe zou ik jou kunnen helpen?'

'Je hebt ongeveer dezelfde leeftijd als Alena, zo oud als zij nu zou zijn. Misschien wil je mij jouw grote zus laten zijn.'

'Zus?'

'Ik zeg niet dat ik er niet meer onder zou lijden. Ik kan niet negeren wat ik heb gedaan. Je kreupelheid staart me elke dag in het gezicht, hoe ik ook mijn best doe het te vergeten, maar, zoals mijn therapeut zegt, misschien is het beter de confrontatie aan te gaan met wat ik op mijn geweten heb en niet proberen dat te negeren.'

'Ik weet niet goed wat ik zou moeten doen.'

'Jij hoeft helemaal niks te doen, malle. Dat doe ik wel. Je leeft hier als een gevangene, en dat is mijn schuld. Jij hoort er ook van te genieten een tiener te zijn. Ik zal je overal mee naartoe nemen, naar winkelcentra, bioscopen, party's.'

'Party's?'

'Ik wil dat al mijn vriendinnen weten dat je nu lid bent van onze familie. Ik geef toe dat ik een egoïstisch motief heb. Ik wil me niet langer zo ellendig voelen en nachtmerries hebben, en ik wil dat mensen die me zo'n afschuwelijk kind vinden me zullen gaan zien als een beter mens. Nou?' vroeg ze, toen ik bleef zwijgen.

Misschien leek ik echt op Alena. Misschien was ik niet in staat om te haten en te bedriegen, en misschien zou Kiera veranderen als ik bij haar bleef. Ik probeerde het ook uit een egoïstisch standpunt te bekijken. Ik zou het veel prettiger vinden hier te wonen als we elkaar niet meer voortdurend naar de keel vlogen.

'Ik vind het best,' zei ik.

Ze glimlachte en stak haar handen naar me uit. 'Laten we dan een pact sluiten. Laten we zweren dat we zullen proberen als een zus voor elkaar te zijn.'

'Oké.'

Ze kneep even zachtjes in mijn handen, liet ze toen los en liet zich achterover op haar kussen vallen. 'Wil je me een plezier doen?' vroeg ze.

'Waarmee?'

'Ga terug naar je kamer en speel wat op je klarinet. Wil je dat?'

'Op mijn klarinet spelen?'

'Ja.'

'Oké.'

'Dank je. Dat zal me in slaap sussen, een goede, gezonde slaap,' zei ze en sloot haar ogen.

Ik staarde haar even aan en ging toen weg met het gevoel dat ik degene was die nu nachtmerries zou krijgen.

20

Nieuwe vriendinnen

Vreemd genoeg vond ik dat ik die avond beter speelde dan ooit. Het was alsof Alena een tijdje bezit van me had genomen en me goed genoeg liet spelen om haar oudere zus door de donkere periode heen te helpen. Later ging ik tevreden slapen. Ik voelde me veiliger nu ik wist dat Kiera me nodig had.

Voor het eerst was ze die ochtend eerder op dan ik. Ze klopte op mijn deur, wat al iets heel anders was dan haar normale gedrag. Meestal viel ze onverhoeds bij me binnen alsof ik geen enkel recht had op privacy, vooral niet in de suite van haar overleden zusje. Ik dacht dat het mevrouw Duval was, dat ik me had verslapen en te laat was voor het ontbijt, maar ik zag dat het nog vroeg was.

'Ja?'

Kiera stak haar hoofd om de deur. 'Hi,' zei ze en kwam binnen. Ze was al gekleed in een roze met blauw tennispakje en droeg een blauwe polsband. Ik had haar zo vroeg nog nooit zo fris en monter gezien. Ze sprong bijna op mijn bed af.

'Opstaan!' riep ze. 'We gaan vroeg en snel ontbijten, en dan zal ik je de basisregels leren van het tennis, zodat we eventueel een dubbelspel kunnen spelen. Zoals je begrijpt, heb ik professioneel onderricht gehad, dus ben ik gekwalificeerd om jou les te geven. Ik ben wel geen topspeelster, maar ik ben vrij goed, beter dan de meeste van mijn vriendinnen, dat is zeker. En je zult er niet lang over doen om net zo goed, of beter, te zijn dan zij.'

'Ik heb nog nooit getennist.'

'Dat is het 'm nou juist, suffie. Daarom wil ik dat je opstaat en vanochtend met me meegaat.' Ze lachte even. 'Ik heb een paar van mijn vrienden gevraagd om later te komen spelen, zwemmen en lunchen. Ik heb toestemming van mijn ouders,' ging ze snel verder. 'Echt waar?' Ik vond het wel opwindend, maar ik liet me niet dwingen om halsoverkop op te staan. 'Ik weet wat je dwarszit. Maak je geen zorgen over dat manke been van je. Je kunt snel genoeg bewegen als je wilt, en je zult merken dat je bij een dubbelspel niet zo hard hoeft te lopen.'

'Maar ik ben in geen geval goed genoeg om met jou en je vrienden te spelen.'

'Nou, en? We doen geen van allen mee aan wedstrijden. Het is gewoon voor de lol. Spreek nou niet meer tegen. Als je je een March wilt noemen, moet je de reputatie van de Marches eer aandoen, en dat wil zeggen zelfvertrouwen hebben, om maar niet te zeggen arrogantie. Mijn vader is een uitstekend tennisser, maar mijn moeder is een professionele zijlijner.'

'Zijlijner? Wat is dat?'

'Iemand die aan de zijlijn zit, malle. Ze is nog banger om een nagel te breken dan ik.'

Ik lachte onwillekeurig met haar mee, ook al vond ik het verkeerd om de draak te steken met mevrouw March. Kiera was zo luchthartig en vrolijk, dat ik haar stemming niet wilde bederven. Ik was gaan slapen met de vraag of alles wat ze had beweerd dat ze wilde, niet alleen maar woorden waren die in rook zouden vervliegen zoals alle verbroken beloftes in mijn leven, maar vanochtend leek dat niet het geval te zijn.

Ik maakte aanstalten om op te staan en ze liep naar de kast.

'Alena had een heel leuk tennispakje, dat je beslist zal passen,' zei ze, en begon ernaar te zoeken. Terwijl ze bezig was, ging ik naar de badkamer en maakte me gereed. Toen ik weer in de kamer kwam, stond ze met de tennisoutfit op me te wachten en bleef naar me staan kijken terwijl ik het aanpaste.

'Je hebt een heel aardig figuur voor jouw leeftijd,' zei ze. 'Met de juiste kleren en make-up zou niemand raden dat je pas veertien bent. Ik had niet zulke tieten en zo'n kontje voordat ik zestien was.'

Haar commentaar deed me blozen. Ik ving mijn beeld op in de

spiegel van de kast en zag dat mijn wangen vuurrood waren. Niet dat ik nooit aan mezelf dacht als een ontluikende vrouw. Toen ik met mama op straat leefde, maakte ik me er zelfs zorgen over dat ik nog niet ongesteld was geraakt. Ik verwachtte dat ons slechte dieet invloed zou hebben op mijn ontwikkeling, die misschien zou afremmen. Toen ik eindelijk voor de eerste keer ongesteld werd, vertelde ik het opgewonden aan mama. Ze keek me aan en begon toen te huilen.

'Ik kan niet blij voor je zijn,' zei ze. 'Niet nu.'

Maar ik wilde blij zijn voor mezelf. Het komt heus goed met me, dacht ik. Mama had vroeger een mooi figuur en als ik mezelf van tijd tot tijd bekeek, waagde ik het te denken dat ik misschien op haar zou gaan lijken, zoals ze was vóór al die narigheid.

Kiera lachte om mijn rode wangen. 'Je geneert je, hè?'

'Nee,' zei ik, maar niet erg overtuigend.

'Zie je jezelf nooit als sexy?'

'Niet echt.'

'Ik durf te wedden dat je nog nooit een vriendje hebt gehad.'

'Niet op de manier zoals jij bedoelt,' bekende ik.

Ze ging op mijn bed zitten en keek me aan. 'Zoals ik het bedoel? Is er dan nog een andere manier?' Ze lachte. 'Een van de eerste dingen die ik me afvroeg was wat je ervaringen waren toen je op straat leefde. Ik bedoel seksueel.'

'Niks,' zei ik snel. 'Mijn moeder en ik waren zelden, nooit eigenlijk, van elkaar gescheiden, we waren dag en nacht samen.'

Ze haalde haar schouders op. 'Het zou heus niet zo erg zijn als je wat ervaring had opgedaan, maar op straat kon je natuurlijk allerlei ziektes oplopen.'

'Ik was toen pas dertien.'

'Ik werd ontmaagd op mijn veertiende,' zei ze achteloos en sprong toen overeind. 'Daar hebben we het later nog wel over. Laten we gaan ontbijten. We hebben een hoop te doen voordat ze komen.'

Ik volgde haar naar beneden. Iedereen was verbaasd dat Kiera zo vroeg op was, maar ik moest bijna lachen om de verbaasde blik van mevrouw Duval. Niet alleen omdat Kiera en ik allebei tenniskleding droegen, maar ook omdat er een nieuwe sfeer van enthousiasme en vriendelijkheid tussen ons heerste. Mevrouw Duval trok haar wenkbrauwen op en ging haastig terug naar de keuken om iets tegen mevrouw Caro te zeggen, die ons tijdens het ontbijt heimelijk gadesloeg.

Daarna nam Kiera me mee naar de tennisbaan, en met meer geduld en deskundigheid dan ik van haar zou hebben verwacht, begon ze me de grondbeginselen bij te brengen. We waren bijna twee uur op de baan voor we pauzeerden om iets kouds te drinken. Ik wist niet of ze met opzet de bal voortdurend heel zachtjes naar me toe sloeg of dat ze het niet beter kon, maar zelfs met mijn manke been vond ik dat ik het er behoorlijk afbracht voor iemand die voor het eerst speelde. Ze gaf me voortdurend complimentjes.

'Ik wist dat je het zou kunnen,' zei ze. 'Je doet het zelfs een stuk beter dan toen ik de eerste keer een racket in mijn hand hield. Mijn vader was zo gefrustreerd dat ik dacht dat hij alle hoop op zou geven. Waarschijnlijk deed hij dat ook. Hij nam professionals in dienst.'

We zaten bij het zwembad en dronken mevrouw Caro's beroemde limonade. Ook al ging het zo goed tussen ons, toch bleef ik attent op een teken, een opmerking, iets dat zou bewijzen dat Kiera alleen maar aardig tegen me was om haar ouders een plezier te doen. Maar nee. Ze leek zelfs nog vriendschappelijker te worden en nog meer bereid eerlijk tegen me te zijn dan de vorige avond.

'Ik heb je al die eerste maanden op school in de gaten gehouden,' biechtte ze op. 'Ik zag hoe slecht je behandeld werd door je klasgenoten, en vooral door die snobistische meiden. In het begin, weet je, hoopte ik dat je je zo ongelukkig zou voelen dat je weg zou gaan, ondanks alles wat mijn moeder je beloofde.' Ze lachte. 'Ik klaagde altijd over je tegen mijn vriendinnen.'

'Hoeveel heb je ze over me verteld?'

'Niet veel. Er is maar één vriendin die weet wat er precies gebeurd is, en dat is Deidre, die bij me in de auto zat. Mijn andere vriendinnen begrepen mijn houding niet. Hoe was het mogelijk dat ik mijn nichtje zo haatte? Wat deed het ertoe dat ze in mijn huis woonde? Er konden nog wel tien nichtjes bij, zonder dat iemand het zou merken in dat huis van ons, beweerden ze. Ik kon het ze niet uitleggen, dus probeerde ik het ook maar niet. Het zijn mijn vriendinnen, maar ze vinden me toch een bitch. De helft ervan, misschien wel allemaal, is dat ook. Weleens van een heksengroep gehoord? Nou, mijn vriendinnen en ik zijn zo'n heksenclub.'

Ze lachte weer. Dat het haar zo weinig kon schelen hoe andere mensen, vooral volwassenen, over haar dachten, intrigeerde me. Had ze alleen zoveel zelfvertrouwen omdat haar vader zo rijk was? Niet voortdurend bezorgd te hoeven zijn over de indruk die je maakte en of mensen je met medelijden en afkeer bekeken, was heel aantrekkelijk voor iemand als ik. Al deden mama en ik toen we op straat leefden alsof het ons allemaal niet kon schelen, ik weet dat ik me altijd beschaamd voelde.

'Wat wil je je vriendinnen nu over ons vertellen?'

'Simpel. Ik ben van gedachten veranderd. Ze weten dat ik dat om de haverklap doe. Bovendien ben ik hun geen uitleg verschuldigd. Ze boffen dat ze mijn vriendin mogen zijn.'

Glimlachend boog ze zich naar me toe. 'Ik zie dat je geschokt bent. Je moet je een arrogantere houding aanmeten, Sasha, vooral tegen die snobs bij jou in de klas. Prent jezelf in dat je beter bent dan zij, en dan word je dat ook.' Ze ontspande zich en ik veronderstelde dat ze dacht te handelen als een oudere zus, die me goede raad gaf.

'Welke vriendinnen komen er?'

'Deidre, die, zoals je weet, bij mij in de auto zat, komt vandaag. Margot ook. Deidre is mijn beste vriendin. Haar vader is bedrijfsadvocaat en doet veel zaken met mijn vader, dus Deidre en haar ouders zijn altijd vertrouwd. Margot is mijn op één na beste vriendin, maar ik neem haar wat minder in vertrouwen. En natuurlijk weet geen van de jongens iets, dus wees maar niet bang. Boyd Lewis en Ricky Burns komen samen met Deidre en Margot. Je hebt ze al eerder gezien,' zei ze, en voegde eraan toe: 'Van top tot teen.'

Ze lachte, en ik wist dat ze doelde op hun naakt zwemmen.

'Is een van hen je vriendje?'

'Vriendje? Niet op de manier die jij bedoelt. We zien onszelf niet als de vaste vriendin van de een of de ander. Verleden jaar gingen we als groep samen naar het schoolbal.'

'Is er niet een bij die je aardiger vindt dan de anderen?'

'Ik leg me niet vast en wil graag plezier maken, en zij ook. Vergeet die *Romeo en Julia*-romantiek, Sasha. Die bestaat alleen in de film en gaat gauw vervelen. Ik vind niks zo saai als een vaste vriend. Weet je wat wij zijn? Wij zijn vrije vrienden. Weleens van gehoord?'

Ik schudde mijn hoofd en ze begon weer te lachen.

'Vrije vrienden hebben seks maar geen romantische relaties.' Voor ik verder iets kon vragen sprong ze overeind en riep: 'Daar zijn ze!'

Een zwarte Mercedes cabriolet reed met de kap omlaag in volle vaart over de oprijlaan. We konden de meiden horen gillen en lachen boven de piepende remmen uit.

'Boyd is zo'n idioot,' zei Kiera, alsof het geweldig was om een idioot te zijn. Ze schreeuwde en zwaaide, en ze stapten uit en kwamen onze richting uit. Ze hadden allemaal tassen en tennisrackets bij zich. De meiden droegen tennispakjes die net zo sexy waren als dat van Kiera, en de jongens die ik herkende als de langste twee van het groepje van drie dat ik die middag had gezien, droegen korte witte shorts, tanktops en witte petten. Ondanks wat ik dacht dat zou gebeuren, en zelfs wat zij scheen te hebben verwacht, leken ze geen van allen verbaasd mij hier te zien.

'Iedereen kent Sasha, hè?' zei Kiera.

'Ja. Hoi, Sasha,' zei Boyd. Hij was zo blond als blond maar kon zijn, dacht ik. Hij had lang, goed geknipt haar. Zoals de meeste jongens op school, was zijn huid lichtgebruind, maar zelfs die bruine teint kon de sproeten niet camoufleren op zijn voorhoofd en zijn slapen.

'Tennist ze?' vroeg Ricky. Hij had donkerbruin haar en lichtbruine ogen. Met zijn bredere schouders zag hij er atletischer uit dan Boyd, en ik vond hem ook knapper.

'Denk je soms dat jij het zo goed kunt?' vroeg Boyd voordat Kiera kon reageren. De anderen lachten.

Ik had Deidre thuis ontmoet toen ze met Kiera naar een film keek op de televisie en Margot had ik op school vaak samen met Kiera gezien. Ze was kleiner en dikker. Aan de manier waarop ze Kiera achterna liep, kon ik merken dat ze zich er tevreden mee stelde in haar schaduw te staan.

'Sasha is pas begonnen het te leren,' zei Kiera. 'Maak er geen vuurwerk van,' voegde ze er dreigend aan toe.

'We moeten het allemaal nog leren,' zei Margot, glimlachend naar de jongens. 'Alles nog.' De anderen lachten en ze keek gauw naar Kiera om er zeker van te zijn dat ze iets gezegd had dat Kiera zou weten te waarderen.

'Wie niet speelt, gaat met Sasha naar de andere baan om met haar te oefenen,' zei Kiera. 'Zorg ervoor dat ze de juiste vorm krijgt.'

'Haar vorm lijkt me heel goed,' zei Boyd.

'Hou jij je mond en doe wat ik zeg. Ik zei je toch dat hij een idioot is?' zei Kiera tegen mij toen we naar de tennisbaan liepen. 'Voordat de match is afgelopen kun jij voor me invallen en wat ervaring opdoen.'

'Daar ben ik nog niet goed genoeg voor.'

'Vertel eens wat nieuws,' zei Ricky, die zich onder het lopen naar me omdraaide. 'Dat is geen van die meiden.'

Het leidde tot een plagerig twistgesprek en een paar uitdagingen. Deidre deed niet mee in de eerste set, dus gingen zij en ik naar de tweede baan. Voor we iets deden, wachtte ze even, keek naar de anderen en boog zich toen naar me toe.

'Hé,' zei ze. Haar haar was kortgeknipt, bijna een jongenskop. Het was me niet eerder opgevallen, maar ze had een kuiltje in haar linkerwang dat te zien was als ze lachte. 'Heel mooi wat je doet voor Kiera. Ik vind het echt geweldig van je.'

Ik was even vergeten dat zij degene was die van alles op de hoogte was. Uit de manier waarop ze sprak leidde ik af dat Kiera haar ook verteld had over haar therapie en wat ze van mij zou vragen. Ik wist niet wat ik moest antwoorden, dus knikte ik slechts.

'Laten we een paar gemakkelijke balletjes slaan,' zei ze. 'Heeft Kiera je verteld hoe je je racket vast moet houden en moet slaan om geen tenniselleboog te krijgen?'

'Ja.'

'Dat is het belangrijkste. Ik zal erop letten.'

Ze liep naar de andere kant, en we begonnen. Net als Kiera sloeg ze de ballen zachtjes recht naar me toe, waardoor ik beslist beter leek dan ik was. Voordat ze wisselde met Margot, wees ze me hoe ik een backhand moest slaan en oefende die met me. Margot was al even attent en vriendelijk. Ik vroeg me onwillekeurig af of ze werkelijk zo waren of dat ze bang waren voor Kiera, die ons zelfs terwijl ze speelde niet uit het oog verloor.

Zoals ze had beloofd, vroeg Kiera me voor haar in te vallen. 'Een paar minuten maar,' zei ze.

Ik voelde er niet veel voor, maar ook de jongens drongen erop aan, en toen ik Kiera's plaats innam, deed ik het niet eens zo slecht. Tenminste, dat zei iedereen.

De hele tijd gaf het me een raar gevoel om bij Kiera en haar vrienden te zijn. Ik wil niet beweren dat ik geen plezier had – heel veel plezier zelfs – maar hoe leuker ik het vond, hoe schuldiger ik me voelde. Ze bleven allemaal erg aardig voor me, en één keer, toen Boyd nogal sarcastisch opmerkte dat ik ingeënt was om in het-zelfde huis te mogen wonen als Kiera, vloog ze hem zo fel aan dat hij leek te verschrompelen onder haar woede. Ik had medelijden met hem en zei dat het in orde was, dat ik wist dat hij maar gek-heid maakte.

Later werd onze lunch gebracht, net zoals toen ik de anderen die eerste dag bij het zwembad had gezien. Rosie bracht een blad met hamburgers, salades en chips. Ik was op mijn hoede en wachtte om te zien of een van de jongens, of zelfs een van de meisjes, misschien whisky in onze glazen schonk, maar deze keer deed niemand het. We gingen aan de tafeltjes zitten en ik luisterde naar hun roddel-praatjes over andere kinderen in hun klas. Nu en dan vroeg een van hen of ik deze en gene kende. Natuurlijk kende ik niemand. Margots commentaar was telkens: 'Dan bof je. Hè, Kiera?'

'We boffen allemaal,' zei Kiera en keek naar me met een blik die suggereerde dat we een diep geheim deelden. Ik zag dat Margot zelfs jaloers was.

Later gingen we allemaal zwemmen. Kiera, Margot, Deidre en ik gingen naar binnen, zodat Kiera en ik ons zwempak konden halen. De jongens verkleedden zich in de cabana. Ik maakte me natuurlijk zenuwachtig, verwachtte een herhaling van wat ik eerder had gezien, maar iedereen leek anders, veel beheerster. Ik vroeg me af of dat alleen ter wille van mij was. De jongens spetterden wat rond, plaagden en maakten gekheid, maar niemand zwom in z'n blootje en toen de muziek werd aangezet, dansten ze en nodigden me uit om mee te doen. Ik weigerde, maar Boyd hield vol, en toen trokken Ricky en hij me de dansvloer op, en dansten allebei met me; de een draaide me naar zich om als de ander een paar minuten met me gedanst had. Ik was me intens bewust van mijn bewegingen, maar niemand scheen het te merken of zich er iets van aan te trekken. Ik kon me zelfs niet herinneren wanneer ik voor het laatst gedanst had, maar ik wist zeker dat het in onze flat was geweest, toen mama en ik daar nog woonden.

Later, toen we allemaal moe waren, gingen we op de chaises longues liggen en dronken limonade. De middagzon zakte achter een rij bomen in het westen en de koele lucht was verfrissend. Ik moest toegeven dat ik me niet zo behaaglijk had gevoeld sinds ik hier was gearriveerd. Iedereen was zo rustig, dat ik dacht dat ze in slaap waren gevallen.

Toen liet Boyd zich horen. 'Hé, wat zijn onze plannen voor vanavond? Ik vind dat we naar die nieuwe pizzatent op Venice Beach moeten gaan waar Julian het gisteren over had,' ging hij verder voordat iemand iets kon zeggen. 'Later kunnen we naar de promenade gaan en naar de freaks kijken. Wat vinden jullie ervan?'

Kiera draaide zich met een ruk naar me om. 'Ik ben niet in de stemming voor Venice Beach,' zei ze, nog steeds naar mij kijkend. 'Laten we naar Westwood gaan.'

'Saai,' zei Boyd.

'We zullen een jojo voor je kopen,' zei Kiera, en de meiden lachten. 'Bovendien dacht ik dat we die nieuwe Belly Boys-film wilden zien.'

'Wil je die zien?' vroeg Boyd enthousiast.

'Wat vind jij, Sasha?' vroeg ze. 'Wil je de Belly Boys-film zien?'

'Nooit van gehoord,' antwoordde ik.

'Perfecte reden om erheen te gaan,' zei Kiera. 'We spreken met de jongens af in de Big Burger. Ik wil dunne frieten.'

Ze stond op, en de anderen vatten het op als een teken dat de dag in het huis van de Marches ten einde was. Ricky gilde dat hij niet weg wilde. Boyd trok hem overeind en iedereen liep naar de voorkant van het huis, waar Boyd had geparkeerd. Voor ze in Boyds auto stapten, gaven ze Kiera allemaal een zoen en toen, tot mijn verbazing, ook mij. We keken ze na toen ze wegreden.

'Ik heb een stel volkomen getikte vrienden,' zei Kiera. 'Maar ik zou het niet anders willen. Wat vind jij?'

Ik knikte. Hoe zou ik dat kunnen tegenspreken? Ik kon me nauwelijks de namen herinneren van de klasgenoten die ik vroeger als vriendinnen had beschouwd. Zoals mama zou hebben gezegd: *Beggars can't be choosers*, bedelaars hebben geen keus.

En ik voelde me nog steeds een bedelaar.

Ik kon het niet weten, maar het zou niet lang duren of dat gevoel zou veranderen.

21

Avondje uit

Mevrouw Duval leek zich nerveus te maken over mijn plan de avond met Kiera door te brengen. Toen Kiera haar vertelde dat we gingen eten en naar een film, vroeg ze of mevrouw March dat wist.

'Ik heb haar vanmiddag gesproken en ze heeft er niets over gezegd dat jij met Sasha uit zou gaan.'

Kiera kermde. 'Ik zal mijn moeder bellen en zeggen dat ze nog eens contact met u opneemt, mevrouw Duval. Maakt u zich niet zo bezorgd.'

Tot mijn verbazing belde mevrouw March niet met mevrouw Duval toen Kiera met haar gesproken had. Ze belde mij. 'Wat is Kiera van plan, Sasha?' vroeg ze zodra ik de telefoon had opgenomen.

Hoe kon ik in vredesnaam uitleggen wat er gebeurd was? Ik vond het vreemd dat via de telefoon te doen. In plaats daarvan vertelde ik haar gewoon wat we hadden gedaan. 'Kiera bood aan me te leren tennissen, en toen hebben we met een paar van haar vrienden bij het zwembad geluncht en gezwommen. Nu gaat iedereen naar een restaurant en een film. Moet ik het afzeggen?'

Ze bleef zo lang zwijgen, dat ik dacht dat de verbinding met haar mobiel misschien verbroken was. 'Waar hebben we die plotselinge hartelijkheid aan te danken?' vroeg ze ten slotte, maar het klonk meer of ze het zichzelf hardop afvroeg.

'Haar therapie,' zei ik, zoekend naar een kort en afdoend antwoord.

'Heeft ze dat gezegd?'

'Ja.'

Ik hoorde meneer March op de achtergrond wat vragen. Ze moest haar hand op de telefoon hebben gelegd, want het klonk gedempt.

'Goed, maar je moet erg voorzichtig zijn, Sasha. Ik wou dat ik bij jullie was om het zelf te kunnen beoordelen, maar dat kan helaas niet.'

'Het zal heus goed gaan, mevrouw March.'

'Ja, daar reken ik op, en anders krijgt iemand het zwaar te verduren. Ik bel je morgenochtend vroeg.'

Niet lang nadat ik had opgehangen, verscheen Kiera met wat kleren in mijn kamer. 'Mijn moeder heeft niks voor je gekocht dat leuk genoeg is,' begon ze, 'en Alena's kleren zijn goed voor dagelijks gebruik, maar niet om mee uit te gaan. Deze zullen je goed staan. Ik ben er uitgegroeid, maar ik heb ze nauwelijks gedragen.'

Ze hield een rokje omhoog dat zo te zien niet veel zou bedekken. Voor ik iets kon zeggen, deed ze alsof ze een modeshow hield.

'Hier heb ik een van onze nieuwste creaties, mevrouw. Dit is een rood-zwart geruit minirokje met plooien en een zwarte geschulpte zoom.'

Ze hield het tegen mijn taille.

'U zult het toch zeker met me eens zijn, mevrouw, dat dit perfect zal staan bij dit zwarte topje. Past u het eens aan, alstublieft, anders krijgt onze designer een hartaanval.' Ze klikte met haar vingers en riep om champagne.

Ik moest lachen om haar malle vertoning.

'Het is echt niet zo overdreven. Ik ben met mijn moeder naar die snobistische, chique boetieks en modeshows geweest. Om misselijk van te worden. Toe dan, pas het eens aan.'

Ik deed wat ze vroeg. Het rokje was het kortste wat ik ooit had gedragen, en het topje zat zo strak dat het een tweede huid leek.

'Mooi. Alleen kun je daaronder geen beha dragen. Dat staat stom. Geen beha is doodgewoon tegenwoordig, Sasha,' ging ze verder toen ik verbaasd opkeek. 'Maak je geen zorgen over je tepels. Ik zal je een trucje leren om ze te camoufleren.' Ze deed een stap achteruit en bekeek me peinzend. 'Weet je, ik geloof dat mama een paar laarzen had gekocht voor Alena, die hier goed bij zouden passen. Ik zal eens kijken.'

Ze liep de kast in en kwam zo snel weer naar buiten dat ik vermoedde dat ze precies wist waar ze stonden. Het waren zwarte laarzen met bont aan de bovenste rand.

'Probeer ze eens. Ik denk dat jullie dezelfde schoenmaat hebben.'

Ik had stiekem al eens een paar van Alena's schoenen aangetrokken, en die hadden me gepast, zodat deze dat waarschijnlijk ook zouden doen. Toen ik de laarzen aanhad, glimlachte Kiera.

'Wow, je bent hot! Ik zou bijna jaloers worden,' zei ze.

Op mij? Hoe kon iemand die er zo uitzag als zij ooit jaloers zijn op mij? Ik bekeek mezelf in de grote passpiegel. Het meisje dat terugkeek zag er zo anders uit dat ik me even verbeeldde dat ik door een raam naar iemand anders keek en niet naar mijn spiegelbeeld. Durfde ik dit wel aan te trekken?

'Nu ik jou zie, zal ik nog eens moeten overwegen wat ík zal aantrekken,' zei Kiera. 'Kom.'

Ik volgde haar naar haar kamer. Het was de eerste keer dat ik haar inloopkast zag. Hij was iets groter dan die van Alena, en ook al had mevrouw March zoveel kleren gekocht voor Alena, toch leek die van Kiera voller. Minder goed georganiseerd, maar Kiera scheen precies te weten waar alles hing. Ze liet me op de stoel voor haar toilettafel zitten, terwijl ze de ene outfit na de andere paste – rokken, strakke spijkerbroeken, jurken. Elke keer vroeg ze mijn mening, maar ik vond alles even mooi.

Ten slotte viel haar keus op designerjeans met lovertjes op de zijnaden en in de taille. Daarbij droeg ze een blouse die niet zo strak was als die van mij, maar een deel van haar maagstreek bloot liet. Toen ging ze naar haar sieradenkist en pakte een paar oorbellen en een gouden ketting voor mij. Toen bekeek ze me weer en schudde haar hoofd.

'Make-up,' verklaarde ze, en zette me weer achter haar toilettafel. Ik had nog nooit gloss of mascara en oogschaduw gebruikt. Terwijl ze me opmaakte, vertelde ze me waarom ik het nodig had.

Ze deed me wat rouge op en bedacht toen dat ik niet de deur uit kon zonder gelakte nagels.

'We hebben geen tijd voor een volledige manicure, maar we zullen ze in ieder geval een kleurtje geven,' zei ze. 'Heb je dit nog nooit gedaan?'

'Mijn moeder heeft mijn nagels een keer gedaan, maar ze wilde niet dat ik al lippenstift gebruikte. Zelf maakte ze zich weinig op. Ze had een prachtige huid. Vroeger...'

Ze knikte en wendde haar blik af. 'Ik heb nooit echt de kans gekregen dit met Alena te doen,' zei ze, alsof ze niet voor mij wilde onderdoen en haar eigen verlies wilde benadrukken. Toen glimlachte ze. 'Maar nu heb ik jou.'

Ze lakte mijn nagels en zei dat ze meer had willen doen, maar dat we weg moesten. Haastig liepen we naar buiten. Ik voelde me erg opgewonden, maar toen we onder aan de trap waren, stond mevrouw Duval daar. Haar mond viel open toen ze me zag.

'Mevrouw March zei dat jullie om elf uur thuis moeten zijn,' zei ze tegen Kiera. Haar ogen bleven strak op mij gericht.

'Dat lijkt me praktisch onmogelijk,' antwoordde Kiera. 'Ik wil niet hard rijden, en de bioscoop gaat pas om kwart voor elf uit. Het zal eerder tegen middernacht worden.'

'Ik vertel je alleen maar wat je moeder heeft gezegd.'

'Nou, ik leg het haar wel uit als ze terugkomt,' zei Kiera. Haar stem klonk niet neerbuigend of hatelijk. Ze zei het op een toon alsof niemand zich daar ook maar enigszins bezorgd over hoefde te maken.

Mevrouw Duval draaide zich om naar mij. 'Wees voorzichtig, Sasha.'

'Ik ben bij haar, mevrouw Duval.'

'Ja, daarom zei ik het,' antwoordde mevrouw Duval en liep weg.

'Die vrouw haat me,' zei Kiera. 'Ze kan het moment niet afwachten dat ik naar de universiteit ga of zo. Vroeger hield ze van me.' Ze zei het alsof dat haar triest stemde, maar toen glimlachte ze en ging verder: 'Nou ja, niet iedereen kan van je houden, hè? Kom, dan gaan we.'

Toen ik in Kiera's auto stapte, maakte de opwinding over de kleren en mijn nieuwe uiterlijk en mijn omgang met oudere jongens en meisjes, plaats voor het besef dat ik in de auto zat die mama en mij had aangereden. Een angstig gevoel maakte zich van me meester. Het leek alsof ik zondigde. Het verbaasde me dat Kiera er niet bij stil had gestaan wat dit voor mij betekende. Of misschien wel, maar wist ze het beter te verbergen. Ze scheen in een andere wereld te leven, waar ze zich alleen kon herinneren wat ze wilde.

'Ik vind het zó opwindend!' zei ze. 'Ik heb het gevoel dat ik voor de eerste keer met mijn jongste zusje de stad in ga.'

Ze reed heel langzaam en voorzichtig het hek door en de weg af. Omdat ik niks zei, vroeg ze of het goed met me ging.

'Ja,' zei ik, maar mijn stem klonk benepen, de stem van iemand die zich verloren voelt.

'Maak je niet zenuwachtig over die jongens,' zei ze, mijn zwijgen verkeerd opvattend. 'Ze mogen dan een paar jaar ouder zijn, maar ze zijn geen haar beter dan wij.'

Wij? Probeerde ze me op te vrolijken door me erbij te betrekken of geloofde ze het echt? Ik wist niet veel van psychotherapie, maar vroeg me wel af of die werkelijk zo effectief kon zijn. Ze was nu al een tijdje in therapie. Waarom zou de rechtbank haar erheen sturen als de rechter niet geloofde dat het haar zou veranderen, zou helpen?

Alsof ze mijn gedachten kon lezen, zei ze: 'Ik brand van verlangen dit aan dokter Ralston te vertellen. Hij zal vast onder de indruk zijn, en misschien zal hij een eind maken aan mijn therapie. Therapeuten kunnen je zo lang aan het lijntje houden als ze maar willen, zodat de kassa blijft rinkelen.'

Ze keek me aan. Deze keer wist ik zeker dat ze mijn gedachten geraden had.

'Dat is niet de reden waarom ik dit doe, Sasha. Het kan me echt niet schelen of die therapie nog tot het eind van het jaar duurt. Mijn vader kan het zich veroorloven, en zo belangrijk is het niet. Het is nu gemakkelijker om met dokter Ralston te praten. Ik heb niet meer zo'n hekel aan hem.'

'Echt niet?'

'Laten we het er niet meer over hebben, vooral niet waar die flapdrollen bij zijn, oké?'

'Waarom vind je ze aardig als het zulke flapdrollen zijn?'

'Doodsimpel. Omdat je plezier met ze kunt hebben.' Ze lachte. 'Want daar gaat het toch om. Je zult het zien,' zei ze en reed door.

Toen we bij Westwood waren, parkeerde Kiera de auto, en we liepen twee straten verder om haar vrienden te ontmoeten. Alle vier waren ze er al, op het punt te mopperen dat Kiera zo laat was, maar toen ze mij zagen, waren ze een ogenblik sprakeloos.

'Wie is dat?' vroeg Ricky lachend. 'Dat is toch niet dat burgerlijke nichtje van je, hè?'

'Je ziet er fantastisch uit, Sasha,' zei Boyd. Ze leken allebei onder de indruk. Ik wist niet hoe ik moest reageren.

Kiera deed het woord voor me. 'Ik heb een paar kleine veranderingen aangebracht in haar kleding en make-up. Niks bijzonders. Sta niet zo te kwijlen, Boyd. Dat is onfatsoenlijk.'

'O, maar ik ben heel fatsoenlijk,' zei hij, waarop iedereen begon te lachen.

We liepen het restaurant in. Misschien was het verbeelding van me, maar ik had het idee dat de overige klanten ons gadesloegen vanaf het moment dat we binnenkwamen.

'Er zitten hier studenten van de UCLA,' fluisterde Deidre, 'en ze kijken naar jou.'

'Naar mij?'

'Raak er maar aan gewend,' zei Margot, 'zolang je rondhangt met je nichtje.'

Ik keek naar de studenten die lachend onze richting uit keken. Hadden ze gelijk? Keken die studenten naar mij? Het was nog niet zo lang geleden dat ik dacht dat geen enkele jongen belangstelling voor me zou hebben, en niet alleen omdat ik mank liep. Ondanks alles wat ik nu had en gekregen had, het prachtige huis, de mooie particuliere school, kon ik niet anders dan geloven dat het stigma van het straatleven nog aan me kleefde. Op de een of andere manier zouden ze door de dure kleren heen kijken en de besmetting daaronder zien. Misschien zouden ze de stank van de straat nog aan me ruiken, al gebruikte ik nog zoveel parfum.

Vanaf de eerste dag dat ik op de Pacifica Junior-Senior High School kwam, was ik bang geweest dat iemand me zou herkennen. Er waren zoveel mensen langs ons gelopen toen mama en ik onze spulletjes op de trottoirs of het strand verkochten. Waarom zou een, of meer, van die studenten niet naar me kunnen kijken en denken: Is dat niet hetzelfde meisje dat sleutelhangers verkocht op het strand? Misschien dacht een van hen dat wel op ditzelfde moment.

'Kijk niet terug,' fluisterde Kiera. 'Ze zullen vervelend worden als ze denken dat een van ons belangstelling toont.'

Ik sloeg snel mijn ogen neer, en ze schoof het menu naar me toe.

'De burgers zijn te gek hier,' zei Boyd tegen mij.

'Een gek als jij kan het weten,' zei Deidre.

'Ik heb jou van tijd tot tijd ook wel gek gemaakt,' kaatste hij terug.

'Hou je mond,' zei ze.

Iedereen lachte, behalve ik. Waarom probeerden ze elkaar toch voortdurend te kwetsen als ze zulke goede vrienden waren?

'Je slaat de plank trouwens mis, Boyd,' zei Ricky. 'Ik ben degene die haar gek heeft gemaakt. Jij deed maar een slappe poging.'

'Wat een goeie schutters,' zei Margot, met haar duim naar hen wijzend. 'Of moet ik zeggen eenmalige?'

'Ha, ha,' zei Boyd. 'Er is maar één schot nodig om je doel te raken.'

Gelukkig kwam de serveerster naar ons toe, en ze stopten met hun hatelijke spelletje. Het duurde zo lang voor we bediend werden en gegeten hadden, dat we ons moesten haasten om op tijd te zijn voor de film. Door mijn gehink maakte ik dat ze langzamer moesten lopen, maar het scheen niemand iets te kunnen schelen of ze op tijd in de bioscoop waren of niet. Het was gewoon om iets te doen te hebben. In de bioscoop zat ik tussen Kiera en Ricky. Hij lachte naar me en liet zijn hand over de stoelleuning vallen zodat die tegen mijn dij lag. Tijdens de voorstelling speelden zijn vingers met mijn minirok. Ik wist niet wat ik moest doen, maar toen zijn hand een beetje te hoog op mijn dijbeen kwam, sprong ik overeind, en Kiera draaide zich om.

'Wat is er aan de hand?'

'Niks,' zei Ricky. 'Dat is het probleem.'

'Het probleem is dat jij geen geduld hebt,' zei ze tegen hem.

'Zo ís Ricky,' merkte Boyd op. Hij zat aan de andere kant van Kiera en boog zich over haar heen om tegen me te praten.

'PE-man,' zei hij, wijzend naar Ricky.

'Hou je mond, jij,' zei Ricky.

Boyd lachte en leunde achterover.

Ricky viel me de rest van de voorstelling niet meer lastig. Er waren een paar grappige scènes in de film, maar eigenlijk vond ik hem nogal stom. Ik hield mijn mond, want de anderen, ook Kiera, schenen hem geweldig te vinden. Later toen we afscheid namen om naar huis te gaan, vroeg ik Kiera wat Boyd bedoelde toen hij Ricky een PE-man noemde.

'Hij plaagde maar,' zei Kiera.

'Dat begrijp ik, maar ik begrijp niet wat het betekent.'

'Het betekent *premature ejaculation*, voortijdige zaadlozing. Weet je wat dat is?'

'Ik geloof het wel.' Ik wist het eigenlijk niet zeker.

'Als een jongen, een man, te snel klaarkomt, en een meisje er niks aan heeft.'

'O.'

'In ieder geval kan ik je verzekeren dat het niet waar is, dus maak je niet ongerust.'

Ik keek haar aan. Wist ze dat uit ervaring?

Ze lachte. 'Hé, kijk niet zo geschokt. Relax. Dit is je eerste dag van echt onderwijs op een echte school. Ik ben de beste lerares. En,' ging ze verder toen we bij de auto stonden, 'het onderwijs is gratis.'

Ze lachte, maar iets zei me dat het niet gratis was.

Iets vertelde me dat er een prijs betaald moest worden.

22

De prijs

'Mevrouw Duval kan tevreden zijn,' zei Kiera toen we nog vóór kwart voor elf door het geopende hek reden.

'Hoe weet ze hoe laat we aankomen?'

'Dat zul je wel zien.'

En ja hoor, toen we geparkeerd hadden en naar binnen gingen, kwam mevrouw Duval ons tegemoet. Kiera keek even naar mij en glimlachte.

'Zoals u ziet, mevrouw Duval, had u zich geen zorgen hoeven te maken. We zijn allebei ongedeerd,' zei Kiera.

Mevrouw Duval zei niks. Ze keek ons na toen we trap opliepen. Kiera giechelde.

'Heb je plezier gehad vandaag?' vroeg ze toen we bij haar suite kwamen.

'Ja, dank je.'

'Nee, ik dank jóú, Sasha,' zei ze en verbaasde me toen nog meer door me te omhelzen. 'Droom lekker.' Ze liep haar slaapkamer in.

Haastig ging ik naar mijn eigen suite. Ik vond het nog steeds moeilijk die als mijn eigen suite te beschouwen. Hij bevatte zoveel dingen van Alena, die er niet zozeer in rondspookten, dan wel de kamer in bezit bleven houden. Ik sliep in háár bed met het door háár gekozen hoofdeind. De meeste kleren die ik elke dag droeg waren háár kleren geweest. Háár foto's stonden nog op de kasten en tafels en hingen aan de muren. Ik wilde dat het anders was, dat haar spullen verdwenen waren en het echt mijn suite was, maar ik voelde me schuldig omdat ik dat wilde. Ik wist nu dat de mensen van wie je hield na hun begrafenis pas heel langzaam stierven. Hun onsterfelijkheid bestaat uit de herinneringen aan hen. Als ze langzamerhand vergeten worden of er steeds minder aan hen gedacht wordt, verdwijnen ze geleidelijk in de duisternis, en wordt het deksel van de kist dichtgeslagen. Mevrouw March, zoals elke moeder, weigerde dat deksel te sluiten.

Misschien wilde Kiera door mij te omarmen, als ze dat werkelijk deed, het verdriet over het verlies van haar zusje ontvluchten. Zou ik hetzelfde doen ten opzichte van mama als ik mevrouw March als surrogaatmoeder accepteerde? Kon je mensen echt in en uit je leven plaatsen zoals je schoenen aan- en uittrok? Ik vond dat nu een afschuwelijk idee, maar ik wist dat het voortdurend gebeurde. Mannen en vrouwen hertrouwden en heetten nieuwe echtgenoten welkom naast hen in bed, op de stoel tegenover hen aan tafel en in hun armen als ze dansten.

Misschien was eenzaamheid erger dan verdriet. Misschien kon je het schuldgevoel overwinnen dat ontstond en aangroeide als je een ander begon te accepteren en degene van wie je hield steeds dieper wegstopte. In het begin deed je dat uit woede. Hoe kón degene van wie je zoveel hield doodgaan? Hoe waagde hij of zij het niet te vechten tegen de dood, het lot te tarten en een of ander geheimzinnig plan van God te verijdelen? Er had meer verzet moeten zijn, zodat je niet alleen achterbleef.

Maar dan, dacht je, zou de geliefde mens, als hij of zij net zoveel van jou hield, ook niet alleen willen zijn. Als je een ander vond, was het bijna alsof je een nieuwe relatie opbouwde, niet alleen voor jezelf, ook voor degene die was heengegaan. Waarom zou je de ziel die al worstelde in het hiernamaals, nog meer verdriet doen?

Mama zou willen dat ik iemand had om de rol van moeder te vervullen – en ook een vader. Mama zou willen dat ik een oudere zus had die op me paste. Mama zou willen dat ik gelukkig en veilig en gezond was. Per slot dronk ze whisky en gin niet alleen om te ontsnappen aan wie ze was geworden, maar ook aan haar schuldgevoel omdat ze niet beter voor me zorgde. Ik voelde me als een blikje dat aan de staart van een hond of een kat was gebonden. Hoe hard mama ook holde, welke bocht ze ook nam of welke draai ze maakte, ik kwam altijd rammelend achter haar aan, herinnerde haar eraan hoe diep ze was gezonken. Misschien weigerde ze daarom mijn hulp als ik haar koffer wilde dragen en holde ze die avond zo blindelings weg de duisternis in. Misschien was het een poging om te vluchten. Oké, dacht ik. Ik zal Alena's kleren dragen. Ik zal de genegenheid en toewijding van mevrouw March accepteren. Belangrijker nog, ik zal Kiera accepteren en haar mijn oudere zus laten zijn, althans voorlopig, tot ik zo goed mogelijk op eigen benen kan staan. Ik zal proberen mama niet te vergeten, maar ik zal haar niet langer gebruiken als excuus om dit alles te weigeren.

Het was heel plezierig om bij Kiera en haar vrienden te zijn. Opwindend. Ik vond het leuk om een gewone tiener te zijn, die flirtte, lachte en gekke dingen zei. Ik wilde dezelfde dromen hebben en dezelfde onkwetsbaarheid die tieners zo roekeloos, zorgeloos en rebels maakte. Tot nu toe, sinds mama's overlijden, had ik in een soort nevelige, vage toestand verkeerd. Door de fictie die om me heen was gecreëerd, had ik geen eigen identiteit meer. Samen met mama, zelfs toen we dakloos waren, wist ik tenminste wie ik was. Elke plek die we vonden in een park, op het strand, zelfs in die verlaten auto, werd van ons, al dan niet voor korte tijd. Waar ik nu leefde was niets van mijzelf. Het was vreemd, maar ik woonde nu in een van de grootste huizen in Californië, en ik voelde me nog steeds dakloos.

Verwijt jezelf dus niet dat je Kiera's vriendschap accepteert, hield ik me voor. Ga niet met een schuldig gevoel slapen. Als je er een verontschuldiging voor moet vinden, doe dat dan op de manier zoals Jackie Knee, je verpleegster, dat deed. Wees maar eens zelfzuchtig. Pak aan wat je krijgen kunt, zelfs hun genegenheid. Omarm het. Zorg dat het iets van jezelf wordt.

Ik keek nog eens in de spiegel voor ik de kleren uittrok en de make-up afwaste. Nog maar een paar dagen geleden zou ik nooit hebben gedacht dat ik er zo uit zou kunnen zien en me zo zou voelen. Een nieuwe energie stroomde door me heen. Ik kon het in mijn ogen zien en overal voelen, tintelend tot onder in mijn buik. Ik hield van dat nieuwe gevoel.

Ik keek achterom naar het bed alsof ik verwachtte mijn oude ik daar te zien liggen, net zo lethargisch en verloren, maar kwaad op mij omdat ik haar had achtergelaten.

Ga weg, wilde ik tegen haar zeggen. Kruip als een muisje weg in je hol en verdrink in zelfmedelijden. Blijf maar doordrammen over je manke been. Oefen je 'ja, meneer' en 'nee, meneer' en blijf een bedelaarster die hoopt op een aalmoes van liefde. Doe dat terwijl ik de wind bij zijn staart pak.

Mijn oude ik verdween als sneeuw voor de zon. Met nieuwe veerkracht maakte ik me gereed om naar bed te gaan, en toen ik in slaap viel dacht ik niet aan Alena, dacht ik er niet aan dat ik in háár nachthemd sliep en in háár bed met háár geliefde giraffen boven me. Ik dacht aan mijzelf en aan de manier waarop die UCLA-studenten naar me gekeken hadden.

Voor het eerst sinds heel lange tijd verheugde ik me op de volgende ochtend.

Ik was al aangekleed toen Kiera binnenkwam, nog in haar ochtendjas en op pantoffels. 'Waarom ben je zo vroeg opgestaan?' vroeg ze klagend. 'Het is zondag.'

'Ik kon niet meer slapen. Ik was wakker en wilde de dag zo gauw mogelijk beginnen.' Ze zag en hoorde de verandering die zich in me had voltrokken, en glimlachte. 'En ik heb honger.'

'Ik ook. Weet je wat, we laten ons ontbijt boven brengen. We kunnen in mijn kamer eten. Net als roomservice in een luxe hotel,' zei ze en liep naar de telefoon.

Ik wist zeker dat, toen ze de telefoon oppakte, mevrouw Duval dacht dat ik belde.

'Met Kiera,' zei ze. Hoewel mevrouw Duval haar stem natuurlijk herkende, vond Kiera het blijkbaar leuk om zich aan te kondigen alsof ze een prinses was. 'Sasha en ik ontbijten vanmorgen in mijn suite, mevrouw Duval. Ik wil mijn gebruikelijke zondagse ontbijt, en Sasha...' Ze luisterde en schudde toen haar hoofd. 'Ik weet niet of ze dat wel wil.' Ze legde haar hand op het mondstuk. 'Wil je je gebruikelijke omelet met ham en kaas?' Ze trok een lelijk gezicht en schudde haar hoofd. 'Of hetzelfde wat ik krijg?'

'Ik neem hetzelfde als jij,' zei ik. Ik wist dat ze op zondag ontbeet met een vruchtensorbet met een dot slagroom, koffie en geglazuurde donuts. Mevrouw March klaagde altijd over de verkeerde dingen die Kiera at.

'Ze wil hetzelfde als ik, mevrouw Duval. Dank u.' Ze hing op en lachte. 'Ze klonk niet erg blij, maar ze zijn er om het ons naar de zin te maken, en niet vice versa. Ik neem gauw even een douche. O,' ging ze verder toen ze al bij de deur stond, 'ik heb er min of meer in toegestemd vandaag naar Disneyland te gaan. Ricky krijgt de suv van zijn vader. Daar kunnen we allemaal in. Ze zijn er over ongeveer een uur.'

'Disneyland?'

'Ja. Ben je daar al eens geweest?'

'Nee. Maar... hoe laat komen we terug?'

'Weet ik niet. Wat doet het ertoe?'

'Huiswerk.'

'Dat doen we wanneer we tijd hebben – áls we tijd hebben,' voegde ze er lachend aan toe. Ze zweeg en hield haar hoofd schuin toen ze naar me keek. 'Wat heb je aan? Ik geloof dat Alena dat droeg toen ze naar een doopplechtigheid ging. Wees maar niet bang. Kom mee naar mijn kamer, dan vinden we wel wat beters voor je.'

'Oké,' zei ik, en ze ging de kamer uit.

Ik bekeek de kleren die ik had aangetrokken. Mevrouw March suggereerde min of meer wat voor kleren ik aan kon trekken door die aan de voorkant van de kast te hangen, zodat ik ze stuk voor stuk kon bekijken. Ik had er eigenlijk niet bij stilgestaan, maar ik wilde echt niet naar Disneyland in kleren die geschikt waren voor een doopplechtigheid.

Ik had altijd al naar Disneyland gewild, maar voor mama en mij was het te duur nadat papa ons in de steek had gelaten, en toen hij er nog was, wilde hij me nooit meenemen of het geld ervoor uitgeven. Ik dacht dat het sowieso leuker zou zijn om met Kiera en haar vrienden te gaan. Ik wist dat het minstens een uur rijden was. We zouden beslist de hele dag nodig hebben.

Ik staarde naar de klarinet. Behalve het huiswerk dat ik nog moest maken, hoorde ik ook in het weekend ruim een uur te oefenen op de nieuwe muziek die Denacio me had meegegeven. Hij merkte het altijd als je niet gerepeteerd had. Daar was hij erg goed in. Op de een of andere manier, dacht ik, krijg ik het allemaal wel voor elkaar.

Voor ik naar Kiera's kamer ging om te ontbijten, ging mijn telefoon. Het was mevrouw March, en aan de toon van haar stem was te horen dat mevrouw Duval haar waarschijnlijk onmiddellijk na Kiera's telefoontje had gebeld.

'Hoe gaat het vanmorgen?' vroeg ze.

'Goed, mevrouw March.'

'Waar heeft ze je gisteravond mee naartoe genomen?'

Ik vertelde haar over het restaurant en de film en voegde eraan toe dat we meteen na afloop naar huis waren gegaan. En ik zei ook dat Kiera heel voorzichtig had gereden. Mevrouw March zweeg even en vroeg toen of een van Kiera's vrienden had geprobeerd me iets te laten roken of slikken.

'Nee,' zei ik. 'Niets van dat alles. Ze waren allemaal erg aardig.'

'Aardig?' vroeg ze, alsof ik iets vriendelijks had gezegd over de nazi's. 'Pas goed op je tellen, Sasha, met Kiera en haar vrienden,' herhaalde ze. 'Oké, we landen om ongeveer vijf uur in LA. Ik verheug me erop je vanavond aan de eettafel te zien en meer te horen over je dag en avond.'

Het lag op het puntje van mijn tong om te zeggen dat we naar Disneyland gingen, maar ik aarzelde, en ze zei gedag en hing op. Nou ja, dacht ik. Natuurlijk wist Kiera dat we voor het eten thuis moesten zijn. Ze wist wanneer haar ouders terugkwamen. Het zou allemaal goed komen.

Ze was nog in haar ochtendjas en bezig haar haar te drogen toen ik bij haar binnenkwam.

'Ricky belde,' zei ze, en zette de föhn uit. 'Hij wilde zeker weten dat je meeging.'

'Heus?'

'Hij zei dat je iets verfrissends had.'

'Verfrissends?'

'Ik heb hem uitgelegd dat je nog maagd was.' Ze deed het klinken alsof ik uit een ander land, misschien wel van een andere planeet kwam.

'O. Wat zei hij?'

'Wat denk je?' vroeg ze. Ik wachtte. 'Hij zei: jammer.'

Ze lachte hard, juist op het moment dat mevrouw Duval binnenkwam met ons ontbijt.

'Prima. Bedankt, mevrouw Duval,' kirde Kiera.

Mevrouw Duval keek naar mij terwijl ze het blad op tafel zette. 'Denk eraan dat je je vitamines neemt,' zei ze. 'Mevrouw March maakte zich bezorgd.'

'O, hemel,' mompelde Kiera luid. 'Hebt u mijn moeder al verteld wat we voor ons ontbijt willen?'

Mevrouw Duval draaide zich naar haar om. 'Jij hoort ook je vitamines in te nemen, Kiera, zeker zoals jij eet.'

'Ik geloof niet dat ik er zo slecht uitzie, mevrouw Duval,'

'Ik heb het niet over je uiterlijk,' antwoordde ze.

Kiera kreunde hardop.

Mevrouw Duval schudde haar hoofd, keek met een waarschuwende blik naar mij en vertrok.

'Ik hoop niet dat ze net zulke slappe koffie heeft gemaakt als altijd,' zei Kiera, terwijl ze naar de tafel liep. 'O, je kleren liggen klaar op mijn bed. Je kunt je verkleden als we genoten hebben van ons vitaminearme ontbijt.'

Toen ik hetzelfde begon te eten als zij, vroeg ik me af waarom ik niet om mijn eigen omelet had gevraagd. Het was allemaal te zoet, en alleen al het kijken ernaar maakte me een beetje misselijk. Ze was al bijna klaar toen ik nog moest beginnen.

Ze grijnsde terwijl ze haar koffie dronk. 'Het lijkt meer op thee. Mijn moeder vertelt haar hoe ze de koffie voor me moet zetten.'

'Je moeder heeft me gebeld,' zei ik, knabbelend op een donut.

'Vanmorgen?'

'Ja.'

Ze zette haar koffie weer neer. 'Waarschijnlijk nadat mevrouw

Duval haar over ons ontbijt heeft verteld. Wat wil mijn moeder van je? Dat je haar spion wordt?'

'Nee.'

'Wat heb je haar verteld over gisteren?'

'Niks bijzonders. Dat het heel gezellig was.'

Ze dacht even na en haalde toen haar schouders op. 'Maakt niet uit,' zei ze en at haar donut.

Toen we gegeten hadden, trok ik de kleren aan die ze had uitgezocht. Het was een nogal gehavende short met pijpen zonder zoom en een tanktop met het opschrift 'Frisse lucht windt me op'. Het verbaasde me hoe strak het broekje zat. Vanachter zat iets dat me hinderde, en toen ik eraan voelde, bleek het een etiketje te zijn.

'Heb je dit nooit gedragen?'

'O,' zei ze. 'Dat is me waarschijnlijk nooit opgevallen.' Ze pakte een schaar en knipte het eraf. 'Het staat je perfect.'

'Ik geloof dat het te strak zit.'

'Dat is juist goed, malle. Je wilt er toch zeker niet uitzien als een ouwe tante?'

Maar het shirt was wijd – veel te los, dacht ik. Mijn beha hing er half uit. 'Ik zwem hierin.'

'Ik zal je een topje geven in plaats van je beha. Dat zal je goed staan.'

Toen ze haar eigen kleren aantrok, vond ik dat ze er een stuk conservatiever uitzag dan ik. Haar spijkerbroekje was niet strak, en ze droeg een topje en een shirt, maar wel een beha eronder.

'Ik weet niet of ik er wel zo goed uitzie,' zei ik toen ik me bekeek in haar grote spiegel.

'Geloof me, je bent een stuk dynamiet. Laten we nu een reden vinden om je te laten knallen.' Haar telefoon ging. 'We komen zo beneden,' zei ze, en hing op. 'Ze zijn er. Laten we gaan.'

We waren al bijna buiten zonder dat iemand het wist, maar mevrouw Duval zag ons toen we bij de voordeur stonden. 'Waar gaan jullie naartoe?' vroeg ze terwijl ze haastig naar ons toekwam. 'Je ouders komen vóór het eten thuis.'

'We gaan met vrienden naar Disneyland, mevrouw Duval. Heb ik dat vanmorgen niet verteld?'

'Nee.'

'O, nee? Sorry. Waarschijnlijk zijn we niet voor het eten thuis. Ik bel wel als we op tijd kunnen zijn.'

Voordat mevrouw Duval kon reageren, deed Kiera de deur open en riep naar Ricky en de anderen, toen ze voor het huis stopten. Ze pakte mijn hand om me mee naar buiten te trekken, en ik keek achterom naar mevrouw Duval. Ze staarde me aan en schudde haar hoofd, alsof ik op het punt stond van een hoog klif te vallen.

Het deed me aarzelen, maar niet langer dan een seconde. De jongens krijsten toen ze ons zagen.

'Wie is dat sexy ding, Kiera?' riep Ricky.

Door het gelach en geroep maakte mijn bezorgdheid plaats voor opwinding. Het was nog niet zo lang geleden dat ik wanhopig rondzwierf op straat. En moet je me nu eens zien, dacht ik.

Een sexy ding!

23

De gelukkigste plek op aarde

Kiera besloot dat ik voorin moest zitten naast Ricky, omdat dit mijn eerste uitstapje was naar Disneyland. Onderweg had iedereen het over de beste attracties. De jongens hielden het meest van de *Pirates of the Caribbean*, en de meisjes van *Alice in Wonderland*. Tot mijn verbazing hoorde ik dat de meesten er zeker al een stuk of tien keer geweest waren. Omdat ik niet op een verwonderd, haar ogen uitkijkend kind wilde lijken, durfde ik het niet hardop te zeggen, maar ik voelde me net Alice in Wonderland toen we aankwamen en door Main Street liepen.

Ik was verrast over de aandacht die ik kreeg; ze wilden me allemaal iets laten zien dat ze leuk vonden en sleepten me van het een naar het ander. Ik wist niet of Kiera de anderen misschien had opgedragen me het gevoel te geven dat ik erbij hoorde, maar ik voelde me echt alsof ik al een tijd lid was van hun club. Ricky in het bijzonder was erg attent en zat tijdens ieder ritje naast me, vooral in *Autopia*. Boyd en Margot zaten vlak achter ons in hun autootje en botsten wanneer ze maar konden tegen ons op. We hadden allemaal enorm plezier. Ik had nog nooit zo hard gelachen en gejoeld.

Na de lunch gingen we naar *Indiana Jones* en toen naar *Alice in Wonderland*. Ricky en Boyd waren enthousiast toen ik met ze meestemde over de beste attractie en het gelijkspel werd. De meiden maakten zich er niet druk om. We maakten grapjes erover en eindigden de dag met de 3-D show van *Honey, I Shrunk the Kids*. Ik had niet één keer op de klok gekeken en schrok toen ik zag dat het bijna halfzeven was. Er was nu geen sprake meer van dat we op tijd thuis zouden zijn voor het eten. Kiera leek zich er niet ongerust over te maken. Op weg naar huis stopten we bij een van Deidres favoriete restaurants. Toen Ricky over de oprijlaan van de Marches reed, was het bijna kwart over negen.

Niemand bekommerde zich om huiswerk. Feitelijk was er de hele dag zelfs geen woord over school gesproken tot Ricky zei dat hij me de volgende dag terug zou zien op school. Kiera en ik stapten uit en keken hen na toen ze wegreden. Ik was uitgeput, maar het was een prettige uitputting, die ik steeds opnieuw welkom zou heten. Ik bedankte Kiera. Zij had natuurlijk alles voor me betaald.

'Ricky schijnt je echt aardig te vinden,' merkte ze op toen we de deur opendeden. 'Meestal heeft hij veel kritiek op jonge meisjes.'

Ik was blij met het compliment, maar een ogenblik slechts, want mevrouw March kwam de zitkamer uit, zo woedend als ik haar nog nooit had gezien.

'Aardbeving op komst,' fluisterde Kiera.

'Hoe dúrf je Sasha de hele dag mee uit te nemen zodat ze het avondeten mist?' begon ze. 'Je vader is te kwaad om uit zijn werkkamer te komen.'

'Ze hééft gegeten. Toen we op weg waren naar huis.'

'Dat bedoel ik niet, dat weet je heel goed, Kiera. We hadden ons reisschema zo aangepast dat we op tijd thuis zouden zijn om samen met jullie te eten. En waarom heb je je mobiel niet opgenomen? Jullie geen van beiden?'

'Ik had die van mij niet bij me,' zei ik.

'Nu ik eraan denk, ik ook niet,' zei Kiera. 'Iedereen met wie ik wilde praten was vandaag trouwens bij me.'

Het bloed steeg mevrouw March naar de wangen. Even stikte ze bijna van woede en kon ze geen woord uitbrengen. Toen keek ze weer naar mij. 'Wat heb je aan? Hoe kom je aan die kleren?'

'Ze zijn van mij,' zei Kiera.

'Die heb ik nog nooit gezien. Die short is onfatsoenlijk.'

'Alsjeblieft, moeder, doe niet zo preuts.'

'En hij is beslist niet warm genoeg.'

'Dat was hij wél,' zei Kiera. 'Het was geen kampeertocht. Kunnen we nu naar boven? We moeten ons huiswerk maken.'

'Ik ben diep teleurgesteld,' zei mevrouw March en deed een stap achteruit. Ze zei het voornamelijk tegen mij.

'Dat zou je niet zijn als je er bij was geweest. Het was een heerlijke dag. Er stonden geen lange rijen in Disneyland en...'

'Ga naar je kamer, Kiera. Morgen spreken we verder.'

Ik boog mijn hoofd en volgde Kiera naar de trap.

'Mijn vader is minder kwaad dan zij beweert. Anders was hij wel tevoorschijn gekomen.'

Ik zei niets. De teleurstelling in het gezicht van mevrouw March was niet alleen ontnuchterend, maar ook een beetje angstaanjagend. Misschien zou het nu afgelopen zijn met haar genegenheid en hartelijkheid. Misschien zag ze me niet langer als net zo goed en aardig als haar Alena. Als iemand maanden geleden tegen me zou hebben gezegd dat ik bang zou zijn om te worden weggestuurd, zou ik er waarschijnlijk om gelachen hebben. Het idee alleen al dat ik bij het meisje zou willen zijn dat die avond achter het stuur van de auto had gezeten of bij de familie die haar beschermde... Met al hun geschenken, geld, kleren en die fijne nieuwe school zouden ze mijn vergiffenis niet kunnen kopen.

'Maak je geen zorgen,' zei Kiera, die zag dat ik bezorgd bleef zwijgen. 'Morgen is ze lang zo kwaad niet meer. Zo gaat het altijd.'

'Ik moet mijn huiswerk afmaken,' zei ik en liep haastig naar mijn slaapkamer.

Toen ik er kwam, voelde ik me nog ellendiger. Het was alsof ik niet alleen mevrouw March maar ook Alena had teleurgesteld. *Ik dacht dat je mijn plaats zou innemen voor mijn moeder*, leek haar foto tegen me te zeggen. *Ik zou dat nooit hebben gedaan.*

Ik walgde plotseling van mezelf toen ik me in Kiera's kleren bekeek. Ik trok ze zo snel mogelijk uit en begon aan mijn huiswerk in een van Alena's nachthemden. Het duurde zo lang voor ik klaar was, dat ik geen tijd meer had om op mijn klarinet te oefenen. Maar toen was ik ook al zo moe dat mijn ogen dichtvielen en ik niet wakker kon blijven en me de volgende dag zelfs versliep.

Mevrouw March maakte me wakker. 'Je moet opschieten,' zei ze, en ging weg zonder verder een woord te zeggen.

Ik kwam snel uit bed. Ik kon haar horen schreeuwen in Kiera's kamer. Een deur viel met een knal dicht. Ik kleedde me haastig aan en holde naar beneden om te ontbijten. Meneer March was blijkbaar al vertrokken. Mevrouw March zat aan tafel met haar hoofd in haar handen, haar ellebogen op tafel. Ze keek niet op toen ik binnenkwam.

'Zorg ervoor dat je vandaag onmiddellijk na school thuiskomt,' zei ze, nog steeds naar de tafel starend. 'Laat je niet door Kiera overhalen met haar mee naar huis te gaan en Grover zonder jou terug te sturen.' Ze hief haar hoofd op. 'Ze wil dat je met haar op en neer gaat naar school, maar dat weiger ik. Ik wil trouwens niet dat je met haar meerijdt tenzij ik het zeg. Begrepen, Sasha?'

'Ja.'

'Ik weet niet wat hier precies gebeurd is tijdens mijn afwezigheid, maar het bevalt me absoluut niet.'

'Het spijt me,' zei ik.

Kiera kwam binnengeslenterd en schonk een kop koffie in. 'Ze maken de koffie nog steeds te slap,' zei ze tegen haar moeder toen ze een slok genomen had.

'Ik denk dat je nu wel belangrijkere dingen hebt om aan te denken dan je koffie, Kiera.'

'We zijn alleen maar naar Disneyland geweest, moeder. Maak er geen halszaak van.'

Mevrouw March kneep haar ogen samen. 'Hou je in, Kiera. Je stevent op een nieuwe ramp af.'

Kiera knabbelde meesmuilend op een broodje. Toen gooide ze het neer, stond op en vertrok. Mevrouw March zei niets, zelfs niet tegen mij.

Toen ik klaar was met eten pakte ik mijn spullen en liep haastig naar de auto. Na het gezelschap van Kiera en haar vrienden, het gelach en de blijdschap, vond ik het nog deprimerender om in mijn eentje in die grote auto te zitten. Het was alsof ik gekrompen was en weer het verlegen kleine meisje was met het manke been.

Ik zag ertegen op naar Denacio's les te gaan. Toen ik de klarinet uit het foedraal haalde, keek hij me achterdochtig aan. Ik had nog geen halve minuut gespeeld of hij stopte me.

'Je hebt niet geoefend, hè?'

'Nee.'

Hij zei niets. Hij knikte en liep naar de volgende leerling, maar die kalme reactie van hem kwam nog harder aan. Ik voelde zijn teleurstelling en zijn conclusie dat ik uiteindelijk net als alle anderen was en nooit iets bijzonders zou worden. Het was zoiets als klimmen naar de top van een berg, om dan weer terug te glijden naar beneden. Ik had wel kunnen huilen. Ik probeerde de rest van de tijd wat enthousiasme op te brengen, maar kon mijn energie niet opkrikken en was blij toen de bel ging.

In de andere lessen was ik minder oplettend dan gewoonlijk en droomde zelfs weg in de wiskundeles. Ik lette niet op tijdens de uitleg van een probleem, en toen mijn naam werd afgeroepen, wist ik niet waar we in de les gebleven waren. Ook nu kreeg ik geen standje van de docent. Hij keek me slechts aan alsof ik hem teleurgesteld had en ook hij ging naar een volgende leerling. Toen het lunchpauze was, had ik het gevoel dat ik in drijfzand was gestapt en langzaam erin wegzonk. Ik had totaal geen honger.

Maar voor ik in een dip raakte en in mijn eigen armen ging uithuilen, pakte Ricky me bij mijn arm. 'We eten buiten,' zei hij.

Ik keek hem verbaasd aan. Het was tot daaraan toe het weekend met Kiera en haar vrienden door te brengen, maar ook op school met ze samen te zijn, was een ander verhaal. Mijn klasgenoten en de meisjes met wie ik meestal samen at, keken net zo verbaasd op als ik had gedaan, toen ik mijn blad vulde en Ricky volgde naar de tafel van Kiera's vriendenkring.

Hij maakte ruimte voor me en ik ging zitten.

'Waarom kijk je zo somber?' vroeg Margot meteen.

'Niet dat het je iets aangaat, maar mijn moeder is flink tegen ons tekeergegaan omdat we gisteravond niet thuis waren om met haar en mijn vader te eten,' zei Kiera snel. 'Ik denk dat het Sasha nog steeds dwarszit.'

'Hé, niet zo pruilen, Sasha. Het was het waard,' zei Boyd. 'Ik heb me daar nog nooit zo geamuseerd als gisteren.'

Dat bracht het gesprek op alles wat we gisteren hadden gedaan.

In een mum van tijd voelde ik me weer optimistisch en blij, vooral omdat ze me betrokken bij alles waarover ze praatten. Toen de bel ging, droeg Ricky mijn blad en we liepen samen de kantine uit. Uit mijn ooghoek zag ik Charlotte Harris, Jessica Taylor en Sydney Woods naar ons kijken. Toen Ricky en ik afscheid namen in de gang, kwamen ze haastig naar me toe voordat ik de klas in ging.

'Hoe komt het dat Ricky Burns zoveel belangstelling voor je heeft?' vroeg Charlotte.

'Ben je met hem uit geweest?' wilde Sydney onmiddellijk daarna weten.

Ik keek naar alle drie. Toen ik pas op school kwam en ze leerde kennen, was ik niet interessant in hun ogen. Ze spotten met mijn mankheid en peinsden er niet over me bij hen thuis uit te nodigen, omdat ik hen nog niet één keer had uitgenodigd in het huis van de Marches. Ze spraken zelden tegen me en glimlachten nooit naar me.

'Wie is Ricky Burns?' vroeg ik met een stalen gezicht en liep de klas in, hen beduusd achterlatend.

Toen ik op mijn plaats zat en achteromkeek, waren ze in diep gesprek met elkaar en met Lisa Dirk, de 'grote zus' van mijn eerste schooldag die zich daarna praktisch niet meer met me had bemoeid. Ze keken allemaal naar me en ik keek glimlachend terug.

's Middags ging het een stuk beter in de klas. Voordat de laatste les begon, tikte Kiera me op mijn schouder en vroeg of ik na school met haar meeging. 'We gaan naar de Century City Mall.'

Ik had haar niet verteld dat haar moeder me verboden had om met haar mee te rijden zonder haar uitdrukkelijke toestemming, en wilde dat nu ook niet doen, dus zocht ik een excuus.

'Ik kan niet,' zei ik. 'Ik heb te veel te doen.'

'Dan mis je een hoop plezier. Als je je bedenkt, laat het me dan weten zodra de bel gaat, dan stuur ik Grover zonder jou naar huis.'

Ik kon niet ontkennen dat ik graag mee wilde, maar deze keer was ik te bang. Ik deed er met opzet langer over om het lokaal te verlaten. Niettemin stond Kiera te wachten bij de deur.

'Heb je je bedacht?' vroeg ze.

'Nee, ik kan niet, maar bedankt.'

'Jammer. Morgen moet ik naar mijn therapeut.'

'Ik weet het. Ik zie je thuis.'

'Thuis? Goed.' Ze liet me snel alleen. Ik zag dat ze naar de anderen liep, die op het parkeerterrein stonden. Ricky keek mijn richting uit, haalde zijn schouders op en volgde hen.

Vond hij me echt aardig? vroeg ik me af. Ik was veertien, een meisje dat nog nooit een vriendje had gehad, voor wie zelfs geen jongen ooit belangstelling had getoond – en een jongen uit de hoogste klas, een van de knapste jongens op school, bekeek me op romantische wijze na slechts twee dagen met mij en zijn vrienden te hebben doorgebracht? Ik vond het vreselijk om zo jong en onschuldig te lijken. Ik probeerde meer als Kiera te praten en me te gedragen als ik samen met haar en haar vrienden was, maar door gauw naar huis te gaan die middag kwam ik waarschijnlijk weer over als een kind. Morgen zou hun belangstelling voor mij weer verdwenen zijn, dacht ik, en dan zouden mijn klasgenoten ook niet meer zo vriendschappelijk doen.

Ik voelde me weer depressief worden en bleef dat tijdens de hele rit naar huis. Toen ik binnenkwam, liep ik naar de trap, om gauw mijn huiswerk te gaan maken, zodat ik tijd zou hebben voor de klarinet. Ik bleef staan toen ik luide stemmen hoorde en besefte dat het meneer en mevrouw March waren. Toen ik mijn naam hoorde noemen, draaide ik me om naar de zitkamer en luisterde.

'Je denkt niet logisch, Jordan,' zei meneer March. 'Je zei dat je dat meisje hier bracht om haar te redden van de straat en het weeshuis of wat dan ook. Je wilde dat ze in een normaal gezin zou komen, toch?'

'Ja, maar...'

'Dus waarom zou Kiera als oudere zus haar niet nog meer betrekken bij dat gezin? En denk er eens aan hoe goed dit kan zijn voor Kiera. Het is haar manier om spijt te tonen, berouw te voelen. Haar therapie gaat goed, en nu wil je beletten dat ze een te hechte band krijgt met Sasha? Te veel invloed op haar krijgt? Ik vind dat niet erg zinvol. Als je zo bang bent dat Kiera een slechte invloed op haar heeft, dan kunnen we misschien beter een ander thuis vinden voor Sasha.'

Mevrouw March zweeg. Ik hield mijn adem in. 'Het zou vreselijk zijn als we haar nu wegstuurden,' zei ze ten slotte.

'Nou dan?'

'Oké, Donald. Ik zal voorlopig mijn best doen een oogje in het zeil te houden.'

'Als we één ding niet nodig hebben, dan is het meer spanning hier in huis.'

Ze waren allebei zo stil dat ik dacht dat ze naar buiten zouden komen en zouden zien dat ik ze had afgeluisterd, dus draaide ik me snel om en liep naar de trap. In mijn kamer ging ik zitten en overpeinsde wat ik gehoord had. Waar was mevrouw March het precies mee eens? Ik was net zo in de war als zij.

Aan de ene kant wilde ik graag met Kiera en haar vrienden samen zijn, uitgaan, hun party's bijwonen, tochtjes met ze maken, alles. Maar aan de andere kant wilde ik ook mijn werk op school goed doen. Kiera en haar vrienden leken zich niet erg te interesseren voor school of hun cijfers.

Het zou zijn alsof je op een evenwichtsbalk liep, dacht ik. Zou het me lukken om beide dingen te doen?

Als ik deze keer viel, zou ik te diep vallen om er nog bovenop te kunnen komen, en wat moest ik dan?

Waarschijnlijk mama's geest volgen in een of ander achterafstraatje en me afvragen hoe ik zo verstrikt was geraakt in mijn steeds terugkerende nachtmerrie.

24

Regels

Meneer March kwam die avond thuis eten. Deze keer zorgde Kiera ervoor eveneens aanwezig te zijn. Ze liet zich niet in mijn kamer zien toen ze terugkwam uit het winkelcentrum. Ik dacht dat ze nog steeds kwaad was omdat ik geweigerd had na school mee te gaan met haar en de anderen. Maar toen ze een paar minuten na mij beneden kwam, en ik al aan tafel zat, lachte ze naar me en verontschuldigde zich dat ze niet naar me toe was gekomen.

'Ik wilde er zeker van zijn dat je al wat van je huiswerk had gedaan,' zei ze. Toen keek ze naar haar vader en ging verder tegen hem. 'Ze geven leerlingen in de negende klas meer huiswerk dan de leerlingen in de hoogste klas. Dat kan ik me nog herinneren.'

Tegen haar moeder zei ze: 'Weet je nog, moeder? Ik heb me er vaak over beklaagd toen ik in die klas zat. Ze zeiden dat het de overgangsfase was van junior high naar high school.'

Mevrouw March knikte maar zei niets. Haar ogen verrieden haar achterdocht jegens Kiera's plotselinge vriendelijkheid. Niemand zei iets tot mevrouw Duval en Rosie begonnen op te dienen.

Toen sloeg meneer March zijn handen ineen en begon met wat kennelijk een compromis was tussen hem en mevrouw March. 'Ik ben blij te zien dat je Sasha betrekt bij sommige activiteiten van jou en je vrienden, Kiera, maar je mag niet vergeten dat Sasha niet alleen jonger is dan jij, maar dat ze voorlopig ook een ander soort verantwoordelijkheid voor ons betekent. Wij vervullen de rol van Sasha's pleegouders en daarom is het niet zo, dat het met ons begint en eindigt.

'Natuurlijk,' ging hij verder, met een blik op mij, 'willen we niet dat ze zich een vreemde voelt of een buitenstaander. We willen dat ze deel uitmaakt van ons gezin. Maar we moeten haar gedrag nauwlettend in het oog houden. We moeten meer gezag uitoefenen, meer regels volgen. Dus voordat je besluit ergens met haar naartoe te gaan, moet je toestemming vragen aan je moeder of aan mij. We willen haar avondklok handhaven. Voorlopig vinden we het niet juist dat ze later dan elf uur thuiskomt.'

'Zelfs in de weekends?' riep Kiera uit.

'Zelfs in de weekends.'

Ze schudde haar hoofd, keek even naar mij en sloeg toen haar ogen neer.

'Zodra we iets horen over wangedrag, en je weet inmiddels wat ik versta onder wangedrag, met betrekking tot haar of iets waarbij ze betrokken is, zal voor jullie allebei alles veranderen, begrepen?'

Kiera zweeg. Ze keek even naar haar moeder, met zo'n blik vol afkeer en woede, dat ik zou verstijven als ik mevrouw March was.

'Goed, Kiera,' ging hij op zachtere toon verder, 'als je 's morgens rechtstreeks naar school gaat en na school meteen naar huis komt op de dagen dat je geen therapie hebt, kan Sasha met je meerijden. Het zou Grover ontlasten en je moeder en ik zouden vaker over de limousine kunnen beschikken.'

Kiera begon te glimlachen.

'Maar als ik ook maar iets hoor over slecht of te hard rijden, of iets dergelijks, ben je je rijprivileges kwijt en zullen we natuurlijk Sasha verbieden ergens met je naartoe te gaan.'

'Moeten we altijd meteen naar huis? Soms hebben we weleens trek in een snack, papa.'

'Als je iets van het plan wilt veranderen, bel je eerst je moeder en vraag je om haar toestemming,' liet hij zich enigszins vermurwen.

Kiera keek tevreden, maar ze was het niet. Ze was een expert in het manipuleren van haar vader.

'Mag ik alleen even zeggen, papa, dat het heel erg moeilijk voor ons is om in het weekend naar een film of een party te gaan en om elf uur thuis te zijn? Vaak is een film pas tegen elf uur afgelopen, zoals gisteravond. Het is niet goed iemand zo onder druk te zetten.

Ik zal te hard moeten rijden als we om elf uur thuis willen zijn. Het is het een of het ander – dan kan Sasha niet mee.'

'Elf uur is laat genoeg voor een meisje uit de negende klas,' merkte mevrouw March op.

'Niet in de moderne wereld,' protesteerde Kiera.

'Laten we zeggen tussen elf en twaalf uur,' zei haar vader. 'Noem het maar de pompoenfactor.'

'Pompoenfactor?' vroeg Kiera.

'Assepoester,' zei ik.

Meneer March glimlachte. 'Precies, Sasha. Weet je nog, Kiera? Om twaalf uur veranderde haar rijtuig in een pompoen.'

'Wie van ons is Assepoester?' vroeg Kiera schalks.

Ik dacht dat ze ook wachtte op een teken van genegenheid van haar vader, maar voor hij kon reageren, gaf haar moeder al antwoord. 'Het lijkt me niet dat jij dat bent, Kiera,' zei ze. 'Jij woont al in een kasteel.'

'Je hebt gelijk, moeder,' zei Kiera en ging verder, met een blik op mij: 'Misschien krijgt Sasha dan toch haar prins.'

Haar vader lachte, maar haar moeder niet. Ze hoorde iets wat ik ook hoorde. Het klonk meer als een dreigement dan als een mooie belofte. Daarna ging het gesprek – voornamelijk tussen meneer en mevrouw March – over andere dingen. Toen we naar boven gingen, was ik er niet zeker van door wie de discussie die ik had afgeluisterd was gewonnen: mevrouw March, meneer March of Kiera. Te oordelen naar Kiera's gezicht scheen ze te geloven dat zij had gewonnen.

'Maak je geen zorgen,' zei ze tegen mij, 'we vinden wel een manier om niet rechtstreeks naar huis te hoeven op de dagen dat je met mij meerijdt.'

'Zolang ik mijn huiswerk maar kan maken,' zei ik bij wijze van waarschuwing.

Ze hoorde me niet of het interesseerde haar niet. Ze ging meteen naar haar kamer, na te hebben opgemerkt: 'Ricky miste je vandaag echt na schooltijd.'

Haar opmerking leidde me af. Ik had meer moeite me te concentreren op mijn huiswerk en op de klarinet. Ik was vastbesloten de volgende ochtend indruk te maken op Denacio, maar na een half-uur oefenen kreeg ik hevige kramp. Ik wist wat het was, ik moest ongesteld worden, maar het was nog nooit zo erg geweest sinds ik weer geregeld ongesteld werd.

Ik wist niet of het kwam door de slechte voeding of door de stress, maar mijn menstruatie was nog maar net begonnen toen we onze flat en daarna het hotel moesten verlaten. In die tijd was mama er altijd voor me, maar toen we eenmaal op straat stonden, was ik op mijzelf aangewezen. Ik zorgde ervoor dat ik altijd bij me had wat ik nodig had, maar soms was ik weken over tijd, en één keer zelfs bijna twee maanden. Sinds ik bij de Marches woonde kon ik de klok erop gelijkzetten. Ik was domweg vergeten dat ik ongesteld moest worden, maar de hevige krampen waren meer dan een geheugensteuntje, ze waren een alarmbel.

Ik nam voorzorgsmaatregelen voor het bloedverlies en rolde me toen op in bed. Zo vond Kiera me toen ze naar mijn kamer kwam om me een geheim te vertellen. Even realiseerde ze zich niet wat er met me aan de hand was. Ik lag met gesloten ogen en drukte met mijn handen op mijn buik. Ze keek eigenlijk helemaal niet naar me. Ze kwam binnen en begon te ijsberen.

'Ik heb er lang over nagedacht of ik je zou vertellen over onze geheime club,' begon ze. 'We waren oorspronkelijk met z'n drieën, Deidre, Margot en ik, maar onlangs hebben we Marcia Blumfield en Doris Norman erbij gehaald, dus nu zijn er vijf leden, en...' Ze zweeg even en keek me toen pas goed aan. 'Wat is er met jou aan de hand?'

'Het maandelijkse akkevietje.'

'Maandelijkse akkevietje? Wat is dat? Noem jij het zo?'

'Mijn moeder. Ik heb deze keer ontzettende buikpijn.'

'Wow. Ik wilde juist informeren naar je ongesteldheid. Komt die regelmatig?'

'Nu wel. In ieder geval sinds ik hier woon.'

'Nou, goed toch? Maak je niet ongerust. Ik heb iets tegen die krampen. Ik zal het voor je halen.'

'Heb je dat echt?'

'Natuurlijk. Dacht je soms dat ik in bed wil liggen kronkelen zoals jij nu? Bovendien moeten we elkaar bijstaan in tijden van pijn en genot.' Ze liep naar de deur, maar bleef toen staan en draaide zich om. 'Wat overigens het motto is van onze geheime club.'

'Wat voor geheime club?'

'De club waarover ik je eventueel wilde vertellen. Nu zal ik dat zeker doen.'

Ze slenterde naar buiten, mij volkomen verward achterlatend, maar als ze iets voor me had tegen die pijn, dan kon het me niet schelen wat voor onzin ze daarna wilde vertellen. Ze kwam gauw terug en gaf me een glas water en een pil.

'Wat is dat?'

'Dat heeft mijn dokter me voorgeschreven. Hij werkt heel gauw, wacht maar af.'

Ik nam er een en slikte die door met water. 'Dank je.'

'Graag gedaan. Ik heb er nog meer als je er morgenochtend nog een nodig hebt, maar meestal helpen ze al na één nacht.'

Al werd de pijn niet minder, toch ging ik achterover liggen en haalde wat gemakkelijker adem. 'Wat wilde je zeggen toen je binnenkwam? Ik luisterde maar met een half oor.'

'Ik weet het. Het is nu niet belangrijk, ik vertel het je later wel. Hé,' zei ze terwijl ze weer wegliep, 'haast je morgen niet met opstaan. Je rijdt met mij mee naar school. Ik ken een kortere weg, die Grover niet kent. Slaap lekker.' Haastig verliet ze mijn kamer, alsof ze dringend iemand moest spreken of iets te doen had.

Kiera's pil was een wonder. De volgende ochtend voelde ik me een stuk beter en dat vertelde ik haar aan het ontbijt.

Mevrouw March stond iets later op dan anders en kwam binnen op het moment dat we het erover hadden. 'Wat voor pil?' vroeg ze onmiddellijk.

'Mijn pil voor het maandelijkse akkevietje,' zei Kiera met een plagende knipoog naar mij.

'Hè?'

'Je weet wat elke maand terugkomt, moeder.'

'Nogmaals, wat voor pil?'

'De pil die dokter Baer me had gegeven tegen de buikpijn.'

'O.' Ze keek naar mij. 'Ik wist niet dat je problemen had, Sasha.'

'Het is geen halszaak, moeder. Ze kwam naar me toe en ik heb haar geholpen.'

Ik draaide bijna rond op mijn stoel. Ik kwam naar haar toe? 'Ik krijg genoeg van die stomme uitdrukking van je, Kiera. Jammer dat je vader je die geleerd heeft. Nee, het is geen halszaak, maar Sasha hoort te weten dat ze bij mij moet komen met haar problemen,' zei mevrouw March. Ze klonk minder kwaad dan gekwetst.

Kiera haalde haar schouders op. 'Ik kwam toevallig op het juiste moment. Het is geen... het stelt niks voor.'

Mevrouw March staarde haar even aan en draaide zich toen langzaam naar me om. 'Hoe voel je je nu, Sasha?'

'Stukken beter, mevrouw March. Dank u.'

'Je weet dat je met al je problemen bij me kunt komen, hoe groot of hoe klein ze ook zijn.'

'Ik weet het. Dank u.'

'Misschien blijven we morgen nog wat hangen na schooltijd,' zei Kiera. 'Meneer Bowman doet de casting van het toneelstuk.'

'Wil jij audiëntie doen voor de schoolopvoering?'

'Misschien wel,' zei Kiera. 'Het is mijn laatste kans om zoiets te doen, en ik weet dat Sasha graag mee zal willen doen – als actrice of om te helpen met de decors.'

'Dat zou leuk zijn.'

Weer keek ik naar Kiera. We hadden het daar nooit over gehad, en ik kon me ook niet herinneren dat de casting voor het toneelstuk was aangekondigd. In de auto op weg naar school begon ik erover.

'Dat komt omdat hij het nog niet bekend heeft gemaakt,' zei ze. 'Wees maar niet bang. Ik zeg gewoon dat ik me vergist heb, dat het pas volgende week is en ik de data door elkaar heb gehaald.'

'Je kunt niet altijd tegen je moeder blijven liegen, Kiera.'

'Wie blijft er liegen?' Ze lachte. 'Alleen als het echt noodzakelijk is, en morgen is het belangrijk dat we niet meteen naar huis gaan.'

'Waar gaan we dan naar toe?'

'Naar een bijeenkomst.'

'Bijeenkomst? Wat voor bijeenkomst?'

'Een bijeenkomst van de geheime club waarover ik je gisteravond probeerde te vertellen. Bij Deidre thuis.'

'Wat voor club is dat dan?'

'De VA.'

'VA? Heeft dat niet iets te maken met veteranen?' Ze lachte. 'O, absoluut. Iedereen in de club is een veteraan.'

'Waarvan?'

'Seks, malle. VA staat voor Virgins Anonymous, ofwel anonieme maagden.'

'Ik begrijp er niks van.'

'Dat komt wel. En het zal de meest opwindende club zijn waar je ooit lid van bent geweest.'

'Ik ben nog nooit lid geweest van een club.'

'Prima. Je bent nog maagd wat clubs betreft, en morgen zullen we daar een eind aan maken.'

Ze ging harder rijden. Ik probeerde wat meer te weten te komen, maar ze zei dat ik geduld moest hebben en beloofde me dat ik niet teleurgesteld zou zijn.

Ik werd in ieder geval niet teleurgesteld op school. Weer vroeg Ricky me samen met hem te lunchen, en dat trok weer de aandacht van mijn klasgenoten. Ik kon het geroezemoes bijna horen dat luider werd bij elk woord dat we tegen elkaar zeiden en elke stap die we naast elkaar deden.

'Misschien kan ik een van de komende weekends de boot van mijn vader krijgen,' zei Ricky toen we terugliepen naar de klas. 'Die ligt in de Marina Del Ray. Als het lukt, gaan we met z'n allen naar Catalina Island. Ben je daar weleens geweest?'

'Nee.' Ik wist zeker dat mijn stem klonk alsof ik zat opgesloten in een kast. Over welke plek ze het ook hadden, ik was er nog nooit geweest, en voor zover ik wist dachten ze allemaal, behalve Deidre, dat ik Kiera's nichtje was. Of omdat Kiera ze lik op stuk zou geven, óf omdat ze gewoon aardig waren, niemand vroeg zich af hoe het mogelijk was dat ik nog niet de helft had gezien en gedaan van alles wat zij al hadden meegemaakt. Ik hoorde Kiera wel tegen Margot fluisteren dat mijn familie armer was dan zij, maar voor zover ik het kon beoordelen was acht- of negenennegentig procent van de bevolking armer dan de Marches.

'Goed zo. Het is altijd leuk om iemand voor het eerst ergens mee naar toe te nemen,' zei Ricky. Voorlopig althans leek het of niets wat ik kon zeggen of doen zijn belangstelling voor me zou doen afnemen.

Het was sowieso een goede dag. Hoewel Denacio die ochtend niets vriendelijks wilde zeggen over mijn spel, toch kon ik merken dat hij weer optimistischer gestemd was over me. In alle andere lessen deed ik het ook beter, en ik kreeg een negen voor een proefwerk geschiedenis. De hele dag nam mijn zelfvertrouwen toe, en ik kreeg het gevoel dat ik alles aankon.

Grover stond op me te wachten na schooltijd. Ik zag Kiera niet, maar ik wist dat ze naar haar therapeut was. Grover zei zelden iets tegen me, maar deze middag glimlachte hij en vroeg of ik een leuke dag had gehad. Ik denk dat hij iets nieuws, iets gezonders en sterkers in me zag, en dat hij niet bang hoefde te zijn iets te doen of te zeggen dat de tranen in mijn ogen zou doen springen.

Zelfs in de limousine voelde ik me meer op mijn gemak, niet langer opgesloten en alleen. Misschien werd ik aangestoken door Kiera's arrogantie, maar ik leunde behaaglijk achterover en keek naar de andere leerlingen die naar buiten kwamen. Met opzet draaide ik mijn raam omlaag, zodat ze mij ook konden zien. Lisa Dirk staarde me even aan en hief toen haar hand op om naar me te zwaaien. Ik wuifde zoals ik een koningin eens had zien doen in een film, en Grover reed weg.

Assepoester zat in haar rijtuig.

Geen pompoen te bekennen, dacht ik.

25

Samenzweerders

'Ook al kennen Deidre en Margot je nu een stuk beter,' begon Kiera vlak voor het eten, 'ze maken zich toch een beetje ongerust, en de andere twee zijn zelfs heel zenuwachtig, omdat ik je meeneem naar een bijeenkomst van de VA-club. Het is een heel besloten, geheime club. Je moet een dure eed zweren dat je nooit een woord zult zeggen over alles wat je morgen na school bij Deidre zult horen en zien, zelfs niet als je niet als lid wordt aangenomen. Beloof je dat?'

Ik legde mijn wiskundeboek neer. Ik had me verwoed op mijn huiswerk gestort, deels omdat ik bang was dat als Kiera terugkwam, ze weer al mijn tijd in beslag zou nemen, en ik niet de kans zou krijgen mijn huiswerk af te maken of klarinet te spelen.

'Misschien kan ik dan maar beter niet gaan,' zei ik.

'O, nee. Ik heb iedereen verzekerd dat jij niet iemand bent die haar vrienden zou verraden. Eerlijk gezegd,' ging ze verder, terwijl ze een haarlok om haar vinger draaide, 'heb ik ze verteld dat je erg enthousiast was over mijn omschrijving van de club. Ik heb ze verzekerd dat je in je hart een van ons was en beslist niet preuts. Alleen zou ik je voor deze ene keer aanraden niet te veel te zeggen. Luister alleen maar, en kijk naar mij als iemand je iets vraagt waarvan je niet helemaal zeker bent of twijfelt of je wel antwoord moet geven.'

'Je hebt me helemaal geen omschrijving gegeven, Kiera.'

'Het moet een béétje een verrassing blijven,' protesteerde ze. 'Geloof me, je zult niet teleurgesteld worden.'

'Wat weten ze eigenlijk precies van me?' vroeg ik.

'Alleen wat we ze verteld hebben. Ik heb er nog aan toegevoegd dat je moeder erg dominant was, en jij gefrustreerd. Daarom heb je nooit een echt vriendje gehad of zelfs maar een los-vaste vriend. Behalve Deidre natuurlijk, geloofden ze alles wat ik zei.'

'Kun je me tenminste vertellen wat jullie precies doen in die club?'

'We praten en geven raad en helpen elkaar.'

'Met seks?'

'Je zult wel zien. Het is beter als je het allemaal zelf ziet en hoort.'

Ze liep naar de ladekast en bekeek een van de foto's van Alena. Er stonden een stuk of tien foto's in de suite, maar ik zag er maar een van Alena en Kiera samen. De meeste andere foto's waren van Alena met mevrouw March of van meneer en mevrouw March. Alena had de foto's genomen of Kiera was er gewoon niet bij toen ze genomen werden.

Ze nam een van de foto's op en bestudeerde die even voor ze hem voorzichtig weer neerzette.

'Hoe oud was ze op die foto?' vroeg ik.

'Tien. Dit was een schoolfoto toen ze in de vijfde klas zat.'

'Ze zou een heel mooie vrouw zijn geworden.'

'We hebben exact dezelfde ogen en neus.' Ze draaide zich naar me om. 'Mijn therapeut vindt het heel gezond dat ik jou nu ga zien als een jonger zusje. Ik heb hem verteld dat mijn moeder probeerde tussen ons te komen.'

'Tussen ons te komen?'

'Hij had er een goede verklaring voor,' ging Kiera verder. Ze begon op en neer te lopen als een lerares die een nieuw idee uitlegt. 'Hij zei dat mijn moeder jaloers was op onze ontluikende nieuwe verstand-houding.'

'Heeft hij dat gezegd?'

Ze zweeg even en keek me met samengeknepen ogen aan.

'Hij zei dat mijn moeder jou wil overheersen en dat hoe meer ze jou van mij vervreemdde, hoe gemakkelijker het haar zou vallen jou in Alena te veranderen. Je wilt toch niet in iemand anders worden veranderd? Of wel?'

'Nee, natuurlijk niet.'

'Mooi.' Ze kwam een stap dichterbij. 'Wees op je hoede. Mijn moeder zal je blijven waarschuwen voor mij en me misschien zelfs een duivelin noemen. Daarom was ze zo kwaad toen ze je zag in de kleren die ik je had gegeven en met make-up. Daarom wilde ze niet dat ik met je naar school ging. Ze zou het prachtig vinden om je heen en terug op te sluiten in die limousine en daarna in je kamer. Zelfs ons personeel laat ze als spionnen voor haar werken, dus pas op met wat je zegt en doet als een van hen in de buurt is.'

Ze glimlachte en ontspande zich.

'Maar je hoeft niet bang te zijn. Mijn vader doorziet het allemaal. Hij zal steeds meer aan onze kant staan.'

Een ogenblik lang zei ik niets. Ze deed alsof er een oorlog gevoerd werd in dat grote huis, en ik de prijs was, de buit.

'Hou je niet van je moeder?' vroeg ik.

Ze haalde haar schouders op. 'Ik denk dat ik van haar hou zoals een dochter verondersteld wordt van haar moeder te houden, maar ik heb altijd beter overweg gekund met mijn vader, en toen Alena geboren was, leek het mijn moeder trouwens niet veel meer uit te maken. Ze was dol op Alena. Ik kon niets goed doen, en Alena kon niets verkeerd doen. Zo is het nu weer sinds jij er bent,' zei ze, maar toen glimlachte ze weer. 'Ik vind het niet erg. Ik voel me prima. En dat zul jij ook, omdat ik je niet zal laten veranderen in iemand die je niet bent. Jij bent mijn... *cause célèbre*. Hoe vind je die? Ik heb wel wát geleerd in de Franse les!' Ze zei het alsof ze op het toneel stond. 'O, ik hoorde dat Ricky zijn vader een weekend om de boot wil vragen en met jou en de rest van ons naar Catalina wil varen.'

'Ja, een van de komende weekends, zei hij.'

'Zijn vader laat hem om het weekend in een van zijn apotheken werken.'

'Eén? Hoeveel hebben ze er dan?'

'Een stuk of tien, geloof ik. Hij verwacht dat Ricky ook apotheker zal worden en het bedrijf op een dag van hem zal overnemen. Ze hebben een prachtige boot. Hij heeft niet veel meisjes uitgenodigd. Ik heb je al gezegd dat hij je aardig vindt. Ik hoop dat hij de boot krijgt. Zijn vader vindt het goed omdat hij hem vertrouwt. Mijn moeder wil niet dat papa mij de boot laat gebruiken, zelfs al heb ik iemand als Ricky om te sturen. Maar dat komt nog wel...' Ze haalde diep adem en lachte. 'Voor het eerst na een therapie heb ik honger. Zie je straks beneden.' Ze liep de kamer uit.

Ik stond op en bekeek de foto van Alena die ze zo aandachtig had bestudeerd. Ik vond niet dat ze dezelfde ogen en neus hadden, integendeel. Alena had een veel popperiger uiterlijk, en haar ogen waren warmer, vriendelijker. Volgens Kiera zat Alena pas in de vijfde klas toen de foto werd gemaakt, maar ze had een onschuld die me aan mijzelf deed denken, kwetsbaar, bereid om vertrouwen te hebben en te geloven in iemand en in de toekomst. Zoveel moeite zou het mevrouw March niet kosten mij in dit meisje te veranderen. Ik was meer met haar verwant dan met Kiera.

Ik ging verder met mijn huiswerk en kon zelfs nog twintig minuten oefenen op mijn klarinet voor ik naar beneden ging om te eten. Iedereen was er al. Kiera keek naar me met een veelbetekenende glimlach, knipoogde even alsof we nu samenzweerders waren, die allebei haar ouders bewerkten, ze manipuleerden.

Tijdens het eten herinnerde Kiera mevrouw March eraan dat we die middag later uit school kwamen omdat we auditie wilden doen voor de schoolopvoering. Voordat haar moeder iets kon zeggen of vragen, begon haar vader te vertellen over zijn eigen toneelervaringen op high school.

'Ik speelde in een stuk dat *Harvey* heette, over dat grote, onzichtbare konijn.'

Ik kende het niet, en Kiera blijkbaar ook niet. Hij ging door en vertelde ons bijna het hele verhaal.

'O, papa!' riep Kiera uit toen hij het einde beschreef. 'Dat lijkt me enig!'

'Dat was het ook. Dat is het. Eigenlijk zou jullie school dat moeten opvoeren. Op zijn minst zouden jullie het moeten lezen of de film huren.'

Mevrouw March schoof haar bord opzij. 'We hebben die film zelf gehad, Donald, maar Kiera verveelde zich en ging weg.'

Even keek hij verbaasd op, dacht even na, en knikte toen. 'Ja, ik herinner het me weer. Je hebt gelijk.'

'Toen was ik een stuk jonger,' zei Kiera snel. 'Bovendien heb je me nooit verteld dat jij op high school daarin gespeeld hebt, papa. Dan zou ik er meer aandacht aan hebben besteed en hem tot het eind toe hebben uitgekeken.'

'Dat hééft hij je verteld, Kiera,' zei mevrouw March zacht. 'Vlak voordat we ernaar gingen kijken.'

'Nou, dat herinner ik me niet.' Ze keek even naar mij voor ze tegen haar moeder snauwde: 'Je hebt ook altijd iets op me aan te merken.'

'Ik zeg alleen...'

'Je grijpt elke gelegenheid aan om me een slecht figuur te laten slaan tegenover Sasha,' ging Kiera verder en sprong overeind. 'Ik snap niet waarom ik nog in therapie ben. Ik ga erheen, maak vorderingen, en dan kom ik thuis en jij bederft alles weer,' klaagde ze en verliet de eetkamer.

De stilte die volgde was zo oorverdovend als vlak na een bom.

'Donald,' zei mevrouw March, 'ze kan niet...'

Hij stak zijn hand op om haar het zwijgen op te leggen. 'Laten we nu maar in alle rust verder eten,' zei hij, en dus aten we, gaven een show weg van simpele gebaren, het doorgeven van borden, zout en peper en boter, alsof we allemaal doof waren.

Toen ik naar boven ging, hoorde ik Kiera huilen in haar kamer en klopte zachtjes op haar deur.

'Als jij het bent, moeder, ga dan weg.'

'Ik ben het, Sasha.'

Ze deed open en draaide zich toen snel om en liet zich weer op bed vallen.

'Zie je nou? Zie je nou dat mijn therapeut gelijk heeft? Je was erbij!' riep ze uit en stompte op het matras.

'Wat ik ook doe of zeg, ze staat altijd klaar om me te vernederen.' Ze draaide zich naar me om. 'Hoe kan iemand nou een beter mens worden in dit huis? Vertel me dat eens! Je was erbij. Je hebt het gezien. Je hebt haar gehoord.'

Ze wachtte op mijn antwoord. Ik wilde geen partij kiezen, maar knikte.

'Nou, we zullen meer een eenheid moeten vormen,' zei ze en ging rechtop zitten. 'De volgende keer dat ze kritiek op me heeft, zou je voor me op kunnen komen, iets zeggen.'

'Wat kon ik zeggen?'

'O, bijvoorbeeld... "Kiera doet haar best". Zeg alleen dat maar. Mijn vader pakt het wel op. Ik kan zien dat hij op je gesteld is. Misschien dat mijn moeder ons dan met rust laat en ons niet zo zit te treiteren.'

Ik vond eigenlijk niet dat ze ons zo treiterde, maar ik sprak haar niet tegen.

Kiera glimlachte en pakte mijn beide handen vast. 'Bedankt dat je bent langsgekomen om te zien hoe het met me gaat, Sasha. Lief van je. Verdienen doe ik het niet natuurlijk. Niet eens dat je zelfs maar beleefd tegen me bent, maar ik wil het op een dag echt verdienen. En ga nu maar op je klarinet spelen. Ik weet dat je het belangrijk vindt en het goed wil leren. Bovendien vind ik het prettig om het door de muur heen te horen.'

Ik liep naar de deur.

'Laat hem maar een eindje open,' zei ze. 'En jouw deur ook. Dan kan ik je beter horen.'

'Oké, maar zo goed speel ik nog niet.'

'Beter dan ik, al zegt dat niet veel.'

'Heb je nooit een instrument bespeeld?'

'Het hart.'

'Je bedoelt de harp?'

'Nee, het hart,' zei ze lachend.

Even vond ik dat ze op Alena leek, onschuldig, jong en kwetsbaar.

Beneden ben je doof, zei een waarschuwend stemmetje in mijn hoofd. *Hierboven ben je blind.*

Ik oefende meer dan een uur voor ik me gereedmaakte om naar bed te gaan. In bed las ik vast wat vooruit in mijn Engelse leerboek. Ik was vergeten dat ik de deur open had gelaten. Voordat ze iets zei,

moest mevrouw March al een tijdje in de deuropening hebben gestaan om naar me te kijken. Ten slotte voelde ik haar blik en liet
mijn boek zakken.

Ze glimlachte. 'Toen ik je zo zag liggen lezen, deed je me heel erg
aan Alena denken. Ze las graag, in tegenstelling tot Kiera. Ze las al
die boeken die je hier op de planken ziet staan. Allemaal. Ik weet
het, want ze kon me urenlang de verhalen vertellen of over de diverse karakters praten. Ze ging er altijd zo in op. Ze praatte over
haar boeken met iedereen die maar wilde luisteren.'

Ze liep de kamer in.

'Ik trok het me erg aan als ze probeerde Kiera een verhaal te vertellen en Kiera wimpelde haar af en zei dat het stom was of tijdverspilling. Ik weet dat Kiera een charismatische jonge vrouw kan
zijn, Sasha. Ze is mooi, en de jongens komen op haar af als bijen op
honing, maar ze heeft nog niet de volwassenheid en verantwoordelijkheid die ze zou moeten hebben, en ik maak me bezorgd over
haar. En nu moet ik me ook zorgen maken over jou. Wees alsjeblieft voorzichtig. Ik weet hoe gemakkelijk het is om in de val te
lopen op jouw leeftijd. Is er iets wat je me wilt vertellen?'

'Nee, alles gaat goed, mevrouw March.'

'Ik hoop dat je me op een goede dag moeder kunt noemen. Niet
dat ik je moeder wil vervangen,' ging ze snel verder. 'Ik wil alleen
dat we wat closer worden.'

'Dat is op het ogenblik nog heel moeilijk voor me, mevrouw
March,' zei ik.

Ik zag dat mijn antwoord hard aankwam. Even leek het of ze tranen in haar ogen zou krijgen, maar toen forceerde ze een glimlach.
'Natuurlijk. Alles heeft zijn juiste plaats en het juiste moment.'

Ze keek om zich heen, glimlachte weer en wenste me welterusten.
Zachtjes deed ze de deur achter zich dicht. Nog geen minuut later
ging de deur weer open. Ik dacht dat ze iets was vergeten, maar het
was Kiera.

'Je hebt mijn deur een eindje opengelaten, weet je nog?'

'Ja.'

'Ik heb alles gehoord wat ze zei. Ik lees niet. Ik wilde niet luisteren naar Alena. Ik ben niet volwassen en verantwoordelijk. Snap je nu wat ik zei? Dat was een leugen. Ik luisterde altijd naar Alena. Ze zat naast me op de grond en vertelde me haar verhalen, terwijl ik mijn nagels vijlde of mijn haar borstelde. Ze kwam zelfs binnen als ik in bad zat en dan ging ze op de grond zitten vertellen.'

Nu leek zij degene die op het punt stond te gaan huilen.

'Ik hoop dat je haar nooit moeder zult noemen,' zei ze. Toen draaide ze zich om en holde de kamer uit, de deur met een klap achter zich sluitend.

Het klonk belachelijk, krankzinnig zelfs, maar ik mompelde bij mezelf: 'Misschien was ik beter af op straat.'

26

De VA-club

Ik was zenuwachtig vanaf het moment dat ik die ochtend in Kiera's auto stapte, en dat bleef ik de hele dag. Tijdens de muziekles deed ik het goed genoeg om ontevreden blikken of woorden van Denacio te voorkomen, en ik kreeg een acht voor een proefwerk Engels, maar die hele dag kreeg ik soms hartkloppingen en raakte ik in ademnood. Ik wist dat het kwam door het vooruitzicht van Kiera's geheime VA-club, en omdat we gelogen hadden tegen mevrouw March over die auditie voor een schoolopvoering. Als en wanneer ze erachter kwam zou ze zich overstuur maken omdat ik erin was meegegaan, maar ik voelde dat als ik me bedacht, Kiera weer net zo zou worden als toen ik hier pas kwam.

Ik was er erg goed in om te doen of er niets aan de hand was. Ricky was de enige die voelde dat er wat veranderd was. Kiera en haar andere vrienden waren net zo vrolijk als altijd, lachten, roddelden over andere jongens en meisjes in hun klas en over de docenten. Niemand scheen te merken dat ik opvallend stil was. Pas aan het eind van de lunchpauze zei iemand iets over de VA-club. Deidre kwam naast me lopen toen we teruggingen naar de klas en zei: 'We verheugen ons erop dat je vandaag komt.'

Voor ik kon antwoorden liep ze weg en liet me alleen achter met Ricky, die nu nog achterdochtiger keek.

'Waarom moest ze zo fluisteren? Wat voeren jullie duivelinnen in je schild?'

Het eerste wat bij me opkwam was dat als ik zelfs maar suggereerde dat we na schooltijd bij elkaar zouden komen, hij er een op-

merking over zou maken, en dan zouden Kiera en de anderen denken dat ik ze nu al had verraden.

'Niks bijzonders,' zei ik. 'Meidenpraat.'

'Hm, daar is niet veel aan,' antwoordde hij en liep de rest van de
dag rond met een plagende glimlach. Kiera had nooit gezegd dat
een van de jongens op de hoogte was van het bestaan van de club, of
erheen zou gaan. Was dat een van de verrassingen die me wachtte?

Toen de bel aan het eind van de laatste les ging, leek mijn hart
wel een jojo. Kiera was eerder bij de deur van mijn klas dan ikzelf.
Ze moest gehold hebben zodra de bel ging. Ze had me verteld dat
ze soms voorwendde dat ze dringend naar het toilet moest om net
even eerder weg te kunnen.

'Kom,' zei ze. 'We kunnen niet langer bij Deidre blijven dan een
auditie zou duren, denk eraan.'

Ik volgde haar zo snel mogelijk naar buiten. Ik vond het afschuwelijk als zij of iemand anders me dwong om me te haasten, zodat
mijn kreupelheid nog meer opviel. Ik wist dat er leerlingen waren,
zelfs in mijn eigen klas, die me belachelijk maakten. Ik zag geen van
de andere meisjes van Kiera's vriendengroep toen we op de parkeerplaats kwamen. Toen ik naar hen informeerde, antwoordde ze dat
ze al weg waren. Deidre had zelfs een excuus verzonnen om vóór
de laatste les te kunnen vertrekken.

'Ze maken zich nogal druk als we het eens zijn over een mogelijk nieuw lid van de club,' zei ze toen ze in haar auto stapte. 'Er zijn
hopen meisjes die graag lid willen worden, maar we zijn erg kies-
keurig. Meestal komt een nieuwe leerling zelfs überhaupt niet in
aanmerking, maar omdat ik voor jou heb ingestaan en iedereen, behalve Deidre, denkt dat je mijn nichtje bent, word je geaccepteerd.
Blij?'

'Ik weet het niet. Ik weet nog steeds niet wat de club nu eigenlijk
doet.'

'O, dat zul je weten voordat de bijeenkomst is afgelopen.' Ze bleef
staan bij de auto op het parkeerterrein en draaide zich naar me om.
Haar gezicht werd strakker en ze keek serieuzer dan ik haar ooit
had gezien. 'Niets wat we samen doen, niets wat we elkaar zeggen

of beloven, zal ons dichter bij elkaar kunnen brengen dan je lidmaatschap van de VA,' zei ze. 'Daar kun je zeker van zijn. We zijn closer dan echte zussen, en elk lid van de club vertelt haar diepste geheimen liever aan een van ons dan aan haar eigen zus.'

Ze reed weg. Ik was diep onder de indruk. Nooit had ik kunnen dromen dat ik intiem bevriend zou raken met meisjes die ouder waren dan ik, en dat nog wel op een nieuwe school. Volgens Kiera zou ik nu nog specialer zijn. Ik had het gevoel dat ik in een raket zat, en niet alleen door de manier waarop Kiera reed. Uitstapjes naar Disneyland, party's, boottochtjes, alles lag voor me als het beloofde land vol pret en pleziertjes. Over enkele maanden, dacht ik, zal ik me niet eens meer herinneren dat ik ooit dakloos ben geweest.

Deidres huis lag in een beschermde wijk. De bewaker controleerde of Kiera op de lijst stond en deed toen het hek voor ons open. Alle huizen waren groot en mooi, maar niet een was zelfs maar half zo groot als dat van de Marches. Wat niet wilde zeggen dat het huis van Deidres ouders in Pacific Palisades niet schitterend was. Toen we dichterbij kwamen, vertelde Kiera wat meer over Deidre. Ze legde uit dat geen van hen veel over zichzelf vertelde aan iemand die geen lid was van de VA.

'We hebben een heilig vertrouwen in elkaar,' zei ze. 'Als een van ons ooit haar mond voorbij zou praten over een lid van onze club, zou ze slechter zijn dan een seriemoordenaar. Maar nu mag ik je wel wat meer vertellen over Deidre. Zoals je weet, is ze enig kind. Ik raakte meer bevriend met haar dan met een van de anderen, omdat ik me eerlijk gezegd ook een enig kind voelde, vooral toen Alena geboren werd. Ik denk dat je begint te begrijpen waarom.

'Zoals ik je heb verteld, is Deidres vader een vooraanstaand bedrijfsadvocaat in Century City. Haar moeder werkt samen met haar vader. Ze is zijn privésecretaresse. Ik denk dat ze dat is geworden omdat de meeste mannen een mooie vrouw in dienst nemen als privésecretaresse en dan een relatie met haar aangaan.

'O, kijk, iedereen is er al,' merkte ze op, met een knikje naar de drie op de oprijlaan geparkeerde auto's. We stopten vlak achter de auto aan de rechterkant en stapten uit.

Deidres huis was onregelmatig gebouwd in de stijl van een Spaanse hacienda en had een groot binnenplein. Het bood geen uitzicht op zee door de rij bomen aan de westkant, maar het lag hoog genoeg om het landschap en de lichten van delen van Los Angeles aan de oostkant te zien. Deidre opende de boogvormige voordeur nog voordat we er waren.

'Iedereen moet vandaag haar schoenen uitdoen,' zei ze. 'We hebben een nieuw kleed in de zitkamer, en mijn moeder doet er hysterisch over.'

Kiera trok haar schoenen uit en ik volgde haar voorbeeld. We zetten ze naast de vier andere paren die er stonden en volgden Deidre toen door de betegelde hal en een gang naar de zitkamer, waar de anderen op comfortabele banken zaten. Op tafel stonden frisdranken en een grote schaal popcorn met kleine kommetjes, maar tot mijn opluchting geen whisky. Het zag er zo onschuldig uit als een clubje tieners maar kon zijn.

'Iedereen weet wie Sasha is,' begon Deidre. 'Sasha, je kent Marcia Blumfield en Doris Norman.'

'Hi,' zei Marcia.

'Ja,' zei Doris. Ze nam een slokje frisdank en keek naar Kiera.

'Ga zitten waar je wilt,' zei Deidre. Ze plofte neer in de grote fauteuil die naast een van de banken stond. Kiera ging naast Margot zitten, en ze maakten een plaats vrij voor mij. 'Als je iets anders wilt dan frisdrank, zeg het dan,' zei Deidre. 'Zorg dat je niet morst of iets op de grond laat vallen, anders stuur ik mijn moeder vanavond laat naar je toe.'

Iedereen lachte. Ik ging zitten, en Kiera schonk een cola in voor zichzelf. Ze bood mij ook een glas aan, maar ik schudde mijn hoofd.

'Wie is deze keer de eerste?' vroeg Margot. 'Ik was de eerste toen we Doris in de club opnamen.'

'Het zou leerzaam kunnen zijn voor Doris om de leiding te nemen, vind je niet?' zei Deidre.

'Bedoel je dat sinds onze laatste bijeenkomst niemand meer gevaarlijk gevrijd heeft?' vroeg Marcia.

Ze lachten weer.

'Oké, ik zal de eerste zijn,' zei Doris. Ze keek naar Kiera. 'Tenzij ik me vergis.'

'Je vergist je niet,' zei Kiera. 'Ga door.'

'Nou, jullie weten allemaal dat mijn vader een bowlingbaan heeft in Manhattan Beach. In de week doe ik daar vaak dienst als serveerster in het café. Ik ben altijd al verliefd geweest op de zoon van de barman, Crawford.'

'Verliefd. Laat me niet lachen,' zei Margot. Ik merkte dat ze na praktisch alles wat ze zei naar Kiera keek om te zien of het Kiera's goedkeuring kon wegdragen.

'Nou, hoe zou jij het dan noemen?' vroeg Doris.

'Honger,' zei ze, en iedereen lachte, zelfs Doris.

'Oké, honger. Hoe ik ook met hem flirtte als hij er was, hij scheen het niet te merken of het leuk te vinden. Maar het laatste weekend wel,' zei ze glimlachend.

'Klinkt niet erg gevaarlijk,' zei Marcia.

'Daar ben ik nog niet aan toe, slimmerik.'

Ik vroeg me af waarom het gevaarlijk moest zijn, maar herinnerde me Kiera's waarschuwing dat ik geen vragen moest stellen. Maar ze moest het gevoeld hebben, want ze keek naar me.

'Sasha vraagt zich waarschijnlijk af wat dat "gevaarlijk" ermee te maken heeft, hè, Sasha?'

Ik keek naar de andere meisjes. Alle aandacht was op mij gericht. 'Ja,' zei ik.

'We kwamen op het idee om het wat extra opwindend te maken,' zei Kiera.

'Je bedoelt dat jij op het idee kwam,' zei Deidre.

Kiera glimlachte. 'Hoe dan ook.' Ze draaide zich weer naar mij om. 'Weet je, Sasha, sommige recente seksuele episodes die hier ter sprake kwamen waren nogal middelmatig.'

'Dat zeg jij,' reageerde Deidre. 'Ik was heel tevreden de laatste keer.'

'Er is maar weinig voor nodig om Deidre tevreden te stellen,' zei Kiera, en iedereen lachte weer, ook Deidre. 'In ieder geval werd er een suggestie gedaan door *moi* om de ultieme seksdaad zoveel mogelijk in het openbaar of in aanwezigheid van een derde te laten plaatsvinden, zonder te worden betrapt natuurlijk. Dat is wat we bedoelen met gevaarlijk. Wat ons weer terugbrengt bij Doris. Ga verder, Doris.'

'Die dag bleef Crawford langer hangen dan gewoonlijk. Ik kon voelen dat hij voortdurend naar me keek met die leuke, sexy glimlach van hem. Tot mijn verbazing, en verrukking mag ik wel zeggen, wachtte hij tot ik klaar was met mijn dienst, en daarna gingen hij en ik wat eten en drinken, voornamelijk drinken. Hij schonk stiekem wat wodka voor me in. Zijn vader vroeg hem om iets voor de bar uit de voorraadkamer te halen, en ik ging met hem mee. Toen we daar waren begonnen we te zoenen.'

'Voorraadkamer?' kermde Marcia. 'Dat is nauwelijks gevaarlijk te noemen.'

'Wil je alsjeblieft even geduld hebben?' zei Doris stampvoetend.

'Ze heeft gelijk. Overhaast haar niet. Je moet het nooit overhaasten, meiden,' zei Kiera onder algemeen gelach. 'Ga verder, Doris.'

Doris' ogen schoten vuurpijlen af op Marcia, en toen vervolgde ze: 'Hij probeerde mijn rok los te maken en ik zei: "Nee, niet hier." Ik dacht aan onze nieuwe VA-gelofte.'

'Waar gingen jullie naartoe?' vroeg Margot, zich naar haar toe buigend. De meisjes waren nu een en al aandacht.

'Ik nam hem bij de hand en ging naar een ruimte vlak achter de kegels. We vrijden op het geluid van de bowlingballen en de omvallende kegels,' zei ze trots.

Marcia grinnikte. 'Dat stelt niet veel voor. Ik denk niet dat iemand je kon zien.'

'Jij bowlt niet in de bowlingzaal van mijn vader. Iedereen die langs de kegels kijkt had ons kunnen zien. Dat telt toch mee, hè, Kiera?'

'Het telt wel mee, ja. Maar het was niet zo gevaarlijk als die keer dat Margot het met Perry Gordon deed onder het raam van haar vaders kantoor thuis.'

Doris keek teleurgesteld. 'Nou, ik vond het heel slim van me. En Crawford raakte heel opgewonden, net zoals jij zei. Hij kon niet geloven dat ik het daar wilde doen.'

'Het wás slim. Het was heel goed, Doris. Ik wilde niet zeggen dat het niet zo was,' zei Kiera, en de zure, teleurgestelde uitdrukking op het gezicht van Doris verdween als sneeuw voor de zon en werd vervangen door een voldaan glimlachje. Ze knikte naar Marcia.

'Zo te zien, geloof ik niet dat Sasha ons begrijpt, niet snapt waar we het over hebben of wat we geloven,' zei Margot. Iedereen keek naar mij.

'Ik wilde jullie maar een tijdje laten praten om haar nieuwsgierigheid te prikkelen,' zei Kiera, en ging toen verder tegen mij. 'Je weet wat Alcoholics Anonymous is, hè?'

Even kreeg ik geen adem meer. Ze wist heel goed dat ik daarvan op de hoogte was. Alcoholics Anonymous was een instelling waar mijn moeder geregeld naartoe had horen te gaan, zelfs al voordat we op straat terechtkwamen. Ik keek even naar Deidre en zag hoe ze me aankeek, mijn reactie peilde. Ze vertrok geen spier. Ze knipperde zelfs niet met haar ogen.

'Ja, dat weet ik.'

'Nou, dan is het niet moeilijk te begrijpen,' zei Kiera. 'Alcoholisten gaan daarheen om de alcohol af te zweren. Wij komen hier bijeen om de maagdelijkheid af te zweren.'

Alsof ze verwachtten dat ik geschokt of negatief zou reageren, kwamen ze stuk voor stuk met een argument.

'Waarom zouden alleen jongens zich schamen dat ze maagd zijn?' vroeg Margot.

'Waarom zouden alleen jongens genieten van seks wanneer ze maar kunnen of willen?' deed Marcia een duit in het zakje.

'Waarom zouden alleen jongens mogen opscheppen dat ze zo goed kunnen vrijen?' vroeg Doris.

'Waarom zouden wij altijd nee moeten zeggen?' vroeg Deidre.

'De meeste jongens, degenen die echt goed kunnen vrijen, willen het trouwens toch niet doen met een maagd,' zei Kiera. 'En als ze dat doen, gedragen ze zich altijd alsof ze het meisje een grote gunst bewijzen.'

'Wat wij hier doen is elkaar steunen, adviseren en beschermen,' zei Deidre tegen mij. 'Elk meisje dat alleen is, is kwetsbaar en bang.'

Je boft dat Kiera je heeft meegenomen. Misschien besef je het nu nog niet, maar dat zal niet lang duren.'

'Ze denkt dat ze zich niet ongerust hoeft te maken omdat ze pas veertien is,' zei Kiera, alsof ze mijn gedachten kon lezen.

'Ik was ook pas veertien de eerste keer,' zei Margot.

'Ik was nog niet eens veertien,' zei Marcia.

'Ik moet eerlijk bekennen dat ik bijna vijftien was,' zei Doris.

'Zoals jij eruitziet, zal je niet lang maagd blijven,' zei Deidre. 'Als Kiera je aankleedt en opmaakt, lijk je achttien, negentien. Daarom keken al die studenten naar je die avond in Westwood.'

'Je hebt geen moeder of vader,' zei Marcia, 'maar iedereen hier zal je vertellen dat ze het gemakkelijker vindt om met vragen naar een van ons te gaan dan naar haar moeder. Welke moeder zou de VA-club accepteren? Ook al verloor ze haar maagdelijkheid waarschijnlijk toen ze net zo oud was als wij, toch zou ze je een gevoel van schaamte willen opdringen als je er zelfs maar aan durfde te denken.'

'Precies,' zei Doris.

'Nou, wat vind je ervan?' vroeg Kiera aan mij. 'Wil je lid worden van onze club, bij ons horen, bij de sekszusters?'

De anderen lachten.

'Of wil je in je eentje verder leven?' voegde ze eraan toe.

Ik keek hen stuk voor stuk aan. Ze wachtten allemaal vol spanning op mijn antwoord. 'Ik dacht dat als je je maagdelijkheid eenmaal kwijt bent, je die niet meer terug kunt krijgen.'

'Nee, niet fysiek,' zei Deidre, 'maar je kunt een mentale maagd worden, wat net zo stom is.'

'Ik weet nog steeds niet zeker wat ik moet doen,' zei ik.

Doris lachte luid.

'Eerst leg je de eed af, en dan krijg je de tatoeage,' zei Deidre.

'Wat voor tatoeage?'

'Meiden?'

Ze stonden allemaal op. Doris en Marcia maakten hun spijkerbroek los en lieten hem zakken, waarna ze zich omdraaiden en me een tatoeage lieten zien van VA in fantasievolle letters, vlak boven de bilspleet. Deidre en Margot tilden hun rok op om dezelfde tatoeage te laten zien, op dezelfde plek, en toen stond Kiera op, liet haar spijkerbroek zakken en liet die van haar zien.

'Jij krijgt die van jou vrijdag na school,' zei ze. 'Ik vind dat Sasha het in een kalligrafie moet laten tatoeëren. Haar moeder deed aan kalligrafie en zij doet het nu ook in de tekenles. Iemand bezwaar?'

Niemand zei iets.

'Deidre, maak jij een afspraak met de tatoeëerder en vertel hem hoe we het willen.'

'Eerst de eed,' bracht Deidre haar in herinnering.

'Ja, de eed.'

'En dan?' vroeg ik met bonzend hart.

'En dan helpen we je om je te bevrijden van je fysieke en mentale maagdelijkheid,' zei Margot.

'Ze is gisteren ongesteld worden,' zei Kiera.

'Geen haast,' zei Doris. 'Ze ziet er net zo onschuldig uit als ik vroeger.'

'Ha,' zei Marcia. 'Toen jij geboren werd en je vader vroeg of je een jongen of een meisje was, zei de dokter "sloerie".'

Ze lachten. Doris gooide een kussen naar haar hoofd. Marcia dreigde haar cola naar haar toe te gooien.

'Pas op het kleed!' gilde Deidre.

'Er is nog één belangrijk extra voordeel,' zei Margot tegen mij toen ze weer gekalmeerd waren. Ze keek naar Kiera.

'Ze heeft gelijk. Als we zeggen dat we je zullen helpen je te bevrijden, zullen we er ook voor zorgen dat je het doet met de juiste jongen.'

'Niemand kent de jongens op school beter dan wij,' zei Deidre.

'De eed!' riep Doris.

'De eed,' viel iedereen haar bij.

Deidre reikte onder haar stoel en haalde een agenda tevoorschijn.

Ik keek naar Kiera. 'Wat is dat?'

'Deze agenda bevat een beschrijving van de eerste seksuele ervaring van elk VA-lid,' zei Deidre. 'Als jij die van jou hebt gehad en je schrijft het op in deze agenda, mag je ook die van de anderen lezen. Leg je rechterhand erop.'

Meenden ze het serieus? Was het een grap? Niemand glimlachte en in geen van hun ogen was een spoor van humor te bekennen. Niemand zou opspringen en 'Eén april!' roepen of zoiets. Ze hadden in de kerk niet ernstiger kunnen zijn.

Ik legde mijn hand op de agenda.

'Zeg me na. Ik, Sasha Porter, zweer plechtig dat ik mijn intiemste seksuele gedachten zal delen met mijn zusters en met niemand anders.'

Ik herhaalde het.

'Ik zweer hierbij de maagdelijkheid af, en ik zal nooit het vertrouwen van mijn zusters beschamen of over de VA-club spreken met iemand die geen lid is.'

Toen ik ook dat herhaald had, legden alle meisjes hun rechterhand op die van mij. Ze sloten hun ogen als in stil gebed. Ik deed ook mijn ogen dicht.

Stuk voor stuk omhelsden ze me en liepen terug naar hun plaats.

'En nu,' zei Kiera glimlachend, 'zal ik jullie vertellen hoe ik deze week gevaarlijk heb gevrijd.'

Als kinderen in de kleuterklas die zich verzamelen rond hun onderwijzeres, leunden de meisjes naar voren. Ondanks wat Kiera op het punt stond te beschrijven, was ik verzonken in mijn eigen gedachten.

Of liever gezegd in één enkele vraag.

Wat had ik zojuist gezworen te doen en te zijn?

27

De eed

'Ik was echt trots op je daarbinnen,' zei Kiera toen we naar huis reden. 'Een paar van de meisjes waren bang dat je te jong was. Natuurlijk kennen ze je verleden niet. Opgroeien op straat, zien wat jij hebt gezien, heeft je beslist volwassener gemaakt dan zij zijn.'

'Ik heb niet veel meer gezien dan arme mensen die probeerden aan eten te komen, Kiera.'

'Je weet best wat ik bedoel.'

Dat wist ik niet, maar ik zei niets. Als ze dat dacht, mij best. Op het ogenblik leek het me beter het zo maar te laten.

'Maar je kunt niet naar school in die kleren uit *Alice in Wonderland*,' ging ze verder. 'Ik zal je meer kleren van mij geven om te dragen. Mijn moeder moet beseffen dat je geen kind van tien meer bent, en jongens zullen je niet serieus nemen als je eruitziet als iemand uit *Sesam Straat*.'

'Ricky schijnt me toch aardig te vinden.'

'Hij is een van ons. Bovendien is hij maar één jongen. Je wilt toch zeker niet nu al afhankelijk worden van één jongen? Daar draait onze club nou juist om. Meisjes zijn gewoon fanatiek op zoek naar een vaste vriend. Het huis is te klein als ze geen date hebben om uit te gaan of voor het schoolbal of zo. Wij hebben geen last van al die angst en pressie.' Ze glimlachte. 'En het maakt de jongens helemaal gek dat we zo onverschillig doen. Wij hebben ons lot in eigen hand. Dat snap je toch, hè?'

'Ja.' Ik snapte het. Wat ze zei leek me zinnig en maakte me wat minder ongerust over wat ik gezworen had te zijn en te zullen doen.

Gelukkig was mevrouw March niet thuis toen we terugkwamen. Ik hoefde haar niet meteen te begroeten met bedrog. We gingen regelrecht naar onze kamers, maar Kiera wilde dat ik, als ik mijn huiswerk had klaargelegd, bij haar in de kamer kwam, zodat ze wat kleren voor me uit kon zoeken voor school. Dat was waar mevrouw March ons vond. Kiera had minstens vijf combinaties op bed uitgespreid.

'Wat heeft dat te betekenen?' vroeg ze, zodra ze bij Kiera binnenkwam.

'Kleren die ik Sasha wil lenen, moeder. Ze heeft niks dat echt stijlvol is. Alena's kleren zijn nu gewoon niet geschikt voor haar,' zei Kiera.

'Stijlvol? Ik kan de kleren die jij naar school draagt nauwelijks stijlvol noemen, Kiera.'

'Dat zijn ze wel voor mij en mijn vrienden, moeder,' zei ze, op een toon die ik voor Kiera opmerkelijk beheerst vond. Ze glimlachte zelfs naar haar moeder. 'Je bent vergeten hoe het was om een tiener te zijn. Ik weet zeker dat jouw moeder ook klaagde over de kleren die je droeg.'

Mevrouw March kwam dichterbij om te zien wat er op het bed lag. 'Ik kan me niet herinneren dat je dat ooit hebt gedragen.'

'Waarom verbaast me dat niet?' vroeg Kiera, rollend met haar ogen. 'Sasha vindt ze leuk.'

Ik had er niets over gezegd, maar mevrouw March keek me aan alsof ze me betrapt had op verraad, en ontspande zich toen als iemand die haar nederlaag accepteert.

'Hoe ging de auditie?' vroeg ze.

'We vonden het geen van beiden echt de moeite waard,' zei Kiera. 'We denken er nog eens over na.'

'Waarom?'

'Moeder, doe een beetje kalm aan. Sasha staat al genoeg onder druk omdat ze zich moet aanpassen op een nieuwe school, nieuwe vrienden moet maken, klarinet moet leren spelen, en wat dies meer zij.'

Weer keek mevrouw March naar mij om mijn reactie te zien. Ik zweeg. Ik zat al diep in een leugen, dacht ik, en had het gevoel dat ik in de val zat.

'Goed,' zei ze. 'Ik heb een afspraak met je vader om te gaan dineren. Zorg dat mevrouw Duval en mevrouw Caro geen last van je hebben.' Ze liep de kamer uit.

Ik wist dat mevrouw March zich bezorgd maakte over ons, maar Kiera keek alsof het haar niets kon schelen. Ze bleef kleren tevoorschijn halen en gooide op bed wat haar beviel met kreten van 'Dit zal je geweldig staan! Dit is perfect!'

Ze deed een stap achteruit. 'Je hebt ook wat sieraden nodig, en ik heb een horloge dat jij mag hebben. Hier.' Ze haalde haar horloge van haar pols en gaf het aan mij.

'Maar dat is jouw horloge.'

'Ik heb er meer dan twintig, doe niet zo mal.'

'Twintig?'

'Het zijn echte diamanten, hoor.'

Ik bevestigde het horloge om mijn pols.

'Staat je goed.'

Ze gooide een doos met oorbellen, armbanden en kettingen leeg op het bed naast de kleren en begon ze te combineren. Ze had zoveel dat ik dacht dat ze haar eigen juwelierswinkel zou kunnen openen.

'Zijn er erg dure dingen bij?'

'Ze zijn allemaal erg duur. Ik koop geen rommel, en ik laat mijn ouders ook geen rommel voor me kopen. Al zouden ze dat natuurlijk nooit doen. Er is niets bij waarvoor je je hoeft te schamen.'

'Dat bedoel ik niet. Ik wil niet iets duurs verliezen. Dat maakt me zenuwachtig.'

Ze lachte. 'Om te beginnen heeft papa onze juwelen verzekerd, en verder zou ik ook zonder verzekering alles zo kunnen vervangen, dus maak je daar maar niet druk over. Daar,' zei ze en deed weer een stap achteruit. 'Je hebt voor elke dag een andere outfit met de juiste oorbellen, kettingen, armbanden en ringen. Pas ze maar aan. O, wacht even!' Ze onderzocht mijn oren. 'Je hebt geen gaatjes. Heeft je moeder nooit je oren laten piercen?'

'Nee. Ze vond me niet oud genoeg.'

'Verdomme. Dan heb je niks aan de meeste van die oorbellen. We zullen je oren moeten laten piercen. We doen het dit weekend.'

Ik keek op het horloge dat ze me had gegeven.

'Wil je eens ophouden met dat gepieker over je huiswerk? Na het eten laat ik je alleen. Ik beloof het je plechtig.' Ze stak haar rechterhand op.

Ik begon haar kleren uit te proberen en was verbaasd dat alles zo goed paste. En het leek en rook allemaal nieuw. Over alles was ze enthousiast. De topjes zaten strak, hadden plooitjes en een lage halsuitsnijding. De rokjes waren kort en ook strakker dan ik normaal droeg. Er was een fuchsiakleurig haltertopje bij dat weinig aan de verbeelding overliet. Ik vond zelfs dat de kleren die ze mij gaf sexyer waren dan die ze zelf droeg.

'Weet je zeker dat ik dit allemaal kan dragen op school?'

'Natuurlijk. Je kleedt je niet anders dan de meeste meisjes. Bovendien moet je laten zien wat je hebt. Dat is mijn motto, en dat hoort ook dat van jou te zijn. Je hebt een prachtig figuur.'

Ik voelde nog steeds tegenzin. 'Je moeder was nogal overstuur.'

'Logisch. Ze geeft je Alena's kamer, laat je op Alena's klarinet spelen en Alena's kleren dragen. We weten waarom, en we weten ook hoe we daarover denken, ja, toch?'

'Ja.'

'Goed. Ik heb honger,' verklaarde ze voor ik verder nog iets kon zeggen. 'Laten we gaan eten. Hou dat aan. Ik wil het gezicht van mevrouw Duval wel eens zien als jij in kleren verschijnt die ik zou kunnen dragen.' Ze pakte mijn hand en trok me mee.

Ze had gelijk wat mevrouw Duval betrof. Ze sperde haar ogen open en schudde zachtjes haar hoofd, in zichzelf mompelend toen ze heen en weer liep van de eetkamer naar de keuken.

Aan tafel herinnerde Kiera me eraan dat ik vrijdag de tatoeage van de club zou krijgen.

'Dan laten we ook je oren piercen,' zei ze.

'Wat voor reden moeten we geven dat we niet meteen uit school naar huis gaan?' vroeg ik. Mevrouw March zou de gaatjes in mijn oren waarschijnlijk goedkeuren, maar ik kon me niet voorstellen dat ze het eens zou zijn met een tatoeage.

'Ik zal tegen mijn moeder zeggen dat ik langs het winkelcentrum moest om wat make-up te kopen. Dat is tenminste één ding dat ze begrijpt en goedkeurt, cosmetica. Bovendien begint dan het weekend. We hoeven niet halsoverkop naar huis om ons huiswerk te maken – niet dat ik dat ooit doe trouwens.'

'Weet ze dat je een tatoeage hebt?'

'Ik neem geen bad meer in bijzijn van mijn moeder, en zeker niet van mijn vader, Sasha. Bovendien weten ze allebei dat als ik zoiets wil doen, ik dat toch doe, met of zonder hun toestemming.'

Ik maakte me nog steeds zenuwachtig, maar vond dat ik nu niet meer kon terugkrabbelen zonder alle meisjes tegen me in te nemen. Kiera praatte er niet meer over. Ze had hele verhalen over de diverse jongens en meisjes op school die de clubleden op het oog hadden, en ze vertelde me meer over de meisjes zelf en naar wie ik meer moest luisteren en meer moest vertrouwen.

Het leek echt alsof ze me in vertrouwen nam en er niets was dat ze me niet zou vertellen. Maar ze kwam haar belofte na en stoorde me niet bij mijn huiswerk en als ik op mijn klarinet speelde.

De volgende dag haalde Grover me af van school omdat Kiera naar therapie moest. Overdag merkte ik wel dat meer jongens naar me keken dankzij de kleren die ik droeg. Ricky en Boyd zeiden dat ik er sexy uitzag en alle meisjes van de VA-club maakten me complimentjes. Ik zag ook de afgunst van de meisjes in mijn klas.

'Je hebt ons nu meer nodig dan ooit,' fluisterde Deidre. 'De jongens zullen op je afkomen als vliegen op stroop. Doe geen beloftes en leg je niet vast voordat je met een van ons gesproken hebt.'

Ik had het gevoel dat ik zweefde toen ik pas op die dure school kwam, maar nu voelde ik me lichtzinnig en gelukkig. Ik durfde zelfs te denken dat ik misschien werkelijk mooi was; misschien was ik net zo mooi of nog wel mooier dan Kiera.

Grover was verbaasd en geamuseerd toen hij zag hoeveel jongens met me meeliepen naar het parkeerterrein en hoe ze allemaal hun best deden wat extra aandacht van me te krijgen.

'Ik denk dat je je goed hebt weten aan te passen,' zei hij toen ik in de auto stapte. Hij zei zelden iets, dus voelde ik me gevleid en bloosde zelfs. Ik zwaaide toen ik Kiera zag wegrijden, maar ze merkte het niet.

Misschien omdat we nu meer bevriend waren en ze meer de rol op zich nam van de oudere zus of omdat ze een beter inzicht had gekregen in zichzelf, maar Kiera klaagde steeds minder over haar therapie en was veel aardiger en beleefder tegen haar moeder. Ik zag nog steeds nu en dan een achterdochtige uitdrukking op het gezicht van mevrouw March, maar zelfs zij begon zich meer te ontspannen. Donderdagavond toen we na het eten naar boven wilden gaan en Kiera beweerde dat ze probeerde beter haar best te doen op school, vroeg meneer March me hem te volgen naar zijn werkkamer.

'Ik wil je graag even spreken, Sasha.'

Ook Kiera bleef staan.

'Jij kunt naar boven gaan, Kiera. Ik wil nu even alleen met Sasha praten.'

Kiera keek me met een angstige en waarschuwende blik aan, maar treuzelde niet. Mevrouw March volgde meneer March en mij. Hij glimlachte naar me toen we in zijn werkkamer waren.

'Er is niets mis, Sasha,' zei hij. 'Kijk maar niet zo ongerust. Integendeel, het is alleen maar goed.'

Hij liep naar zijn bureau en pakte een sigaar uit een kistje. 'Ga zitten,' zei hij, en gebaarde met zijn sigaar naar de roodleren fauteuils. Ik ging zitten en hij stak zijn sigaar aan.

'Je zou kunnen wachten tot ze weg is, Donald,' zei mevrouw March. 'Niet iedereen houdt van de stank van sigaren.'

'O, sorry. Heb je er last van, Sasha?'

'Nee, meneer.'

Er was een tijd geweest, nog niet zo lang geleden, dat vergeleken met de stank om me heen de geur van een sigaar op parfum leek.

Hij leunde tegen zijn bureau.

'Allereerst,' begon hij, 'wil ik je bedanken dat je Kiera de kans geeft het goed te maken tegenover jou. Je hebt reden genoeg om elke vezel in haar lichaam te haten. Ik weet dat het lijkt alsof ik afstand neem van alles wat hier gebeurt, maar ik verzeker je dat ik dat niet doe. Mevrouw March en ik houden nauw contact met Kiera's therapeut, en we zijn erg blij met haar vorderingen.'

'In de hoop dat die waarheidsgetrouw zijn,' zei mevrouw March.

'Ik denk dat dokter Ralston daar beter over kan oordelen dan jij, vind je niet, Jordan?'

'Ik hoop het. Ik heb een kastvol gebroken beloftes van haar aan ons beiden.'

Hij schudde even zijn hoofd, nam een trek van zijn sigaar, en richtte zich toen weer tot mij. 'In ieder geval was het heel goed van je om haar te gunnen zich wat fatsoenlijker gedrag aan te meten. Ik ben ook onder de indruk van de invloed die je op haar hebt gehad. En, belangrijker nog, ik wilde je vertellen hoe goed het me doet te horen over jouw vorderingen en prestaties. Ik geef toe dat ik op mijn hoede was toen Jordan, mevrouw March, deze regeling voorstelde, maar ik ben erg blij dat ik me vergist heb. Is er iets wat je nodig hebt? Iets wat ik voor je kan doen?'

Ik keek naar mevrouw March, die eindelijk oprecht en hartelijk naar me glimlachte.

'Nee, meneer, ik heb meer dan ik ooit heb kunnen dromen,' zei ik. Hij lachte.

'Jij en ik allebei, Sasha. Jij en ik allebei. Oké. Ik wilde je dit alleen maar even zeggen. Aarzel niet naar me toe te komen als ik verder nog iets voor je kan doen of als iets je dwarszit, oké? Ik weet dat je op mevrouw March kunt vertrouwen, maar ik wil dat je weet dat ik er ook voor je ben.'

'Dank u.'

Hij glimlachte en liep naar zijn bureaustoel. Ik stond op, keek even naar mevrouw March, en liep toen haastig zijn kamer uit en de trap op. Kiera stond op me te wachten op de drempel van haar kamer.

'Wat wilde hij?' vroeg ze. 'Probeerde hij een bekentenis van je uit te lokken? Daar moet mijn moeder achter zitten. Nou?'

'Nee, niks van dat alles. Hij wilde me vertellen dat hij blij was dat het goed ging tussen ons en we allebei zulke goede vorderingen maakten. Hij zei dat ik niet moest aarzelen als ik iets wilde of nodig had.'

'Heeft mijn vader dat gezegd?'

'Ja. Hij was erg aardig tegen me, aardiger dan hij ooit geweest is.' Ze nam me even aandachtig op om te zien of ik de waarheid vertelde en glimlachte toen. 'Echt iets voor mijn vader. Hij kan een echte charmeur zijn als hij wil. Dit is geweldig. Moeder zal ons nu misschien wat meer met rust laten. Oké. Ga je huiswerk maken,' zei ze en liep naar haar kamer.

Zoals afgesproken kwamen alle VA-clubleden na schooltijd bijeen en volgden ons toen Kiera me naar een tatoeëerder bracht in West LA. De man die de tatoeages aanbracht zag eruit alsof elk mogelijk plekje van zijn lichaam ermee bedekt was. Op zijn rechterarm zag ik een slang die vanaf zijn pols omhoogslingerde, en op zijn linkerarm een ketting. Hij had zelfs een tatoeage op zijn keel.

Alle meisjes volgden ons naar een klein kamertje achterin, en het tatoeëren begon. Het was niet erg prettig, en twee keer stond ik op het punt te gillen dat hij op moest houden, maar Kiera stond vlak naast hem en de anderen vlak achter hem. Later bekeek ik mijn tatoeage in een lange spiegel door een andere spiegel vast te houden, waarin mijn rug weerspiegeld werd. Hij leek wat groter dan die van hen, en hij had gedaan wat ze hadden gevraagd, een kalligrafie.

Ze stonden erop om het te vieren. Kiera belde mevrouw March en vertelde haar dat we naar het winkelcentrum waren gegaan om mijn oren te laten piercen.

Ze vroeg of we met een paar vriendinnen naar een pizzarestaurant mochten. Een paar minuten nadat ze had opgehangen ging mijn telefoon, en mevrouw March vroeg me of we deden wat Kiera had gezegd dat we deden. Kiera wist natuurlijk dat het haar moeder was die me belde, en ze keek naar me en luisterde. Ik had geen keus, ik moest wel liegen.

'Laten we naar het winkelcentrum gaan,' zei Kiera. 'We moeten toch echt je oren laten piercen?'

In plaats van daarna een pizza te gaan eten, gingen we naar Marcia's huis. Ze had een jongere broer, maar haar ouders waren het weekend in San Diego en hadden hem meegenomen. Kiera had me verteld dat Marcia's vader langs de hele kust autobedrijven had. Een meisje wier ouders slechts tot de middenklasse behoorden, zou het moeilijk vinden om vriendschap te sluiten met leden van de VA-club, dacht ik. Ze zou te veel onder de indruk zijn van hun kleren, hun juwelen, hun auto's. Dat gevoel werd nog sterker toen ik Marcia's huis zag, een lang gebouw van twee verdiepingen in Brentwood Park. Ze hadden ook een inwonende huishoudster, maar die had vanavond vrij.

We bestelden een pizza bij een thuisbezorger, en daarna kwamen er tot mijn verbazing een paar jongens. Eerst Ricky en Boyd, en toen nog drie andere jongens – Tony Sussman, Jack Martin en Ruben Weiner. Het waren allemaal jongens uit de hoogste klas. Feitelijk was ik de enige van het gezelschap die in een lagere klas zat. Net als de vorige keer leek niemand een speciale relatie te hebben met een ander. Als ze dansten, danste iedereen met iedereen. Ik zag dat er wodka werd bijgeschonken in de glazen met sap en mineraalwater, maar toen Marcia mij iets aanbood, kwam Kiera tussenbeide.

'Sasha drinkt niet,' zei ze. Ze zei het zo bits dat Marcia keek of ze een klap in haar gezicht kreeg.

'Nou, neem me niet kwalijk. Ik wist niet dat we een mormoon in ons midden hadden.'

'Ze is geen mormoon. Ik heb mijn moeder beloofd dat ik haar nooit iets zou laten drinken na wat er met haar ouders is gebeurd. Weet je nog? Ze zijn doodgereden door een dronken chauffeur.'

'O, sorry,' zei Marcia. Ze draaide zich met een treurige blik naar me om.

Kiera leek stiekem naar me te knipogen. Ze boog zich voorover en fluisterde: 'Zij heeft drank nodig om plezier te hebben. Jij en ik niet.'

Later bracht Ricky meer tijd met me door. We praatten met elkaar en aten.

'Ik moet morgen werken,' zei hij. 'Volgend weekend heb ik vrij, en dan krijg ik de boot.'

'Ik ben nog nooit op een boot geweest.'

'Dat gebeurt dan volgend weekend.' Hij keek naar de anderen en bracht toen zijn lippen vlak bij mijn mond. Het was ook geen snel kusje. Het was een lange, innige zoen. Ik sloot mijn ogen en toen ik ze weer opende, verwachtte ik dat iedereen naar ons zou kijken, maar niemand lette op ons.

We zoenden elkaar telkens weer voordat het feest was afgelopen, maar daar bleef het bij. Ik was niet teleurgesteld, maar had er wel een beetje op gehoopt. Toen Kiera aankondigde dat we weg moesten, volgde Ricky ons naar buiten. Hij zoende me weer voor ik in de auto stapte. Ik wist dat Kiera op ons lette.

'Tot gauw,' zei hij, maar hield mijn arm vast. Toen boog hij zich naar me toe en bracht zijn lippen dicht bij mijn oor. 'Ik hoor dat je bent opgenomen in de VA-club,' fluisterde hij. 'Ik hoop dat ik degene ben.'

Hij draaide zich om en liep naar binnen voordat ik kon reageren, al zou ik niet geweten hebben wat ik had moeten antwoorden. Toen ik instapte vroeg Kiera me onmiddellijk wat hij in mijn oor had gefluisterd. Ik vertelde het haar. Ik was verbaasd dat hij wist van het bestaan van onze club.

'Hij is oké. Hij heeft het *Good Sexkeeping Seal of Approval*, het keuringszegel van goede seks,' zei ze achteloos. Buiten het hek ging ze langzamer rijden en keek me aan. 'Maar wat die ontgroening betreft, die beslissing ligt niet bij hem – of bij jou, wat dat betreft.'

'Hoe bedoel je?'

'We zullen het op de volgende bijeenkomst ter sprake brengen, en de leden zullen erover stemmen. Er zijn nog vier andere jongens die goedgekeurd zijn voor een ontgroening, op het ogenblik zijn er niet meer dan vier.'

'Je bedoelt dat iedereen stemt welke jongen voor de eerste keer bij welk meisje komt?'

'Natuurlijk. Op die manier maakt niemand een ernstige fout. Toen ik zei dat ik je beschermende oudere zus zou zijn, meende ik het. Dat is wel het minste wat ik kan doen, en ik waardeer het dat je het me laat doen. We zijn nu allemaal zusters van elkaar. De leden van de club denken helder en diepgaand na over de seksuele ervaringen van elk meisje. Iedereen in de club heeft veel meer ervaring dan jij. Waarom zou je niet profiteren van hun ervaring? Geloof me, mijn moeder zou een heel slechte adviseur zijn op het gebied van seks. Soms denk ik weleens dat zij en mijn vader het niet langer met elkaar doen.

'Ondanks alles wat sommige mensen je vertellen, is de eerste keer seks het belangrijkst. Onze vier jongens weten hoe ze met een maagd moeten vrijen. We hebben geen klachten gehad,' voegde ze er met een glimlach aan toe.

We reden verder.

De vraag lag op het puntje van mijn tong, maar ik vroeg het niet. Wat is er gebeurd met de liefde?

28

Beslissing

Er gebeurde iets vreemds op school in de dagen daarop. Hoe meer ik omging met de oudere leerlingen, met ze lunchte of tussen de lessen door met ze praatte in de gang, en met Kiera en de anderen naar winkelcentra of restaurants ging, hoe onzichtbaarder ik werd voor mijn klasgenoten. Degenen die eerst zo onder de indruk waren geweest van mijn omgang met een jongen uit de hoogste klas, deden nu onverschillig. Niemand zei hallo of knikte zelfs maar naar me. Ze liepen langs me heen alsof ik niet bestond.

Ik bleef goede cijfers halen en mijn klarinetspel ging vooruit, maar toen Denacio aankondigde dat ik een plaats zou krijgen in het schoolorkest en me een uniform gaf, gedroeg iedereen in de klas zich alsof ze niet anders verwacht hadden. Het was niet zozeer een prestatie als wel een volgende verwachte stap. *Nou en?* stond op hun gezicht geschreven. Ironisch genoeg waren de clubleden de enige vriendinnen die ik had. Niemand van mijn eigen leeftijd had een goed woord voor me over.

Op een woensdag vertelde Kiera me dat de VA-club vrijdag na school zou vergaderen, en dat ik het voornaamste punt was op de agenda. Ze vroeg me hoe het met mijn ongesteldheid was gegaan sinds ze me die pil had gegeven. Het was een stuk minder pijnlijk geweest dan de keer daarvoor, en dat vertelde ik haar.

'Mijn dokter zegt dat we de pil ook daarna moeten nemen,' zei ze. 'Dat voorkomt dat je de volgende keer weer zo'n hevige pijn krijgt. Deze zijn voor jou. Neem er elke dag een.'

Ik bedankte haar en nam elke ochtend een pil, zoals haar dokter had voorgeschreven. Toen de vrijdag van de clubvergadering naderde, voelde ik me nog zenuwachtiger dan de eerste keer. Per slot zou het over mijn eerste seksuele ervaring gaan.

De andere meisjes waren er al toen we kwamen en zaten op dezelfde plaats als de vorige keer. Ze keken allemaal heel serieus. Ik zag de foto's van vier jongens op tafel liggen: Ricky, Boyd, Ruben Weiner en Tony Sussman. Deidre haalde een stoel voor me en zette die in het midden, zodat ik met mijn gezicht naar alle meisjes gekeerd zat.

'We hebben het je vorige keer niet gevraagd,' begon Margot, 'maar hoeveel seksuele ervaring heb je precies? Hoe ver ben je gegaan met een jongen?'

Ik keek naar Kiera, maar zij zat er met net zo'n ernstig en strak gezicht bij als de anderen.

'Het enige wat ik ooit met een jongen gedaan heb was wat ik met Ricky deed op het feestje bij Marcia.'

'Alleen maar gezoend?' Marcia kneep haar ogen samen en trok haar neus op, alsof zoenen iets walgelijks was. 'Ben je soms opgegroeid in Disneyland?'

'Doe maar gewoon,' zei Kiera. 'Jij was ook niet bepaald geraffineerd toen je lid werd van de club.'

Marcia bloosde en hield haar mond.

'Dan komt Tony niet in aanmerking. Hij gaat te haastig te werk, neemt aan dat het meisje er helemaal klaar voor is,' zei Deidre. 'Iedereen het met me eens?'

Ze knikten en Tony's foto werd omgedraaid.

'Mag ze op een date? Zal haar moeder dat goedvinden?' vroeg Doris.

'Ik betwijfel het,' zei Kiera. 'Mijn moeder weigert haar als iets anders te zien dan een kind van tien, en ze heeft het idee dat ze een extra verantwoordelijkheid heeft voor haar.'

'Ze ziet er niet bepaald uit als tien,' zei Margot. 'Ik wil graag weten waar je dat fuchsia pakje hebt gekocht dat je laatst aanhad.'

Ik keek naar Kiera. Had ze dat nooit gedragen?

'Alsof het jou zo goed zou staan,' mompelde Doris.

'Kunnen we doorgaan met onze discussie?' vroeg Kiera scherp.

'Ruben is dol op zijn liefdesvehikel,' zei Deidre. 'Het is een suv. Alle stoelen kunnen worden neergeklapt en hij gooit er een luchtbed in. Net een waterbed.'

'Jij kunt het weten,' zei Doris glimlachend.

'Jij soms niet?'

Doris lachte.

'Hij zou beter zijn als het om een gewone date ging, vind je ook niet?' vroeg Deidre. Iedereen knikte en ze draaide zijn foto om.

'Het gaat tussen Boyd en Ricky, en we weten wat je nu al voor Ricky voelt,' zei Marcia.

'Ricky is meestal de zachtzinnigste,' voegde Doris eraan toe.

'Ik geef de voorkeur aan Boyd,' zei Margot.

'Het is niet jouw ontgroening maar die van Sasha,' merkte Doris op.

'Boyd gaat er professioneler mee om. Hij besteedt meer tijd aan het voorspel,' hield Margot vol.

'Ik vind dat dit een geheime stemming moet worden,' zei Kiera. 'Er zijn hier een beetje te veel persoonlijke belangen in het spel.'

'Mij best,' zei Margot.

Deidre pakte een blocnootje en overhandigde iedereen een blaadje.

'Ik heb geen pen,' zei Margot.

'Gebruik je lippenstift,' adviseerde Doris.

'Dan weet iedereen dat het mijn stem is. Dat is geen geheime stemming.'

'Ik maak maar gekheid, idioot.'

Deidre stond op, liep de kamer uit en kwam terug met ballpoints voor degenen die er geen hadden.

'Alleen maar een R of een B, dat is voldoende,' zei Kiera.

Ik keek toe terwijl ze zich verspreidden om te stemmen. Pas toen ze allemaal hun opgevouwen blaadje aan Kiera gaven, drong het tot me door wat ze precies voor me beslisten. Ik had hun eed afgelegd, en ik had de tatoeage gekregen, maar ik wist niet zeker of ik de rest wel zou kunnen doorzetten, vooral niet als ze Boyd hadden gekozen. Kiera las de stemmen niet voor. Ze vouwde elk blaadje open en legde het rechts van haar. Geen enkel aan de linkerkant.

'Het is besloten,' zei ze. 'Unaniem. Ricky.'

'Wanneer?' vroeg Margot onmiddellijk.

'Morgen gaan we met z'n allen varen op Ricky's boot,' zei Kiera. 'Ik heb er niks over gezegd tot ik het zeker wist en we de definitieve uitslag zouden hebben. Ik bedoel, Boyd is er ook bij, maar Ricky is gekozen.'

'En je kunt het ook nog gevaarlijk maken,' zei Margot, 'als het op de boot gebeurt.'

'Nee, dat telt niet als gevaarlijk,' zei Kiera. 'Dan zijn alleen wij er. Bovendien verlangde jij de eerste keer privacy, als ik me goed herinner. Ik heb gehoord dat Tony bijna een laken met een gat erin moest gebruiken.'

'Dat is niet waar!' riep ze uit.

Iedereen lachte.

'Laten we wat muziek opzetten,' stelde Deidre voor, 'en Chinees eten bestellen.'

Ze stonden allemaal op om me te feliciteren, alsof ik iets historisch had gedaan of zou doen. Misschien was ik naïef wat seks betrof, maar ik wist dat wat ze verwachtten dat ik zou doen, me niet veel zou opleveren, behalve dat het een band zou scheppen tussen mij en deze meisjes. Ik zou deel uit gaan maken van hun hechte groep, en voor een weeskind was dat al veel.

'Je bent vast heel opgewonden,' zei Kiera toen we weer buiten stonden.

'Dit zal allemaal morgen op Ricky's boot moeten gebeuren?'

'Natuurlijk. Er zijn twee salons. Kijk niet zo angstig. Het zal heus heel goed gaan.'

Ze deed alsof het een voorstelling of een proefwerk was. Maar toen we thuiskwamen kregen we allebei bijna huisarrest. Mevrouw March had de waarheid ontdekt. De leraar drama had nog geen audities gehouden voor het toneelstuk. Ze hield ons tegen op het moment dat we naar boven wilden gaan.

'Hierheen,' beval ze, staande in de deuropening van de zitkamer.

Kiera en ik keken elkaar aan. Toen we naar de kamer liepen, fluisterde Kiera me in: 'Wat het ook is, laat mij het woord doen.' Mevrouw March was alleen. Ze stond met over elkaar geslagen armen en knikte naar een van de banken. We gingen zitten.

'Wat is er nu weer, moeder?' vroeg Kiera.

'Wat er nu weer is? Waarom hebben jullie allebei tegen me gelogen over de audities? Er waren die dag geen audities. Nou?'

'Ik schaamde me je te vertellen dat ik me had vergist in de datum die op het prikbord stond. Ik had het verkeerd gelezen. We gingen naar de aula en we voelden ons net een stel idioten. Ik tenminste. Het was niet Sasha's schuld, dus verwijt het haar niet.'

'Maar je hield die leugen vol en beweerde dat jullie je bedacht hadden,' zei mevrouw March, die van Kiera naar mij keek. Ik vermeed haar blik.

'Ja.'

'Waarom? Waarom wilde je me de waarheid niet vertellen? Dat je je vergist had?'

'Ik dacht niet dat je me zou geloven, en bovendien hadden we echt besloten het niet te doen.'

'Waar ben je die dag geweest?'

'Nergens. We hebben de tijd gedood met wat rond te rijden en zijn toen naar huis gegaan. Het is geen halszaak, moeder. Het is niet alsof we stiekem iets ergs hebben gedaan.'

'Ik geloof je niet, Kiera.'

'Je hoeft mij niet te geloven, vraag het maar aan Sasha.'

Ze keek naar mij. 'Is het waar wat ze zegt? Hebben jullie gewoon wat rondgereden?'

'Ja,' zei ik zacht, bijna onhoorbaar.

'Ik ben erg teleurgesteld in jullie allebei. Waarom zie ik je nooit meer aan je kalligrafieën werken, Sasha?'

'Ik heb wel wat gedaan, maar met mijn huiswerk en de klarinet...'

'En de tijd die je verspilt met wat rondrijden?' maakte ze mijn zin af. 'Dit is erg teleurstellend. Alena loog nooit tegen me.'

'O, moeder, alsjeblieft. Zij vertelde ook onschuldige leugentjes.'

'Nooit,' zei ze nadrukkelijk. 'Ze nam nooit iets van jouw slechte gewoontes over. Ze was veel te goed, een engel. Daarom heeft God haar weer bij zich genomen.'

Kiera wendde haar hoofd af en toen ze zich weer omdraaide, stonden haar ogen vol tranen.

'Je vindt het gewoon fijn om mij voortdurend voor slecht uit te maken. Dat deed je al toen ze nog leefde, en dat doe je nog steeds. Je haat me!' Ze sprong overeind en holde de kamer uit.

'Kiera!'

Ik bleef verstijfd zitten.

Langzaam richtte mevrouw March haar blik weer op mij. 'Ik haat haar niet,' zei ze. 'Ze is mijn dochter. Natuurlijk hou ik van haar. Ik zou al haar fratsen niet verdragen als ik niet om haar gaf en van haar hield, maar ik ben niet een van die moeders die zo verblind zijn dat ze de fouten van hun kind niet willen zien. Ik ken haar fouten. Net doen alsof, negeren, excuses verzinnen, zal haar niet helpen om te veranderen en te verbeteren. En jij doet haar geen goed door haar te steunen als ze liegt of ongehoorzaam is.'

Ze haalde diep adem en ging op de bank tegenover me zitten. Ze wachtte even en keek me toen aan. 'Sasha, net als Donald denk ik dat het geweldig is dat je een manier hebt gevonden om goed met Kiera om te gaan. Misschien helpen jullie elkaar, maar je moet op je hoede zijn. Ze heeft te veel jaren zowel haar vader als mij met succes weten te manipuleren. Ze is er een expert in. Zul je voorzichtig zijn?'

'Ja, mevrouw March.'

'Ik heb er niets op tegen dat je je als een normale tiener gedraagt, maar alsjeblieft, wees voorzichtig. Ik neem mijn verantwoordelijkheid voor jou heel serieus. Vergeet niet dat ik je moeder een belofte heb gedaan op de dag van haar begrafenis.'

Ik knikte, nu zelf bijna in tranen.

'Donald is zo blij met de manier waarop alles nu gaat, of schijnt te gaan. Ik zal hierover niets tegen hem zeggen, maar lieg niet meer, oké?'

'Oké, mevrouw March.'

'O, ik haat dat "mevrouw March". Noem me tenminste Jordan.'

Ze glimlachte. 'Dus je hebt je oren laten piercen?'

'Ja.'

'Kiera heeft hopen oorbellen die ze je kan lenen. Dat zal ze zeker doen. Alena wilde altijd gaatjes in haar oren, maar we zijn er nooit toe gekomen.' Ze zweeg even en glimlachte toen weer. 'Donald is van plan met ons een korte reis te maken, misschien naar San Francisco. Zou je dat leuk vinden?'

'Ja, mevrouw... Jordan.'

'Goed. Oké, ik zal je niet langer ophouden.'

Ik stond op en liep naar de deur. Ze bleef glimlachen en wendde zich toen af. Toen ik de zitkamer uitliep, bleef ik nog even staan en keek achterom. Ze leek plotseling de treurigste vrouw ter wereld – alleen, in haar designeroutfit, met dure juwelen, perfect gestyled haar. Maar in plaats van er stralend uit te zien leek ze gevangen en geketend door haar rijkdom, verloren en eenzaam, met slechts haar bezittingen om haar warm te houden.

Kiera's deur stond open. Ze huilde niet, maar lag met haar gezicht verborgen in haar kussen. Ze hoorde me binnenkomen en draaide zich om.

'Waarom ben je niet samen met me naar buiten geheld?'

'Je sprong op en rende zo hard weg dat ik niet wist wat ik moest doen,' antwoordde ik naar waarheid.

'Wat zei ze? Vertelde ze je weer wat een afgrijselijk kind ik ben?'

'Nee. Ze zei dat ze van je houdt maar zich bezorgd maakt. Ze vond het leuk dat ik mijn oren had laten piercen.'

'Logisch. Nou ja.' Ze zette haar woede van zich af en glimlachte. 'Dat heb ik tenminste weten op te lossen, zelfs al vertelt ze het aan mijn vader.'

'Ze zei dat ze dat niet zou doen.'

'O, nee? Mooi zo. Ik was bang dat ze hem zou overhalen ons nieuwe beperkingen op te leggen en onze boottocht morgen zou verprutsen. Perfect. We vertellen het ze vanavond aan tafel. Zorg ervoor dat je heel enthousiast doet.' Ze nam me even aandachtig op. 'Dat bén je toch, hè? Je krabbelt morgen toch niet terug?'

'Nee,' zei ik, al hoorde ik een koor van innerlijke stemmen die *ja* zeiden.

'Ik ga een bubbelbad nemen. Kom binnen om te praten als je wilt,' zei ze en liep naar de badkamer.

Ik ging naar mijn kamer en bleef daar een tijdje uit het raam zitten kijken. Vreemd, dacht ik, maar nu pas drong het tot me door dat ik geen enkele foto had van mama. Alles wat ik bezat was de avond van het ongeluk verloren gegaan. Misschien was het als afval opzij gegooid. De tassen en koffers waren gedeukt en vuil. In mama's koffer zaten een paar foto's, maar verder hadden we niets van enige waarde. Ik kon me niets herinneren waar onze naam op zou staan. We hadden geen adres. Als het allemaal aan de kant van de weg had gelegen, hadden andere daklozen het misschien gevonden en meegenomen wat ze konden gebruiken.

Natuurlijk dwaalden mijn gedachten af naar de volgende dag. Ik mag Ricky graag, dacht ik. Hij was knap en tot dusver heel aardig tegen me. Het was opwindend met hem samen te zijn. Maar doen wat ik op het punt stond te doen, de reden waarom ik het zou doen, zat me dwars, en niet alleen omdat ik bang was. Ik was niet oud genoeg om goed over het verlies van mijn maagdelijkheid te kunnen nadenken, maar áls ik eraan dacht was het in verband met liefde en romantiek. Het alleen maar doen om het achter de rug te hebben, maakte het iets minderwaardigs, deed het op een doodgewone bezigheid lijken. Was ik de enige die zo dacht? Waarom voelden en zagen de andere meisjes het niet zo?

Misschien geloofden ze niet echt in de liefde. Naar wat ik ervan zag en hoorde, was geen van de meisjes speciaal op één jongen gesteld. En als een van hen dat wel deed, hield ze het goed verborgen voor de anderen. Ik had altijd gedroomd van een vriend die me meenam naar schoolfeesten, films en restaurants. Misschien waren we nog te jong om echt van een jongen te houden, maar we waren zo verliefd, dat het erop zou lijken. En als we ten slotte uit elkaar gingen en onze eigen weg gingen, misschien om te gaan studeren, zouden we diepbedroefd zijn, althans voor een tijdje. Jaren later, als we met een ander getrouwd waren, zouden we elkaar weer ontmoeten en ons glimlachend herinneren hoe verliefd we toen waren. Maar toch zouden we ons diep in ons hart afvragen hoe het geweest zou zijn als we toen bij elkaar waren gebleven. Het zou slechts een kwestie van een seconde zijn, maar toch zouden we even dat gevoel hebben gehad.

Geen van de clubleden zou ooit iets voelen dat daar zelfs maar in de verste verte op leek. Wat zouden hun herinneringen aan high school zijn? Hoe lang konden ze andere meisjes die vroeger lang en intens verliefd waren geweest op een jongen blijven bespotten en kleineren? Zouden ze jaren later op een dag wakker worden en beseffen wat ze hadden gemist en, belangrijker nog, wat ze hadden opgegeven toen ze hun eerste seksuele ervaring beschouwden als iets dat je maar gauw achter de rug moest hebben?

Ik kwam in de verleiding naar Kiera's badkamer te gaan en naast haar te gaan zitten terwijl ze in bad lag en over dit alles met haar te praten. Maar ik was bang dat ze, zodra ik erover begon, me zou ver-wijten dat ik niet alleen verraad pleegde, maar haar ook in een slecht daglicht stelde tegenover haar vriendinnen. Misschien zou ze zelfs op een of andere manier haar moeder de schuld geven, en zou alles weer net zo worden zoals in het begin, een huis vol don-der en bliksem, wat alleen maar tot een nieuwe tragedie zou leiden. Of Kiera het mij nu wel of niet voor de voeten zou werpen, ik zou denken dat het mijn schuld was, terwijl het enige wat ik hoefde te doen was vrijen met een jongen die ik knap en aantrekkelijk vond.

Ik wenste uit de grond van mijn hart dat ik nu een echte moeder had met wie ik kon praten, zelfs een moeder die bij tijd en wijle niet helemaal normaal kon denken. Ik zou weten wanneer ik met haar kon praten, wanneer haar geest helder genoeg was om naar me te luisteren en voor me te zorgen.

Maar zelfs dat had ik niet.

Het was op momenten als deze dat ik wist hoe verloren en een-zaam ik was, en dat geen geld, geen huis, geen speciale school, niets, de grote leegte in mijn hart kon vullen.

29

Ontgroening

Kiera was echt heel slim in het manipuleren van haar vader. Die avond tijdens het eten keek en luisterde ik naar een expert. Haar enthousiasme en het lieve toontje waarop ze sprak waren geraffineerd, net als haar glimlachjes, de manier waarop ze naar mij keek en me op de juiste momenten liet bevestigen wat ze zei. Ze kon haar hoofd heel even naar links buigen en tegelijk haar ogen naar rechts laten rollen, om er lief en onschuldig uit te zien. Ze streek haar haar naar achteren met een snelle beweging van twee vingers en tuitte haar lippen alsof ze haar vader over de tafel heen een kus toestuurde.

Ik keek naar mevrouw March toen Kiera beschreef hoe ons uitstapje op Ricky's boot zou zijn. Het gezicht van mevrouw March leek een masker. Niets bewoog, haar oogleden knipperden nauwelijks terwijl ze luisterde. Hoewel Kiera het niet met zoveel woorden zei, liet ze doorschemeren dat Ricky's vader ons nauwkeurig in de gaten zou houden. Ze bracht haar ouders in herinnering dat ze al eens eerder op Ricky's boot was geweest en hoe goed dat was gegaan. En het zou ideaal weer zijn om te varen. En vooral zou het het meest opwindende zijn dat ik ooit had meegemaakt. Ze wekte de indruk dat alle anderen, Ricky, zelfs zijn vader, dit tochtje organiseerden ter wille van mij. Hoe konden haar ouders ertegen zijn?

'Nou, het lijkt me dat jullie een fijne dag zullen hebben,' zei meneer March. 'Ik zou zelf wel met jullie meegaan, maar ik heb zoveel problemen met dat project in Oregon, dat ik het hele weekend moet werken. Ik begrijp niet waarom ik me ooit heb ingelaten met

Rick Stanton,' zei hij tegen mevrouw March. 'Zijn voorbereidende werk is altijd zo slordig.'

'Ik ben het volkomen met je eens,' zei mevrouw March kortaf, 'maar niet vanwege Rick Stanton. Je haalt je te veel op je hals, Donald. Je moet meer tijd met ons doorbrengen.'

De manier waarop ze 'ons' zei, maakte duidelijk, althans voor mij, dat ze zichzelf bedoelde. Hij knikte en beloofde dat hij het kalmer aan zou doen. Hij zei dat hij al twee grote projecten had afgewezen. Kiera keek naar mij met een zegevierende en voldane blik. Er werd verder niet gediscussieerd over Ricky's boot. Ze was blij dat ze op een ander onderwerp waren overgegaan. Heimelijk had ik gehoopt dat ze geen toestemming zouden geven en mijn crisis nog even zou worden uitgesteld, maar ik had moeten weten dat er weinig of niets was wat Kiera van haar plan af zou kunnen brengen.

'Ik heb een paar dingen voor je uitgezocht om morgen aan te trekken,' vertelde ze me na het eten. 'Boyd komt ons om negen uur halen.'

Wat ze had uitgezocht leek meer op een tennisoutfit, dacht ik. Toen ik het aantrok, vond ik de rok te kort, maar Kiera beweerde dat de lengte precies goed was. Ze gaf me een ander horloge dat ik om moest doen, met een bandje dat paste bij de kleur van mijn kleren, en ook andere oorbellen. Dit horloge was net als het andere bezet met diamantjes.

'Maak je maar geen zorgen dat je zeeziek wordt of zo,' zei ze. 'Die pil die ik je heb gegeven helpt ook tegen zeeziekte. Vraag me niet hoe of waarom. Het is gewoon zo. Morgen is jouw dag en die laten we door niets bederven.'

Ik had het gevoel dat ik nu al op een woelige zee voer toen ik naar bed ging. Ik lag te draaien en te woelen, deed mijn best om in slaap te vallen. De innerlijke, tegenstrijdige argumenten waren heftig. Ik zat gevangen in een echoput. Een groot deel van me maakte schreeuwend duidelijk hoe verkeerd het allemaal was. Ik deed het om alle verkeerde redenen, en ik zou er mijn leven lang spijt van hebben. Het andere deel herinnerde me aan alles wat ik nu had en daarna zou hebben. Voor een meisje dat het merendeel van haar leven weinig vrienden had gehad en het laatste jaar geen enkele, was het idee om deel uit te maken van een groep als de VA-club veelbelovend. Ik zou bij alles betrokken zijn. Ik zou op en buiten school vriendinnen hebben op wie ik kon vertrouwen. Jongens zouden me nog aardiger vinden. Bovendien was ik al te ver gegaan. Ik had de tatoeage. Ik had elke kans verloren om vriendinnen te hebben van mijn eigen leeftijd. Ze vonden me allemaal te arrogant omdat ik omging met de oudere leerlingen. Als ik dit niet deed, zou ik weer helemaal alleen zijn.

Tegen de ochtend viel ik eindelijk in slaap en sliep zo lang, dat Kiera in paniek mijn kamer binnenstormde.

'Lig je nog in bed?' riep ze uit. Kreunend draaide ik me om en keek haar aan. Ze had haar kleding voor de boottocht al aange- trokken. 'Het is over al achten! Sta op. Kleed je aan. Zorg dat je klaar bent. Over een kwartier ben ik terug. Je weet dat moeder erop zal staan dat we goed ontbijten. Schiet op. En vergeet niet je pil te nemen.' Ze rukte de dekens van me af.

Ik wreef de slaap uit mijn ogen, ging rechtop zitten en nam toen haastig een koude douche om goed wakker te worden. Ik trok net mijn bootschoenen aan toen Kiera terugkwam.

'We gaan,' zei ze. 'Mijn moeder vraagt zich al af of je soms ziek bent of zo. Als je er niet goed uitziet en niet energiek genoeg bent, zal ze een reden vinden om ons niet te laten gaan. Toe dan,' drong ze aan.

Ik holde achter haar aan.

Mevrouw March zat in de eetkamer op ons te wachten. 'Voel je je wel goed?' vroeg ze onmiddellijk.

'Ja.'

'Ze is te laat opgebleven om haar huiswerk te maken. Je weet hoe ze is met huiswerk, zelfs in het weekend,' zei Kiera.

Mevrouw March keek me achterdochtig aan, maar zweeg. Ik moest meer eten dan ik eigenlijk wilde, zodat ze niet zou denken dat er iets mankeerde aan mijn eetlust. Kiera praatte gelukkig voor ons beiden, beschreef de komende dag in Catalina en herinnerde haar moeder eraan hoeveel plezier ze daar hadden gehad toen haar vader daar met hen naartoe was gevaren. Ze legde er de nadruk op dat Alena toen nog leefde en er zo van had genoten.

'Laat maar. Zorg er maar liever voor dat jij en Sasha allebei een zwemvest dragen op die boot,' waarschuwde haar moeder.

'O, natuurlijk. Ricky volgt heel nauwgezet alle voorschriften. Wat ga jij vandaag doen, moeder?' vroeg ze om haar af te leiden.

'Ik ga met Deidres moeder lunchen bij de Ivy. We kijken al een tijdje uit naar die lunch.' Ze deed het klinken alsof ze die afspraak hadden gemaakt om over haar en Deidre te praten.

'Gezellig,' zei Kiera zonder met haar ogen te knipperen.

'Ik wil op geregelde tijden iets van jullie horen,' zei mevrouw March. 'Jullie hebben allebei een mobiel en deze keer worden ze niet vergeten of uitgezet. Is dat duidelijk?'

'Natuurlijk, moeder. Als we dit soort uitstapjes maken, zijn ze bijna onmisbaar. Wil je ons nu excuseren? We hebben nog een paar laatste dingen te doen. Boyd komt over tien minuten.'

'Maak geen fouten meer, Kiera,' drukte mevrouw March haar op het hart. 'Je hebt geen ruimte meer voor nog meer fouten.'

'Dat is verleden tijd, moeder. Ik zal iemand anders de fouten laten maken.'

'Bagatelliseer mijn woorden niet, Kiera.'

'Dat doe ik nooit, moeder. Sasha?'

Ik stond op en keek naar mevrouw March. Als ze ooit de aarzeling in mijn gezicht zou kunnen of willen zien, dan was het nu wel, dacht ik. Misschien zou ze me dan verbieden om te gaan. Maar ze was er met haar gedachten niet bij. Ze knikte en boog haar hoofd. Kiera trok me mee, en we gingen terug naar onze kamers. Ik stond mijn tanden nog te poetsen toen ze riep dat Boyd er was.

'Haast je,' zei ze, 'voordat mijn moeder een reden bedenkt om ons tegen te houden. Geloof me,' zei ze, toen we door de gang liepen, 'ze zou het doen als ze kon.'

'Waarom zou ze niet willen dat we plezier hebben?'

'Dat is een lang verhaal, maar het komt omdat ze zo'n saaie jeugd heeft gehad. Ze is gewoon jaloers.'

Ik schudde mijn hoofd toen ze voor me uit de trap afliep. Hoe kon een dochter denken dat haar moeder jaloers op haar was? Een moeder wilde dat haar dochter een beter leven zou hebben dan zijzelf had gehad. Ja toch? En haar moeder wilde zeker een beter leven voor mij, al was het maar om haar geweten te sussen. Bovendien kon ik niet geloven dat mevrouw March een saaie jeugd had gehad. Kiera's definitie van 'saai' was nu eenmaal anders dan die van de meeste mensen.

Deidre wachtte met Boyd op ons in de auto.

'We zien de anderen bij de steiger,' zei ze. 'Schiet op.' Toen we wegreden, draaide ze zich om en fluisterde: 'Klaar voor *VA-day*?'

Kiera gaf haar een duw om haar weer voor zich te laten kijken. 'Laat haar met rust,' zei ze. 'Ze is al zenuwachtig genoeg.'

'Waarom zenuwachtig?' vroeg Boyd.

'Omdat ze met jou op dezelfde boot is,' zei Kiera.

'Ja, ja. Je hoeft je nergens zorgen over te maken zolang ik erbij ben, Sasha,' zei hij.

Ricky's boot was indrukwekkend. Hij had me verteld dat het een Hatteras motorjacht was van tweeëntwintig meter. Terwijl de anderen wachtten, gaf hij me een rondleiding om me de kombuis, de salon, de luxe hut en de hut voor de gasten te laten zien. Daarna nam hij me mee naar boven naar de stuurhut, waar ik bij hem zou blijven terwijl hij de motor startte. Ondanks mijn verwarrende en tegenstrijdige gedachten, voelde ik een enorme opwinding. Toen de motor aansloeg en we over het water scheerden, slaakte ik onwillekeurig een kreet van verrukking. Ik mocht ook even sturen. Boyd begon te klagen dat hij de helft van de tijd zou sturen, zoals Ricky had beloofd, dus liet Ricky hem bovenkomen met Marcia, en gingen Ricky en ik naar de anderen in de salon.

Kiera leek nogal close met Ruben Weiner, en Deidre zat praktisch op Tony Sussmans schoot. Margot lag languit op een bank met Jack Martin. De manier waarop iedereen me glimlachend aankeek maakte me nerveus. Wisten ook alle jongens wat er op de boot zou gebeuren?

'Het is hier te druk,' zei Ricky. 'Kom mee, dan gaan we naar de voorplecht waar je de wind en het stuifwater in je gezicht kunt voelen.'

Hij pakte mijn hand en liep met me naar buiten. Op de voor-plecht was het spannender. Hij maakte me attent op Catalina en op andere boten die langs voeren. Omdat het water woelig was, sloeg hij zijn arm om mijn middel en zo bleven we een tijdje staan. Later gingen we terug naar de salon. Ik zag dat Margot en Jack Martin verdwenen waren.

'Margot en Jack zijn in de hut voor de gasten,' fluisterde Kiera. 'Jij krijgt de luxe hut natuurlijk.'

Ik keek even naar Ricky.

'Hij weet al dat hij gekozen is,' zei ze.

Of het het vooruitzicht was dat ik het nu echt zou moeten door-zetten, of omdat het de eerste keer was dat ik in een boot op zee was, weet ik niet, maar het bloed trok weg uit mijn gezicht en ik voelde me duizelig worden. Ik wankelde even toen de kracht uit mijn benen verdween.

Ricky zag het aankomen en sloeg zijn arm weer om me heen. 'Hola,' zei hij, en tilde me op om me naar de bank te dragen.

'Nee,' zei Kiera, en pakte zijn arm beet. 'Ze moet naar bed.'

Hij knikte en droeg me naar de luxehut.

'Ik zal Boyd vragen wat langzamer te varen. Dat zal helpen,' zei hij toen hij me op het bed had gelegd.

Ik deed mijn ogen dicht. Mijn maag danste op en neer.

Toen hij weg was, kwam Kiera binnen.

'Goed zo,' zei ze, alsof ik het allemaal gepland had en net deed alsof. 'We zullen wachten tot de boot is aangemeerd.'

'Ik maak geen gekheid,' zei ik. 'Ik voel me echt misselijk.'

'Daar kom je wel overheen,' zei ze. 'Rust wat uit.'

'Maar je zei dat die pil dit zou voorkomen.'

'Iedereen is anders, Sasha. Stel je niet aan. Ik hoopte dat hij jou zou helpen, maar blijkbaar niet. Volgende keer zullen we je een van die pleisters geven die beschermen tegen zeeziekte. Relax. Het beste moet nog komen.'

'Ik wil het niet,' zei ik. 'Ik voel me niet goed.'

'Waar praat je over? We doen zo ons best om het je gemakkelijk te maken en nu wil je terugkrabbelen? Ontspan je nu maar. Je zult je stukken beter voelen als we aangemeerd zijn, en dat zal het beste moment zijn voor je ontgroening. Bovendien wil je de anderen toch niet teleurstellen nadat ze gestemd hebben jou lid te maken van de club, en je wilt Ricky toch zeker niet in de steek laten?' zei ze. 'Ik ben zo terug.'

'Ik geloof dat ik moet overgeven.'

Ze keek me even woedend aan, zuchtte toen en schudde haar hoofd. 'Oké. Als je moet overgeven, ga dan naar de badkamer. Ik zal zien of Ricky iets aan boord heeft dat kan helpen,' zei ze en ging weg.

Ik deed mijn ogen dicht en legde mijn handen op mijn buik, terwijl ik mijn best deed de neiging tot braken te bedwingen. Geen van de anderen was zeeziek. Ik geneerde me. Het gevoel ging niet voorbij. Ik wilde juist opstaan toen Ricky en Kiera terugkwamen. Kiera hield een glas in haar hand met een blauwachtige vloeistof.

'We hebben Ricky's vader gebeld en hij vertelde ons dat we dit in de kombuis konden vinden,' zei Kiera. 'Je moet het achter elkaar opdrinken.'

Ze liep naar het bed. Ricky hielp me om rechtop te zitten en ik pakte het glas aan. Het zag er niet erg appetijtelijk uit.

'Drink snel op,' zei Kiera nadrukkelijk, 'dan heb je geen last van de smaak.'

Ik keek naar Ricky. Zijn gezicht stond heel ernstig, in zijn ogen lag een gespannen blik. Was het omdat hij dacht dat het op de een of andere manier zijn schuld was? Had hij medelijden met me?

'Als ze zich ziek voelt, krijg ik het eeuwig van mijn moeder te horen,' zei Kiera.

Ik keek weer naar het glas, haalde diep adem en klokte de inhoud naar binnen. Kiera pakte het glas onmiddellijk terug en Ricky legde me weer achterover op het kussen.

'Rust maar uit. We zijn bijna bij de steiger,' zei hij.

Kiera keek me heel vreemd aan. Na een ogenblik gingen ze weg. Ik sloot mijn ogen en luisterde naar het geronk van de motoren. Ik voelde dat de boot langzamer ging varen, maar ik voelde niet dat we aanmeerden. Ik denk dat ik in slaap viel, of misschien kan ik beter zeggen dat ik bewusteloos raakte.

Het eerste wat ik besefte toen ik mijn ogen opende was dat ik naakt was en iedereen om het bed heen stond en naar me keek, maar hun gezichten werden voortdurend scherp en onscherp. Droomde ik?

Toen zag ik het puntje van Ricky's hoofd. Hij bewoog tussen mijn benen en tilde ze tegelijkertijd op. Alle gezichten werden nog steeds scherp en onscherp en verkleinden toen alsof ik ze door het verkeerde eind van een telescoop zag. Toen ik hem in me voelde binnendringen, wist ik zeker dat ik een zacht zangerig koor hoorde van 'VA, VA, VA.' Ik weet dat ik het uitschreeuwde. Mijn hele lichaam beefde. Het gebeurt echt, dacht ik. Dit is geen droom.

Ik weet niet hoe lang het duurde. Minuten leken in elkaar over te vloeien. Ik wist zelfs niet zeker hoe vaak Ricky in me kwam. Op een gegeven moment, alsof het ze verveelde, liepen de anderen de deur uit en bleef ik een tijdje alleen met hem achter. Toen verdween hij ook.

Toen ik weer wakker werd, was ik aangekleed. Ik kon de boot voelen bewegen en ging rechtop zitten. De hut draaide om me heen en kwam toen tot stilstand. Mijn maag was nog in opstand, maar minder erg dan eerst. Ik riep Kiera. Ik hoorde ze allemaal lachen. Er klonk ook muziek. Met moeite kwam ik overeind en strompelde naar de deur. Iedereen behalve Ricky was in de salon. Ze dronken wodka. Ik zag de fles op tafel staan. Deidre zag me het eerst en riep iets. Ze stopten met lachen en praten, en keken naar mij.

'Ik hoop dat je je weer beter voelt, Sasha,' zei Kiera. 'Mijn moeder belde en ik zei dat je op het eiland was. Daarna belde ze jouw telefoon en ik zei dat je die op de boot had laten liggen. Denk eraan dat jij dat ook zegt,' voegde ze eraan toe en nam een slok van haar drankje.

Iedereen bleef naar me staren.

'Ik wil met je praten,' zei ik.

'Praat maar. We hebben geen geheimen voor elkaar, weet je nog?'

Iedereen lachte.

Ik begon te huilen. 'Ik wil met je praten,' hield ik vol.

Ze kreunde, dronk haar glas leeg en stond op. 'Willen jullie me excuseren? Mijn plicht als babysitter.' Ze liep naar de hut.

Ik deed de deur dicht.

'Wat is er?'

'Wat heb je me te drinken gegeven?'

'Weet ik niet. Iets wat Ricky's vader aan boord had.'

'Ik weet niet wat er met me gebeurd is. Ik denk... ben ik verkracht?'

'Verkracht? Het was een plechtige ontgroening, Sasha. Je moet het niet zien als verkracht.'

'Maar ik geloof dat iedereen erbij was.'

Ze glimlachte. 'Er was niemand behalve Ricky.'

'Ik... het leek op een verkrachting.'

'Ik zei je net, je moet het niet zien als een verkrachting.'

'Hoe moet ik het dan zien?'

Ze dacht even na en glimlachte toen. 'Denk er maar aan als een soort kiespijn. Die is nu over.' En met die woorden liep ze de deur uit.

30

Leugens

Ik was zwijgzaam tijdens de rest van de tocht. Niemand probeerde trouwens een gesprek met me aan te knopen. Het gaf me het gevoel dat ik min of meer verleden tijd was. Zelfs Ricky gedroeg zich afstandelijk en onverschillig. Hij vroeg niet één keer hoe ik me voelde. Toen we aanmeerden in Marina Del Ray, riep Kiera tegen me dat ik moest opschieten. Ze verwachtte elk moment weer een telefoontje van haar moeder.

'Ik zal haar als eerste bellen en haar laten weten dat we onderweg naar huis zijn, zodra we wegrijden,' zei ze. Dat scheen nu het enige te zijn wat haar interesseerde.

Toen ik van boord ging, zag ik hoe de anderen naar me keken. Geen van de meisjes zei 'Dag' of 'Tot ziens'. Ze staarden me alleen maar aan. Toen ik achteromkeek, zag ik dat ze in een groepje stonden te fluisteren.

'Zijn ze kwaad op me?' vroeg ik aan Kiera, toen we in de taxi stapten die ze had gebeld.

'Vraag niks, zeg niks,' antwoordde ze lachend.

'Wat bedoel je?'

'Ik bedoel dat wat in Vegas gebeurt in Vegas blijft, Sasha. Ga niet kletsen over ons tochtje. Ik zal een paar dingen van Catalina beschrijven die je gemist hebt. Voor het geval mijn moeder je een derdegraadsverhoor afneemt.'

Daarop vertelde ze haar eigen versie van het verhaal, gaf zelfs een uitvoerig verslag van wat we aan de lunch gegeten hadden.

'Hebben jullie dat werkelijk allemaal gedaan?' vroeg ik.

'Natuurlijk. Waarom zou ik tegen je liegen?'

'Dat is het niet. Ik kan gewoon niet geloven dat ik door dat alles heen heb geslapen.'

'Vertel niet dat je zeeziek bent geweest. Zeg gewoon dat je een beetje duizelig was maar dat het gauw over was.' Toen deed ze haar koptelefoon op, zette haar iPod aan en zong mee. Ik kon me niet herinneren wanneer ze er zo vrolijk en blij had uitgezien.

Toen de taxi ons had afgezet, draaide ik me naar haar om en vroeg: 'Dus nu ben ik een volwaardig lid van de VA-club, hè?'

Bij de voordeur bleef ze staan en keek me met een merkwaardige uitdrukking aan. 'Pardon?'

'De club,' zei ik.

'Ik weet niet waar je het over hebt, Sasha,' zei ze en deed de deur open.

Haastig kwam ik achter haar aan om erop door te gaan, te proberen het te begrijpen, maar voor ik verder iets kon zeggen, kwamen meneer en mevrouw March lachend uit de entertainmentkamer. Ze bleven staan toen ze ons zagen.

'Hé,' riep meneer March. 'Hoe was het, meiden?'

'Afschuwelijk,' zei Kiera en holde de trap op.

Ik keek haar na met net zo'n geschokt gezicht als haar ouders. Ze keek niet achterom. Hard stampend liep ze de trap op alsof ze probeerde insecten te verpletteren op de treden.

'Wat is er gebeurd?' vroeg mevrouw March me terwijl ze naar me toekwam. 'Toen ik belde, zei ze dat jullie allemaal in een restaurant zaten en enorme pret hadden.'

Ik schudde mijn hoofd. Wat moest ik zeggen? Was Kiera vergeten me voor te bereiden?

'Is er iets gebeurd op de boot?' vroeg meneer March, die naast mevrouw March kwam staan. 'Geen ongelukken, hoop ik.'

'Nee,' zei ik.

'Wat is er dan?' vroeg hij.

'Ik weet het niet. Ik zal met haar gaan praten,' zei ik.

'Wat is er in vredesnaam...' Hij keek naar mevrouw March, die slechts haar hoofd schudde.

Ik liep snel bij hen vandaan, bang dat ik iets verkeerds zou zeggen. Kiera's deur was gesloten, dus klopte ik aan. Ze deed niet open en reageerde niet.

'Kiera? Wat is er aan de hand? Je ouders zijn volkomen in de war en ik ook.' Ik keek achterom. Ik wilde er zeker van zijn dat ze me niet gevolgd waren. 'Wat moet ik tegen ze zeggen?'

Ze deed de deur half open en keek me zo woedend aan, dat ik het benauwd kreeg. Ik deed een stap achteruit.

'Vertel alle leugens die je maar wilt,' zei ze. 'Ik heb er genoeg van je te beschermen.'

'Wát?'

Ze smeet de deur dicht. Ik bleef verbijsterd staan. Toen ik naar de trap keek, zag ik dat mevrouw March was bovengekomen en met open mond naar me stond te kijken. Haastig liep ik naar mijn kamer en ging snel naar binnen. Het duizelde me. Ik was nog steeds in de war over wat er op de boot gebeurd was, maar dit maakte het zoveel erger, dat ik het gevoel kreeg dat mijn hoofd in beton was veranderd. Versuft en met bonzend hart ging ik op bed zitten. Ik had mijn deur niet achter me dichtgedaan, dus hoorde ik mevrouw March op Kiera's deur kloppen. In plaats van het gebruikelijke onvriendelijke 'Wat wil je?' hoorde ik de deur opengaan, gesmoorde stemmen, iets wat klonk of Kiera huilde, en toen ging de deur dicht.

Ik bleef doodstil zitten, probeerde nog iets meer te horen, maar heel lang bleef het doodstil. Toen meende ik zware voetstappen te horen in de gang en ik stond op om aan de deur te luisteren. Ik hoorde meneer March vragen: 'Wat heeft dit allemaal te betekenen?' Toen ging ook hij Kiera's kamer binnen en de deur ging weer dicht. Zachtjes sloot ik mijn eigen deur en trok me terug in mijn badkamer. Vanaf het moment dat ik van de boot was gestapt, kon ik aan niets anders denken dan aan een hete douche. Ik voelde me smerig, vanbinnen en vanbuiten. Daarna sloeg ik een handdoek om me heen en ging naar mijn toilettafel om mijn haar te drogen en te borstelen.

De douche had me verfrist, maar ik voelde een intense vermoeidheid in al mijn spieren en botten. Mijn ogen vielen even dicht en toen ik ze weer opendeed, zag ik in de spiegel meneer en mevrouw

March. Ze stonden achter me en leken erg overstuur. Met een ruk draaide ik me om.

'Sasha,' begon mevrouw March. 'Heb je een tatoeage onderaan op je rug?'

Even kon ik geen woord uitbrengen. Ik had het gevoel dat mijn keel werd dichtgeknepen en ik geen adem meer kreeg. Waarom zou Kiera ze dat verteld hebben? Dat moest ze wel gedaan hebben, want er was geen enkele andere reden waarom ze ernaar zouden vragen.

'Ja,' zei ik ten slotte.

'Die zou ik graag zien,' zei meneer March, meer tegen mevrouw March dan tegen mij. 'Nu,' voegde hij er zo nadrukkelijk en streng aan toe dat ik in elkaar kromp.

'Draai je weer om alsjeblieft, Sasha, en maak die handdoek los, zodat we de tatoeage kunnen zien,' zei mevrouw March. Ze keek alsof ze elk moment in tranen kon uitbarsten. 'Alsjeblieft,' zei ze nog eens.

Ik morrelde aan de handdoek om hem open te laten vallen en de voorkant van mijn lichaam te beschermen, terwijl ik de handdoek zo ver omhoogtrok dat de tatoeage zichtbaar werd.

Meneer March kwam dichterbij en keek er aandachtig naar. 'Waar is Alena's digitale camera?' vroeg hij aan mevrouw March.

'Donald, alsjeblieft.'

'Waar is die?' Hij schreeuwde het bijna.

Even keek ze verward, maar toen liep ze naar de bureaula, haalde er een camera uit en gaf die aan hem. Hij richtte het toestel op mij en nam een foto van de tatoeage.

'Vraag jij de rest maar,' zei hij. 'Ik ga naar mijn kantoor om dit te versturen en te laten checken.'

Hij liep de kamer uit en ik sloeg de handdoek weer om me heen. Ik had geen idee wat ik moest doen of zeggen. Had iemand Kiera's ouders verteld over de VA-club? Zaten we allemaal in de problemen? Mevrouw March sleepte zich moeizaam en stijf naar een stoel en ging zitten.

'Kiera is overstuur,' zei ze. 'Ze zegt dat je vandaag haar vriendje van haar hebt gestolen, Ricky Burns. Ze zegt dat je intiem met hem was op de boot en dat het je niet kon schelen of iedereen het wist. Ze zegt dat je Ricky hebt verleid.'

Ik had het gevoel dat er een blok ijs van boven naar beneden over mijn rug gleed, en langs mijn benen naar mijn voeten.

'Dat is niet waar!'

'Kiera was zo van streek, dat ze instortte en alles opbiechtte. Ze vertelde ons dat ze die kleren met je ging kopen omdat jij ze wilde hebben en ze dacht dat wij je gelukkig wilden zien.'

'Wát?'

'Ik wist dat het haar kleren niet waren. Ze zagen er nieuw uit en ze pasten je.'

'Ook dat is niet waar. Ze liegt. Ik weet niet waarom, maar het ís zo.'

'Ze zei dat het jouw idee was om te liegen over die auditie.'

'Nee!'

'Waarom ging je er dan in mee? Ze zegt dat je op school de reputatie hebt van een grote flirt en alle jongens achter je aan zaten, en ze schaamde zich omdat wij hadden gezegd dat jij haar nichtje was. Ze beweert dat ze heeft geprobeerd je te doen bedaren, maar vandaag betekende het einde. Je had elke jongen op de boot kunnen krijgen, maar je koos Ricky omdat hij haar vriend was. Ze zegt dat je complotteerde en samenspande om op verschillende subtiele manieren wraak te nemen, en dat dit er een van was.'

Hoe kon ze al die dingen zeggen? Ik was niet van plan het haar ongestraft te laten doen.

'Nee, nee, mevrouw March, ik heb Ricky niet gekozen, dat deden zij.'

'Wie zijn "zij", Sasha?'

'De andere meisjes... de VA-club.'

Ze staarde me even aan, wendde haar hoofd af, maar draaide zich toen weer naar me om. 'En wat is dat dan voor club?'

'Virgins Anonymous. Dat betekent die tatoeage. Het is een kalligrafie van de V en de A. Alle meisjes hebben daar een tatoeage.'

'Wat is Virgins Anonymous? Ik begrijp er niets van.'

'Alle meisjes van de club hebben hun maagdelijkheid opgegeven om lid te worden, en iedereen heeft regelmatig seks met een wille-keurige jongen. Kiera stelde me voor als lid, en ze keurden me goed. Ik heb een eed afgelegd op een agenda waarin een beschrij-ving staat van de eerste keer dat elk meisje het met een jongen heeft gedaan. We komen geregeld bijeen in Deidres huis omdat haar moeder samen met haar man werkt en zij na schooltijd het huis voor zich alleen heeft. Niemand mocht er iets over zeggen, maar Kiera liegt tegen u over mij. Ik heb niet om nieuwe kleren ge-vraagd, ik heb niet om die tatoeage gevraagd, en ik heb haar vriend niet afgenomen. Wat er is gebeurd op de boot is dat ik algauw erg zeeziek werd en Ricky me naar de luxehut bracht. Het was niet de bedoeling dat ik zeeziek zou worden. Kiera zei dat de pillen die ze me had gegeven dat zouden voorkomen.'

'Wat voor pillen?'

'Pillen tegen de menstruatiepijn. Hier,' zei ik. Ik stond snel op en liep naar de la naast mijn bed. 'Ik zal het u laten zien.'

Ik trok de la open en bleef toen ongelovig staan. De pillen waren verdwenen. Zorgvuldig onderzocht ik de la.

'Ze moet ze hebben teruggenomen,' fluisterde ik.

'Sasha, meneer March is erg overstuur.'

'Het is echt niet waar! Niets van wat ze zegt is waar.'

'Kleed je aan,' zei ze en stond op. 'We zullen met ons vieren een gesprek hebben in het kantoor van meneer March. Ik voel me kots-misselijk.'

Ik begon te huilen. Ze keek naar me, maar niet met hetzelfde medelijden en dezelfde sympathie als gewoonlijk.

'Kleed je nu maar aan. Ik zal meteen Deidres moeder bellen,' zei ze en liep de kamer uit.

Al huilend trok ik een paar kleren aan en zorgde ervoor dat er niets van Kiera's kleren bij was. Ik wilde eerst met haar alleen praten, maar ze zat al beneden in het kantoor van haar vader. Ze zat met ge-vouwen handen en keek strak voor zich uit, alsof zij degene was die werd beschuldigd, alsof het voor haar zo pijnlijk was. Meneer March ging achter zijn bureau zitten. Mevrouw March zat tegenover Kiera.

'Ga zitten waar je wilt, Sasha,' zei meneer March.

Ik staarde naar Kiera, maar ze keek me niet aan. Toch ging ik naast haar op de bank zitten.

'Ben je lid van een club of ben je dat geworden?' vroeg meneer March onmiddellijk.

Goed zo, dacht ik. Ze zijn achter de waarheid gekomen. Haar verdiende loon.

'Ja.'

Hij hield een afdruk omhoog van de foto die hij had gemaakt van mijn tatoeage. 'Is dit het logo van de club?'

'Ja,' zei ik.

'*Hell Girl*?' vroeg hij.

'Wát?'

'Dat is wat deze kalligrafie betekent. Ik heb het laten onderzoeken.'

'Nee,' zei ik. 'Er staat "VA". Dat is de club waar Kiera me lid van maakte, de VA-club.'

Kiera blies haar adem uit door getuite lippen. Ze glimlachte naar haar vader. 'Waar haalt ze het vandaan? VA-club?'

'De meisjes hebben me meegenomen naar de tatoeëerder,' zei ik snel.

'Weet je waar dit zogenaamd gebeurd is?' vroeg meneer March.

'Ergens in LA. Ik herinner me het adres niet. Als ik het weer zou zien, zou ik het herkennen.'

'Om te beginnen,' zei Kiera, 'weet je, papa, dat in Californië iemand onder de achttien niet legaal een tatoeage kan krijgen. Waarom zou iemand zijn bedrijf riskeren door haar die belachelijke tatoeage te geven?'

'Ze heeft gelijk. Sasha?'

'Ik weet niet waarom hij het heeft gedaan. Misschien hebben ze hem meer betaald,' zei ik, nu echt in paniek rakend. 'Zij heeft er ook een. Ze hebben er allemaal een.'

Kiera draaide zich langzaam om. 'Heb je die gezien? Wil je mijn ouders dat soms wijsmaken?'

'Ja,' zei ik met een knikje naar meneer en mevrouw March. 'Ik heb het bij allemaal gezien, op dezelfde plek.'

Kiera stond op, maakte haar spijkerbroek los en liet hem zakken. Ze draaide zich om naar haar ouders en liet ook haar slipje zakken. Toen draaide ze zich naar mij om, en mijn mond viel open. De tatoeage was verdwenen.

'Dit begint een beetje op *Psycho* te lijken,' zei Kiera terwijl ze haar spijkerbroek weer optrok. 'Het kan me niet veel schelen wat mijn ouders zullen besluiten,' zei ze tegen mij. 'Wat je met Ricky hebt gedaan was gemeen. Maar ik ben niet van plan nog langer voor je te liegen, dat kan ik je wél zeggen.'

Ze draaide zich om naar haar ouders.

'Heb ik niet geprobeerd een goede zus voor haar te zijn? Ik ben vrienden kwijtgeraakt door haar en de smerige opmerkingen die ze maakt. En dan verleidt ze Ricky nadat ik hem heb overgehaald ons op de boot van zijn vader mee te nemen naar Catalina. Jullie hoeven me niet op mijn woord te geloven. Vraag het maar aan mijn vriendinnen. En vraag maar aan Sasha of ze nog maagd was toen ze hier kwam. Toe dan. Je kunt haar laten onderzoeken als je me niet gelooft.'

Ik kon niet beletten dat de tranen over mijn wangen stroomden. De blik waarmee meneer en mevrouw March me aankeken ging als een dolksteek door mijn hart. Alle warmte, alle hoop en vertrouwen waren eruit verdwenen. Ik voelde me alsof ik naar ze keek toen ze net gehoord hadden dat hun jongste dochter een terminale ziekte had. Kiera, die er altijd op uit was elke gelegenheid aan te grijpen, had haar eindstrijd geperfectioneerd en volmaakt getimed.

'Ik heb het je gezegd, moeder. Ik heb je gewaarschuwd,' zei Kiera zacht en spijtig. 'Ze is Alena niet. Ze heeft misbruik van je gemaakt. Waarschijnlijk kon ze ook al klarinet spelen en deed ze net of ze het nog nooit gedaan had.'

Mevrouw March begon te huilen.

Kiera draaide zich naar me om.

'Je bent mijn zusje niet. Dat zou je nooit kunnen zijn,' zei ze en liep het kantoor uit.

Ik haalde diep adem om mijn tranen te bedwingen. Mijn borst deed pijn. Meneer March stond op en ging lopen ijsberen achter

zijn bureau. Mevrouw March hield op met huilen, veegde haar gezicht af met haar zakdoek en na zelf ook diep adem te hebben gehaald, keek ze naar mij.

'Ik heb met Deidre gesproken. Ze heeft Kiera's verhaal bevestigd
over wat er op de boot gebeurd is,' begon ze. 'Ze weet niets van een
VA-club, en haar moeder bevestigde dat ze geen tatoeage heeft op
haar rug.'

'Deidre liegt voor haar,' mompelde ik zwakjes.

'Ik heb een paar van de andere moeders gebeld, en ze hebben
hun dochters ook gecontroleerd. Geen tatoeages, Sasha.'

'Dan waren die van hen niet blijvend,' zei ik. 'Ik lieg niet. Ik heb
Ricky Burns niet verleid op zijn boot. Ze hebben me iets te drinken gegeven dat zogenaamd zou helpen tegen zeeziekte, maar het
maakte me alleen maar suf en duizelig. Ze stonden allemaal om me
heen in de hut. Ik werd verkracht!' riep ik uit.

Meneer March hield op met ijsberen en keek naar mevrouw
March. 'Dit heeft geen zin, Jordan. Dit kan een groot schandaal
worden!'

'Ik weet het,' zei ze verslagen.

Hij wees naar mij. 'Je kunt zo'n beschuldiging niet maken, Sasha.
Tom Burns is een invloedrijk zakenman. Zijn keten van apotheken
is een van de succesvolste in de staat. In zo'n strijd zou hij ons ver-
nietigen. Laat ik niet horen dat je dit verhaal aan iemand op school
hebt verteld. Dringt dat tot je door? Begrijp je me goed?'

'Ja, maar het is waar.'

'Waag het niet dat hardop te zeggen,' zei hij, elk woord bena-
drukkend. Hij keek naar mevrouw March. 'Ik wil dat je haar voorlopig weghaalt uit Alena's kamer. Breng haar onder in een van de
logeerkamers, ver uit de buurt van Kiera. Ik weet niet wat er mis is
met je, Sasha.' Hij draaide zich weer naar me om. 'Misschien heeft
het bestaan als dakloze op straat je sluw en hard gemaakt in je strijd
om te overleven. Misschien zag je je kans schoon bij mevrouw
March. Ze heeft zich het verlies van onze dochter erg aangetrokken. Misschien moet ik jou en Kiera allebei naar een therapeut
sturen. Hoe dan ook, voorlopig wil ik hier geen woord meer over

horen. Ik zal onderzoeken wat het beste alternatief voor je is. Voorlopig ga je nog naar de school die we voor je hadden uitgezocht. Doe je werk en kom niet in moeilijkheden. Je komt direct na school naar huis en je gaat niet uit in de weekends. Is dat duidelijk?'

'Ja.'

'Je maakte indruk op me toen je hier pas kwam. Ik moet geloven dat dat wijst op een paar goede eigenschappen van je. Ik zou je aanraden die te ontwikkelen. Wil jij er nog iets aan toevoegen, Jordan?'

'Nee.'

'Zeg dan tegen mevrouw Duval dat ze meteen haar spullen verhuist.'

Ze knikte en keek naar mij. 'Ga naar boven en zoek bij elkaar wat je mee wilt nemen naar de logeerkamer, Sasha. Het spijt me, maar meneer March heeft gelijk. We willen je bij Kiera vandaan hebben.'

'En uit Alena's kamer,' zei hij nadrukkelijk.

'Op een dag zult u weten dat ik niet lieg en dan zult u er spijt van hebben,' zei ik. 'En ik zal het erger vinden voor u dan voor mijzelf.'

Ik liep de kamer uit en de trap op, maar voelde me als een slaapwandelaarster. Toen ik bij Kiera's kamer kwam, deed ze de deur open. Ze moest daar op me hebben gewacht, hebben geluisterd naar mijn voetstappen. Ze liep naar buiten en glimlachte naar me.

'Ik vind dat ik je iets moet vertellen,' begon ze. 'Dat tweede setje pillen dat ik je gaf...'

'Waar zijn ze? Wat is daarmee?'

'Het waren vruchtbaarheidspillen. Ricky's vader heeft een keten apotheken, weet je nog? Ricky kan alles krijgen wat hij wil. Misschien krijg je wel een tweeling.'

De hitte die naar mijn gezicht steeg gaf me het gevoel dat ik in vlammen opging.

'Waarom doe je me dat allemaal aan?' vroeg ik.

Ze glimlachte. 'Mijn ouders begonnen meer van jou te houden dan van mij. Zo was het ook toen Alena nog leefde, en ik was niet van plan dat nog eens mee te maken. Vind je niet dat mijn vriendinnen me trouw zijn? Ze hebben zich geweldig gedragen.

'Bovendien,' ging ze verder, en haar voldane glimlach maakte plaats voor het harde, koude gezicht dat ik in het begin had gekend, 'zoals ik je al zei, het was de schuld van je moeder. Ze had de weg daar niet mogen oversteken.' Zachtjes deed ze haar deur weer dicht.

Ik voelde me als iemand in een doodkist die niet echt dood is en machteloos moet toezien hoe het deksel wordt dichtgeklapt.

31

Duisternis

Hoewel de logeerkamer niet zo groot was als Alena's suite en geen zitruimte had waar ik me kon installeren met mijn huiswerk, was hij toch luxueus, met een kingsize bed en een dik tapijt op de grond. Er was ook een mooie badkamer, maar de kamer lag in een donkere, eenzame vleugel van het huis. Maar ik wilde nooit meer in de buurt van Kiera komen. Zij beweerde hetzelfde over mij, en weigerde te komen eten als ik op dezelfde tijd aan tafel zat. Haar vader voldeed aan haar wens en zei tegen mevrouw March dat ze mijn eten een uur eerder moest laten opdienen. De week daarop at ik elke avond in een hoek van de keuken. Inmiddels wist iedereen die voor de Marches werkte, dat er iets heel erg mis was, maar niemand vroeg me waarom ik werd afgezonderd, en ze spraken geen woord meer tegen me, behalve als het hoognodig was – al zag ik medeleven in het gezicht van mevrouw Duval en mevrouw Caro. Ik vermoedde dat ze allemaal bang waren hun baan te verliezen. Grover bracht me weer naar school, maar was weer vervallen in zijn zwijgende en afstandelijke houding.

Ik wist niet wat me te wachten zou staan toen ik die maandag terugging naar school. Aanvankelijk, tot de lunchpauze, scheen het niemand op te vallen dat ik in mijn eentje bleef zitten. Maar op dat moment begon het gefluister. De verhalen over mij hadden niet sneller de ronde kunnen doen als ze via luidsprekers waren omgeroepen.

Ik had nog geen idee wat de meisjes over me vertelden, maar Lisa Dirk wilde niets liever dan de woordvoerster zijn. Ze kwam naar me toe geslenterd en ging tegenover me zitten.

'Hoe komt het dat je helemaal alleen zit?' vroeg ze. Het was duidelijk dat ze het antwoord kende. Mijn oudere vriendinnen wilden me niet, en ik wilde hen niet.

Ik gaf geen antwoord. Ik at, hield mijn ogen gericht op niets, zeker niet op haar.

'Is het waar wat we hebben gehoord?' vroeg ze weer. 'Over jou en Ricky Burns?'

Ik legde mijn sandwich neer en boog me naar haar toe.

'Ik weet niet wat je hebt gehoord en het kan me ook echt niet schelen.'

'We hebben gehoord dat je je aan hem hebt opgedrongen op zijn boot. Je riep hem toen je alleen in een hut was. En je was naakt,' flapte ze eruit.

'Ze verspreiden leugens over me,' zei ik, ook al wist ik dat het zinloos en tijdverspilling was om te proberen me te verdedigen. Het was of je met je blote handen een waterval wilde tegenhouden. Zij waren een koor van roddelaarsters, en ik was een eenzame, verloren stem.

'Ik had nooit kunnen raden dat je zo was,' zei Lisa, mijn ontkenning negerend. 'Het is triest om zo wanhopig achter een oudere jongen aan te rennen.'

'Triest?'

Ik hield een vloedgolf van waarheid tegen met een dam die van papier was gemaakt. Hij stroomde over mijn tong naar mijn lippen. Bijna had ik alles verteld: *Ik ben Kiera's nichtje niet. Toen ze high was van een of andere drug, heeft ze mijn moeder en mij aangereden en mijn moeder gedood. Haar moeder heeft me in huis genomen, me ingeschreven op deze school en dat verhaal verzonnen.*

Even dacht ik dat ik het echt allemaal had uitgeschreeuwd, dat de dam was gebroken, maar ik besefte algauw dat de dam beveiligd werd door mijn angst dat het opbiechten van de waarheid mijn klasgenoten alleen maar nog meer van me zou vervreemden. Wie zou bevriend willen zijn met een dakloze? Niemand op die school zou met mij gezien willen worden. Dat stond als een paal boven water.

En ik kon me ook niet verdedigen door Lisa te vertellen dat ik verkracht was. Meneer March had me verboden daar iets over te zeggen. Ik kon het alleen maar inslikken en iedereen negeren, maar dat was erg moeilijk. Aan het eind van de dag voelde ik me verstrikt in spinnenwebben van leugens en verdraaide feiten. Er was geen oog dat niet op me gericht was en geen tong die niet over me roddelde. Het was bijna alsof ik naakt rondliep. Vergeleken met de kluiten modder waarmee ik bekogeld werd stelde mijn manke been niets voor en trok nauwelijks meer de aandacht, omdat iedereen het te druk had met het roddelen over de leugens die de ronde deden over mijn seksuele activiteiten en valse gedrag. Ze zagen alleen maar de promiscue nieuwe leerling die waarschijnlijk een slechte reputatie had op haar oude school. Daarom deed ik natuurlijk zo geheimzinnig over mijn verleden.

Ik deed mijn best tijdens mijn favoriete les, tekenen, maar toen ik probeerde aan een nieuw kalligrafieproject te beginnen, kon ik alleen maar denken aan die afgrijselijke tatoeage op mijn rug, en bleef ik heel lang staren naar een blanco vel papier. Meneer Longo bleef naar me toekomen om me aan te moedigen, maar toen de bel ging, was ik nauwelijks aan iets nieuws begonnen. Zo ging het ook tijdens de muziekles. Ik speelde zo slecht, dat Denacio een van zijn beruchte woedeaanvallen kreeg.

'Als ik niet gauw een verbetering bij je zie,' dreigde hij, 'zal ik moeten heroverwegen je een plaats te geven in het schoolorkest.'

Ik protesteerde niet. Ik kon voor niets enig enthousiasme opbrengen en strompelde door de gangen van les naar les. Soms ving ik een glimp op van Kiera die in de gang naar me keek. Op een gegeven moment meende ik dat ze zelf verbaasd leek dat haar plan zo goed was gelukt. Ze leek vol ontzag voor zichzelf.

Ricky bekeek me niet meer. Een paar keer stond ik op het punt naar hem toe te gaan en hem te vragen hoe hij zo wreed kon zijn, maar hij en Boyd zaten altijd samen te lachen, en ik wist zeker dat als ik tegen een van hen iets zei, ze me voor gek zouden zetten, en ik me nog meer zou schamen dan ik nu al deed.

Behalve als we op dinsdag en donderdag repeteerden met het

orkest, ging ik meteen naar huis en naar de logeerkamer. Ik begon niet zoals vroeger onmiddellijk met mijn huiswerk. Ik bleef een tijdlang zitten en staarde uit het raam, me afvragend wat ik moest doen en waar ik uiteindelijk terecht zou komen. Ik maakte me verschrikkelijk ongerust dat ik zwanger zou zijn. Ik zou me geen raad weten als ik niet ongesteld zou worden. Ik wilde mama's graf bezoeken, in de hoop dat ze iets tegen me zou zeggen en me zou vertellen wat ik moest doen, maar ik durfde mevrouw March niets te vragen.

Die hele week zei mevrouw March niet veel tegen me. Als we elkaar zagen, zag ze er net zo bedroefd en verloren uit als ik. Ik liep er als verdoofd bij, maar zij leek nog steeds aan de rand van tranen. Ze vertelde me wel dat meneer March nog steeds zoekende was naar wat het beste alternatief voor me zou zijn, nu de omstandigheden gewijzigd waren. Ik begreep dat dit niet de mogelijkheid inhield dat ik hier zou blijven, zelfs niet zoals nu. Soms, als ik dacht aan alles wat Kiera voor elkaar had gekregen, en dat alles wat zij en haar vriendinnen zeiden als de waarheid werd geaccepteerd, voelde ik me meer kwaad dan bedroefd. Ik herinnerde me het advies van Jackie, de verpleegster, en dan zou ik ze het liefst dreigen met een rechtszaak. Ik zou mijn vader zoeken, en hij zou terugkomen en het voor me regelen.

Maar gek genoeg, ook al werd ik nu niet zo best behandeld, toch kon ik niet kwaad zijn op mevrouw March en ik had zelfs medelijden met meneer March. Kiera had hem volkomen om haar vinger gewikkeld, en hij besefte het niet. Uiteindelijk zou het op een grote tragedie uitdraaien. Het ene moment wilde ik niets liever dan dat zou gebeuren, en het volgende moment verweet ik mezelf dat ik iemand dat kon toewensen.

In al die ellende, mijn eenzaamheid in de donkere vleugel van het huis, waar ik mijn eigen voetstappen hoorde weergalmen, kwam de herinnering weer boven aan de gelukkige, zonnige momenten met mama, zelfs toen we op straat leefden en soms meer hadden verkocht dan we verwacht hadden.

Dan ging ze het vieren en kregen we ijs of een heerlijk belegd broodje en gingen we op het strand zitten, alsof we weer terug waren in de tijd. Ze kocht geen alcohol met het extra geld, dus was ze weer helemaal mijn moeder. Ze vertelde me over haar eigen jeugd in Portland, haar vrienden en vriendinnen op high school, de toneelstukken waarin ze had gespeeld, en de feesten daarna. Veel van die verhalen had ik al eerder gehoord, maar voor mij waren ze de sprookjes die andere ouders hun kinderen voorlazen. Kinderen konden die niet vaak genoeg horen. Je kende stukken ervan uit je hoofd en wist precies wat er daarna kwam, maar het had iets bijzonders als je moeder of je vader ze steeds weer voorlas. Je voelde je veilig en koesterde je in hun liefde en de magie die ze met hun stem tevoorschijn konden roepen. De harde, koude wereld werd buitengesloten. Er kon niets slechts gebeuren, en je kon gemakkelijk en comfortabel in een diepe slaap vallen, onbevreesd voor de duisternis die er onvermijdelijk aan verbonden was. Er was altijd de belofte van morgen.

Nu was er geen belofte van morgen, en de harde, koude wereld had een manier gevonden om bij me terug te komen. Zonder mogelijkheid tot ontsnappen, zonder veiligheid, was de duisternis die nu met de slaap op me afkwam angstaanjagend, niet omdat hij oude geesten en nachtmerries meebracht, maar omdat hij me blind maakte, bang om een volgende stap te doen, een volgende gedachte te laten opkomen, een volgende wens te doen.

Die vrijdag verbrak Kiera haar gelofte van stilzwijgen en kwam ze in de kantine naar me toe. Maar niet om iets van spijt of berouw te laten blijken. Ze ging niet aan mijn tafel zitten. Ze bleef tegenover me staan, hield afstand, alsof ze bang was dat ik haar zou aanvallen.

'Ik zie dat het je nog steeds niet erg lukt om nieuwe vrienden te maken,' zei ze, met een knikje naar de lege stoelen.

'Ik ben nog niet op zoek naar nieuwe vrienden, maar als ik zover ben, zal ik voorzichtiger zijn in mijn keuze,' antwoordde ik.

'Je hoeft niet voorzichtig te zijn of je er druk over te maken. Ik betwijfel of je hier nog veel langer zult zijn.'

'Waar ik ook naartoe ga, erger kan het niet worden.'

Ze lachte. 'Ricky geeft vanavond een feest bij hem thuis. Zijn ouders gaan voor een korte vakantie naar de Mexicaanse Rivièra. We zouden je wel uitnodigen, bij wijze van entertainment, maar iedereen is bang dat je weer een vriend van ons zou verleiden.'

Ik zweeg. Ik beefde inwendig, maar ik wilde niet huilen of zelfs maar bedroefd en bang lijken. In plaats daarvan zei ik: 'Ik heb medelijden met je.'

'Jij hebt medelijden met mij? Laat me niet lachen. Als je straks in een pleeggezin komt, in een kamer slaapt van twee bij vier meter en naar een of andere inferieure school gaat, denk dan maar aan mij. Ik zal vannacht aan jou denken. Om iets te vieren zeg maar.'

'Je bent goed in wat je doet, Kiera, dat zal ik niet ontkennen. Maar met al je geld en al je spullen, je auto's en je reizen, heb je niet veel meer dan ik. Je bent zelfs eenzamer dan ik.'

'Je bent gek,' zei ze, maar de overtuiging in mijn stem bracht haar even van de wijs. Ik kon merken dat ze iets van haar zelfverzekerdheid en arrogantie verloor.

'Je liet me geloven dat je echt een goede verstandhouding had met je zusje, maar ik weet nu dat dat onmogelijk was. Ik denk dat er momenten waren waarop je wenste dat haar iets slechts zou overkomen, en toen dat gebeurde, haatte je jezelf. Weet je,' ging ik verder terwijl ik een stukje fruit opprikte met mijn vork. 'Ik denk dat je dat nog steeds doet.'

Voor het eerst zag ik het bloed naar haar wangen stijgen. Haar ogen schoten vuur en ze kon geen woord uitbrengen. Ik zag zoveel woede in haar ogen dat ik mijn blik afwendde. Ze liep weg, maar ik zag dat ze nu en dan naar me keek. Ik twijfelde er niet aan of ze wilde dat ze me nog meer kwaad kon doen. Ik had door haar harde, stalen buitenkant heen geprikt en de plek aangeraakt waar al haar angst en spijt lagen te slapen, wachtend op het moment dat iets of iemand ze wakker zou schudden. Misschien zou zij nu ook nachtmerries krijgen en bang zijn voor de duisternis, dacht ik.

Ironisch genoeg gaf het me geen beter gevoel dat ik in staat was haar te kwetsen, zelfs niet na alles wat ze had gedaan. Ik weet dat de meeste mensen dat een zwakheid zouden noemen. Hoe kon ik overleven in een wereld waar mensen zo wreed waren tegen elkaar, als ik niet kon genieten van wraak?

Ik denk dat het probleem was dat ik me te veel met Alena verwant was gaan voelen. Ook al was ze dood, ze was nog steeds aanwezig in haar suite, niet alleen voor mevrouw March, maar na een tijdje ook voor mij, omdat ik haar kleren droeg, haar spullen gebruikte en altijd haar foto's, haar gezicht, voor me zag. Als ik 's nachts wakker lag vroeg ik me soms af wat ze dacht en voelde toen ze besefte hoe ziek ze was. Huilde ze? Was ze kwaad? Was ze gewoon bang? Zoals meneer en mevrouw March haar beschreven leek niets van dat alles het geval. Ik wist dat alle ouders hun kinderen engelen vonden als ze zo jong en onschuldig waren, maar misschien voldeed Alena aan het plaatje. Misschien had ze me geholpen mijn weg te vinden. Misschien had ze zelfs nu nog medelijden met haar zus en had ze gehoopt dat ik haar op de een of andere manier zo had kunnen veranderen als ze had voorgewend.

Vergeef me, Alena, dat ik daarin gefaald heb en dat ik Kiera ongeluk toewenste, dacht ik, en werkte verder tot het eind van mijn schooldag.

Meneer en mevrouw March waren geen van beiden thuis toen ik terugkwam. Ik ging direct naar boven. De gang was pikdonker en in mijn kamer was het koud en eenzaam. Ik voelde me als een van die kinderen over wie we lazen in de klas, de kinderen die zaten opgesloten in de Tower of London. Net als zij bleef ik achter om weg te kwijnen en te sterven. Voor het eerst sinds ik in het huis van de Marches was gekomen, zelfs in het begin toen Kiera zo gemeen tegen me was, dacht ik erover om weg te lopen. Ik had al eerder op straat overleefd, dus waarom zou ik dat nu niet kunnen? Het was meer dan een vluchtige gedachte. Ik peinsde over wat ik mee zou moeten nemen en wat ik bezat om te kunnen verpanden, zodat ik wat geld zou hebben. Ik had nog de twee horloges die Kiera me zo achteloos had gegeven. Als ze niet had gelogen dat het echte diamanten waren, zou ik er voldoende voor kunnen krijgen om een tijdje vooruit te kunnen.

Maar toen drong de realiteit tot me door van een meisje van mijn leeftijd dat probeerde op die manier te leven. Welk hotel zou me een kamer verhuren, zelfs een van die gore hotelletjes die ik kende? Wat moest ik doen als het geld op was? Wie zou me aannemen voor werk? En wat zou ik nu op het strand kunnen verkopen? De kans dat de politie me met rust zou laten als ik niet in gezelschap was van een volwassene, was ook veel kleiner. Weglopen was geen oplossing.

Gedeprimeerd ging ik liggen en ik viel algauw in slaap. Ik werd wakker toen er op mijn deur werd geklopt en ik mevrouw March zag.

'Ben je ziek?' vroeg ze.

'Nee, alleen een beetje moe.'

'Meneer March heeft gebeld om me te vertellen dat hij volgende week een afspraak voor je heeft gemaakt met de sociale dienst. Maandag, geloof ik. Ze zullen een geschikt nieuw thuis voor je vinden,' zei ze en perste toen haar lippen op elkaar alsof ze een snik wilde bedwingen. 'Het spijt me, Sasha. Ik wilde zo graag dat je het hier goed zou hebben. Ik meen het.'

'Dank u,' zei ik.

'Mevrouw Duval heeft je eten klaar,' ging ze verder en liep toen de kamer uit. Ik hoorde haar voetstappen wegsterven in de gang en verdwijnen, samen met mijn goede en hoopvolle toekomst.

Ik stond op, waste me en ging naar beneden om te eten. Sinds de nieuwe regeling leek iedereen om me heen stom of doof te zijn. Er hing een doodse stilte in de lucht. Gezichten werden van me afgewend. Alles ging automatisch en zo snel mogelijk. Ik besefte dat ze natuurlijk allemaal Kiera's verhaal hadden gehoord en alle slechte dingen over me ook geloofden. De enige vriendin die ik had in huis was de denkbeeldige vriendin die ik had in Alena. Het leek toepasselijk dat ik alleen nog maar close was met de doden.

Na het eten bleef ik niet beneden rondhangen. Langzaam liep ik naar de imposante trap en naar mijn kamer, als iemand die naar haar executie gaat. Huiswerk maken leek zinloos, net als het spelen op de klarinet. Ik zou deze school toch niet afmaken. Niettemin, uit droefheid of een behoefte om in contact te blijven met Alena, speelde ik toch op de klarinet.

Daarna keek ik een tijdje televisie. Ik wilde zo lang mogelijk wakker blijven, zodat ik sneller in slaap zou vallen en niet zou liggen draaien en woelen, en alle pijn en ellende opnieuw zou beleven. Tegen middernacht zette ik eindelijk de televisie uit. Ik stond op het punt naar bed te gaan toen ik lawaai hoorde, dus kwam ik mijn bed uit om te luisteren. Het kwam uit de vleugel van het huis waar zich de slaapkamers van Kiera en haar ouders bevonden. Mevrouw March schreeuwde iets. Ik liep langzaam naar het geluid toe, toen sneller, bijna hollend. Ze was op weg naar de trap toen ik haar zag. Ze knoopte haar jasje dicht maar bleef staan toen haar blik op mij viel.

'Wat gebeurt er?' vroeg ik.

'Het is Kiera,' zei ze. 'Ze is halsoverkop van haar feest naar het ziekenhuis gebracht. Iets met drugs, een... overdosis. Ze ligt in een coma,' mompelde ze. 'Mijn man...'

'Wat is er met hem?'

'Hij weet het nog niet. Hij is niet te bereiken. Hij komt met het vliegtuig terug van een vergadering in San Francisco.' Ze draaide zich weer om en daalde de trap af. Ze zag er heel tenger en bang uit.

'Zal ik met u meegaan?' vroeg ik, terwijl ik naar de trap liep. 'Ik zal u niet in de weg lopen. Ik wil alleen maar bij u zijn.' Ik had eraan toe willen voegen: Als Alena hier zou zijn, zou u haar vast meenemen. Misschien hoorde ze mijn gedachte, of misschien sprak Alena tegen haar.

'Ja,' zei ze. 'Dank je. Kom.'

Ik liep haastig naar haar toe en zonder verder een woord te zeggen stapten we in haar auto.

'Ik wist dat dit op een dag zou gebeuren,' zei ze met een stem die nauwelijks boven een gefluister uitkwam. 'Ik voelde het, zoals mensen regen kunnen voorvoelen. De donkere wolken stapelden zich op aan Kiera's horizon... wachtten. Ik probeer Donald van alles de schuld te geven, zijn toegeeflijkheid, zijn blindheid, zijn onverschilligheid, maar ik ben net zo schuldig.'

Ik zei niets, maar terwijl we door het donker naar het ziekenhuis reden, voelde ook ik me schuldig.

Ik had dit zo intens gewenst. Ik had dit zo graag gewild dat ik het bijna had geproefd. Ging ik nu met mevrouw March mee om me te verkneukelen of om haar troost te bieden?

Was ik Alena, of was ik Sasha Porter?

Ik zou het gauw genoeg weten.

32

Ziekenhuis

Iedereen was aanwezig in de wachtkamer van de spoedeisende hulp. Iedereen keek angstig, maar toen ze mij zagen met mevrouw March, sloeg hun angst om in verbazing. Ricky keek als laatste op. Hij zat met zijn hoofd in zijn handen. Mevrouw March vroeg niemand iets en zei niets tegen een van hen. Ze liep regelrecht naar de verpleegstersbalie en stelde zich voor. Op vrijwel hetzelfde moment stond er een dokter naast haar. Hij zei iets tegen haar en liep toen met haar een gang door.

Deidre was de eerste die iets tegen me zei. Langzaam kwam ze naar me toe. De schok mij hier te zien maakte plaats voor verwarring. 'Waarom ben jij hier?' vroeg ze luid genoeg dat de anderen het konden horen.

'Mevrouw March had iemand nodig om haar gezelschap te houden.' Toen ik het gezegd had, besefte ik dat ik had moeten zeggen 'mijn tante'. 'Mijn oom zit in het vliegtuig uit San Francisco.'

Haar blik van verwarring verdween, maar toen zei ze alsof ze een bekentenis deed: 'Hij is je oom niet. Iedereen hier kent nu de waarheid. Kiera had haar tong niet meer in bedwang, nog voordat er verder iets gebeurde.'

Ik keek naar de anderen, die me allemaal strak aankeken.

Tot mijn verbazing voegde Deidre eraan toe: 'Maar het was erg aardig van je om met haar moeder mee te komen. Je kunt hier met ons blijven wachten.' Ze wees op de stoel naast haar.

'Dank je. Ik ga hier wel zitten.' Ik nam iets verderop plaats.

Ze leek niet beledigd. Ze knikte begrijpend en ging terug naar haar plaats. Ik keek naar de anderen. Ik haatte hen om wat ze me hadden aangedaan, maar nu zagen ze er zielig uit, meer als doods-bange kleine kinderen, vooral Ricky. Hij scheen zelfs te hebben ge-huild. Hij draaide zijn hoofd weg om mijn blik te vermijden.

Twee geüniformeerde politieagenten kwamen binnen en liepen naar de verpleegster.

Ze sprak met hen, en al die tijd zaten Kiera's vrienden er als ver-steend bij. De politiemannen draaiden zich om en keken naar hen. De verpleegster knikte in de richting van de gang en ze liepen door.

Deidre keek me peinzend aan. Ten slotte stond ze weer op en liep naar Ricky. Ze praatte even met hem en toen keken ze allebei naar mij. Hij knikte en stond op. Ik voelde me verstijven toen hij op me afkwam.

'Kan ik je even spreken?' vroeg hij.

'Wat wil je?'

'Laten we even naar buiten gaan. Alsjeblieft?' ging hij verder toen ik me niet verroerde. De anderen staarden ons aan.

Ik stond op en liep naar het parkeerterrein. Hij volgde me en ik bleef staan en draaide me abrupt naar hem om.

'Wat is er?' vroeg ik.

'Ik verwacht niet dat je een excuus zult accepteren. Ik wilde je alleen iets vertellen over de pillen die Kiera je gaf. Ze vroeg me om die voor haar mee te brengen.'

'En?'

'Ze wilde vruchtbaarheidspillen. Je weet wel, pillen voor vrou-wen die moeilijk zwanger kunnen worden.'

'Ik weet wat vruchtbaarheidspillen zijn, Ricky.'

'Ik heb haar pillen gegeven en gezegd dat het vruchtbaarheids-pillen waren, maar het waren gewoon wat wij noemen placebo's. Er zat niets in om een zwangerschap te bevorderen.'

'Bedankt, maar ik kan nog steeds zwanger zijn, toch?'

'Ik hoop het niet. Ik verwacht van niet.'

'Waarom niet?'

'Vlak daarna, zonder dat Kiera het wist, liet ik je wat water drin-ken en gaf ik je nog een pil, de zogenaamde morning-afterpil. Ik was niet van plan om op mijn leeftijd de vader te worden van een kind. In ieder geval,' zei hij, achteromkijkend en toen weer naar mij, 'wat hier ook gebeurt, het is een waarschuwing, althans voor mij. Ik krijg waarschijnlijk een hoop moeilijkheden.'

'Wat is er met haar gebeurd?'

'Ze heeft iets ingenomen dat G heet. Ik heb het gekregen van iemand die ik ken. Het is op het ogenblik het snoepje van de week. Iedereen is altijd op zoek naar een nieuwe kick, en Kiera volgt de trend beter dan wie ook. Ik wist niet welke dosis je kon nemen. Deze knaap vertelde me dat je een shot moet nemen als een glaasje whisky, maar zij nam er drie. Ik waarschuwde haar het kalm aan te doen, maar toen ze instortte was het duidelijk dat ze over de schreef was gegaan. Ze raakte in coma. We konden haar niet bij bewustzijn brengen, dus moesten we een ambulance bellen. Ik moest hun wel vertellen wat er aan de hand was. Straks komt de politie me halen.'

'Hoe kon je haar zoiets geven? Maar waarschijnlijk moet ik dat niet vragen. Kijk maar naar wat je mij gaf.'

'Je hebt gelijk. Het was onvergeeflijk.'

'Je scheen niet veel spijt te hebben toen ik je deze week zag.'

'Dat had ik wel, maar ik durfde het niet te laten merken.'

'Je moet je vrienden wel erg belangrijk vinden.'

Iets als een glimlach gleed over zijn gezicht. 'Je bent slim, Sasha. Ik deed het niet met je alleen omdat Kiera dat wilde.'

'Het doet er nu niet meer toe,' zei ik. 'Hoe is het met haar?'

'Ik weet het niet. Slecht, denk ik. Ze zeiden dat ze moeite had met ademhalen.'

'Waarom was ze zo roekeloos?'

'Ze wilde gewoon een fantastische tijd hebben. Eigenlijk dacht ik dat ze de drugs gebruikte om te proberen uit een depressie te komen, niet om in een roes te raken. Ze gedroeg zich al zo vreemd, en dat maakte me zenuwachtig, en toen gebeurde dit. Gelukkig had niemand anders de G nog gebruikt toen ze die reactie kreeg, maar ze zouden het wel hebben gedaan, dan weet ik zeker. We zouden allemaal hier kunnen liggen.' Hij sloeg zijn ogen neer en schudde zijn hoofd. 'Verdomme.'

Hij keek me aan. 'Ik heb vanavond pas de waarheid over jou gehoord. Ik geloof dat niemand behalve Deidre het wist. Toen Kiera ons vertelde over je moeder en het ongeluk... nou ja, ik denk dat wat ze gedaan heeft haar meer hindert dan ze ooit zal toegeven, wat waarschijnlijk nog een reden was om zoveel G te gebruiken. Natuurlijk waren de anderen net zo verbaasd als ik toen ze al die bijzonderheden over jou hoorden. Ik voelde me behoorlijk ellendig. Al die tijd dacht ik dat je gewoon een verwend nichtje was van Kiera. Het is een armzalig excuus, dat weet ik, maar ik wilde het je toch zeggen. Als de politie je iets vraagt, kun je ze alles vertellen. Ik zal het niet ontkennen. Sorry,' zei hij weer en liep terug naar de wachtkamer.

Ik liep nog een tijdje buiten te ijsberen. Toen ik door de glazen deur naar binnen keek, zag ik de twee politiemannen in gesprek met Kiera's vrienden. Ricky stond op en liep met hen naar buiten. Hij keek even naar mij toen ze hem naar de patrouillewagen brachten. Toen hij achterin stapte, reden ze weg. Toen ik terugkwam in de wachtkamer, stonden de anderen bij de deur toe te kijken. Ze weken uiteen om de weg voor me vrij te maken toen ik binnenkwam, juist op het moment dat mevrouw March naar buiten kwam.

'Donald is er,' zei ze tegen mij. 'Hij kwam via de hoofdingang en werd meteen naar Kiera gebracht. Hij is nu bij haar. We wachten in een andere kamer op een specialist. Als je naar huis wilt, zal ik een taxi voor je bestellen.'

'Nee, ik wacht liever samen met u, als u het goedvindt.'

Ze keek naar Kiera's vrienden, die allemaal het gezicht afwendden. 'Ik ben erg teleurgesteld in je, Deidre. In jullie allemaal,' voegde ze eraan toe.

Deidre begon te huilen.

'Ik hoor het bij stukjes en beetjes,' ging ze verder tegen mij. 'Maar ik heb zo'n gevoel dat we je verkeerd beoordeeld hebben. Kom mee.'

Ik keek achterom naar de anderen. Ze leken op mensen in een woestijn die hunkeren naar water. Niemand zou hun komen vertellen hoe het met Kiera ging. Ik liep naar Deidre.

'Meneer March is hier. Ze wachten op een specialist om Kiera te onderzoeken.'

'Dank je,' zei ze. 'Er is ons gezegd dat we hier moeten blijven. Er komen twee andere patrouillewagens om ons te halen en onze ouders worden op de hoogte gebracht. Het spijt me wat we met je hebben gedaan.'

Ik zei niet dank je. Ik zei niet dat ze natuurlijk spijt hoorde te hebben. Ik knikte slechts en liep snel naar mevrouw March. Iemand van het ziekenhuis bracht ons naar een privékamer naast het kantoor van de directeur van het ziekenhuis. Hij bood ons iets te drinken aan en ging het zelf halen.

'Donald en ik geven grote bijdragen aan dit ziekenhuis,' vertelde mevrouw March, als om de vipbehandeling te verklaren. 'We zullen straks wel zien hoeveel goed ons dat zal doen.' De man kwam terug met koffie voor haar en een frisdrank voor mij. 'Zeg alstublieft tegen mijn man dat we hier zijn,' zei ze en hij ging weg.

Zoals ik haar nu zag, moest ik denken aan de eerste keer dat ik haar had gezien in de ziekenzaal van dit ziekenhuis, zo elegant, charismatisch en autoritair. Ik had toen geen idee wie ze was en waarom ze daar was, maar ik voelde dat ze de macht had om dingen gedaan te krijgen. Maar nu, terwijl ze haar koffie dronk, weggedoken in een hoek van de bank, leek ze veel kleiner en even deerniswekkend als de dakloze vrouwen op straat die mama en ik geregeld tegenkwamen. Toen ik enkelen van hen had leren kennen, had ik meer medelijden met hen dan met onszelf. Veel van die vrouwen hadden kinderen die hen niet meer wilden kennen, of ze hadden hun kinderen, hun man en al hun vrienden verloren. We waren allemaal zwervers, op zoek naar een aalmoes van liefde.

Precies wat mevrouw March nu was, dacht ik. Het drong tot me door dat zij noch meneer March ooit iets zei over familieleden. Hun geld en hun macht hadden hen in een andere wereld geplaatst. En als ik meneer March weleens hoorde praten over neven en ooms, dan was het altijd in verband met de angst dat ze hem om geld zouden vragen. Tot op dit moment had ik nooit beseft hoe eenzaam zij drieën feitelijk waren. Ze hadden nauwelijks elkaar, en nu bestond de mogelijkheid dat ze na het verlies van hun jongste dochter ook hun oudste dochter kwijt zouden raken. Hoe onaangenaam Kiera ook kon zijn, ze vulde toch een paar van de lege plaatsen in hun leven. Hun huis was te gastvrij voor tragische herinneringen, het verwelkomde ze. Ze zouden nooit meer weggaan. Ze konden eeuwig blijven leven in de donkere, lege gangen en kamers. Elke schaduw zou een geest beschermen, en die waren er al te veel.

'Ze komt er heus bovenop,' zei ik.

Mevrouw March knikte zacht. 'Waarom moet ze drugs gebruiken om plezier te hebben? Waarom begreep ze niet hoe gevaarlijk dat is?'

Ik wist niet wat ik moest zeggen. We dronken wat en wachtten. Op een gegeven moment leek het of ze in slaap was gevallen. Ik was ook erg moe, maar ik wilde mijn ogen niet dichtdoen.

Ik verloor alle besef van tijd, maar eindelijk kwam meneer March de kamer in, uitgeput en verslagen, zonder een spoor van zijn gebruikelijke zelfverzekerdheid. Hij zag doodsbleek. Ze keek snel op.

'Mat Kindle onderzoekt haar,' zei hij. Toen zag hij mij. 'Ik heb Deidre apart genomen voordat de politie haar en de anderen kwam halen,' zei hij. 'Wat kun jij ons er nog meer over vertellen, Sasha?'

'Ze was er niet bij, Donald.'

'Dat weet ik, maar misschien weet ze er iets meer over. Nou?'

Ik vertelde hem alles wat Ricky me over het feest had toevertrouwd. Ik gebruikte zijn woorden om te beschrijven waarom Kiera de drug had willen hebben. Ik deed extra mijn best om niet voldaan te klinken.

Hij knikte. 'Dat is min of meer zoals Deidre het heeft beschreven. Ze heeft me de rest ook verteld,' voegde hij eraan toe.

'Welke rest?' vroeg mevrouw March.

'Het schijnt dat Sasha ons over alles de waarheid heeft verteld. Ze hebben iets heel misselijks en wreeds met haar gedaan op bevel van Kiera, vrees ik.' Hij keek naar mij. 'Ik zal uitzoeken hoe we die tatoeage van je kunnen verwijderen.'

Ik zag de gemengde gevoelens in het gezicht van mevrouw March. Ze was blij voor mij, maar maakte zich hevig ongerust over Kiera.

'Er zullen dingen moeten veranderen als dit voorbij is,' zei meneer

March. 'Het is volkomen uit de hand gelopen. Het is mijn schuld. Je hebt altijd gelijk gehad, Jordan. Het spijt me.'

Ze begon te huilen. Hij ging naar haar toe en sloeg zijn armen om haar heen. Ze maakten een verpletterde indruk. Ik wilde niets liever dan me gewroken en gerehabiliteerd voelen, blij dat ze zich ellendig voelden, maar ik kon zelf niet ophouden met huilen. Alena huisde in mij, dacht ik. Ik liep naar de bank en pakte de hand van mevrouw March vast. Meneer March keek naar me, en toen omarmden ze me allebei.

Zo vond de dokter ons.

We keken hem alledrie aan.

'Ze heeft een grote dosis van die rotzooi ingenomen,' begon hij. Hij was klein en gezet, had een donkerbruine snor en een bijna kaal hoofd. Ik vond hem er meer uitzien als een van die beroepsworstelaars die je op de televisie zag, zelfs in zijn keurige pak.

'Wat is het precies?' vroeg meneer March.

'Technisch gesproken, gamma-hydrobutyriczuur, op straat bekend als GHB of gewoon G. Het lijkt zuiver water, maar als je het zou proeven zou je meteen weten dat het dat beslist niet is. Dus is er geen schijn van kans dat het een vergissing was, tenzij iemand het stiekem in een drankje heeft gedaan. Dat gebeurt weleens, maar deze keer niet, vermoed ik.'

'Nee, je hebt gelijk, Mat,' zei meneer March.

'Waarom slikken ze dat toch?' vroeg mevrouw March.

Dokter Kindle lachte. 'Heb je een paar dagen tijd om te luisteren naar de sociologische en psychologische verklaringen van de drugscultuur? Kinderen gebruiken het omdat ze zich dan energiek, sensueel, in een roes voelen. Ze worden spraakzaam, high. Ze noemen dit zelfs vloeibare xtc. Mensen die het slikken raken vaak buiten bewustzijn. Dat is niet ongewoon met deze troep. In straattaal heet dat *carpeting out* of *scooping out*. Het heeft een ingrijpend effect op de ademhaling. Als ze Kiera niet zo snel hierheen hadden gebracht, zou ze het vrijwel zeker niet hebben overleefd.'

'Hoe gaat het nu met haar?' vroeg mevrouw March zachtjes en angstig.

'We hebben haar ademhaling kunnen stabiliseren. Ik kan niet met zekerheid zeggen hoe lang ze in coma zal blijven, maar meestal duurt het geen dagen of weken. In de meeste gevallen niet meer dan uren. We hebben haar naar een privékamer gebracht en er staat al een privéverpleegster klaar, Donald. We moeten natuurlijk een volledig onderzoek doen, om na te gaan of er nog andere organen zijn beschadigd. Dit is een van de drugs waarover nog niet voldoende bekend is, omdat het na twaalf uur het lichaam heeft verlaten. Waarschijnlijk zijn er meer mensen aan gestorven dan officieel bekend is. Jonge mensen.'

'Dank je, Mat,' zei meneer March terwijl hij opstond. 'In welke kamer ligt ze?'

'Driehonderdveertig. Ik kom straks ook boven.'

Mevrouw March stond op en pakte de hand van haar man. Toen draaide ze zich naar mij om en stak haar andere hand uit. Ik stond ook op, pakte haar hand aan en liep met hen naar de lift.

Ons leven is een vicieuze cirkel, dacht ik toen we naar boven liepen naar Kiera's kamer. Mijn leven met de Marches was begonnen in een ziekenhuis en nu was ik weer in een ziekenhuis, kort voordat mijn leven met hen zou eindigen.

Hoewel ze allebei Kiera al hadden gezien, verstarden ze bij de aanblik van haar in het ziekenhuisbed, verbonden aan de monitors. Toen ik naar haar keek, leek het of ze begonnen was te vervagen. Haar gezonde teint was verbleekt. Haar huid zag er grauwer uit. Haar haar was nog mooi, maar de losse lokken op het kussen vertoonden de sporen van alle toestanden die ongetwijfeld hieraan vooraf waren gegaan in de ambulance en op de spoedeisende hulp. In de paniek om haar leven te redden was er met haar gesold, was ze geprikt en gedraaid en vastgemaakt aan apparatuur. Ze leek meer een pop die verwoed heen en weer was geschud, tot onderdelen van haar begonnen los te raken.

Ik wilde me nog steeds ongevoelig opstellen, maar Alena duwde me naar voren. Ik kon haar bijna horen smeken: Help haar. Help haar.

Ik liep naar de rand van het bed. Haar verpleegster ging opzij en de Marches stonden aan het voeteneind. Ik schoof een stoel bij het bed, ging zitten en pakte toen haar hand.

'Ik ken de waarheid, Kiera,' zei ik. 'Ik weet dat je meer verdriet voelt dan woede, en alles wat je mij aandeed en nu jezelf hebt aangedaan, jouw manier was om dat verdriet te camoufleren. Wees er niet meer bang voor. Het is er om je schuld uit te wissen zodat je kunt leven. Leven voor de mensen die erop wachten van je te houden. En leven voor Alena.'

Ik liet haar hand los, stond op en schoof de stoel achteruit.

'Ik wacht beneden op u, mevrouw March,' zei ik. Ik wist zeker dat ze met hun dochter alleen wilden zijn.

Geen van beiden zei iets. Ze keken me na toen ik naar de deur liep. Ik viel een tijdje in slaap in de wachtkamer. Mevrouw March maakte me wakker. Even wist ik niet waar ik was.

'Ze komt bij bewustzijn,' zei ze, glimlachend door haar tranen van blijdschap heen. 'Ze krijgt nog een volledig onderzoek, maar dokter Kindle denkt dat het ergste achter de rug is.'

'Gelukkig,' zei ik, en stond op.

'Donald wacht op de parkeerplaats. Hij laat zijn auto hier achter. Hij wil dat we met elkaar naar huis rijden.'

Ik zag hem bij de auto staan. Hij stapte in toen hij ons zag en startte de motor. Ik ging achterin zitten en mevrouw March op de stoel naast hem. Lange tijd bleef het stil. Ik viel bijna weer in slaap, maar toen we bij het hek waren en het openging, reed meneer March niet meteen naar binnen. Hij draaide zich naar me om.

'Dank je voor wat je tegen Kiera zei daarbinnen, Sasha. Je blijkt een opmerkelijke jongedame te zijn. Ik wil me verontschuldigen voor de dingen die ik tegen je gezegd heb.'

Ik wist niet wat ik daarop moest antwoorden. Het hek stond open en het landhuis met veel brandende lichten doemde voor ons op. Ik vermoedde dat mevrouw Duval en mevrouw Caro en de anderen zaten te wachten op nieuws.

'Misschien had mevrouw March gelijk,' vervolgde hij. 'Misschien ben jij de dochter die we verloren hebben. Misschien heeft Kiera op een ironische en heel erg pijnlijke manier je hierheen gebracht.

Eén ding weet ik wel, je gaat niet weg voordat je oud genoeg bent om afscheid te nemen en je op jezelf kunt staan.'

Glimlachend pakte mevrouw March mijn hand, en gedrieën reden we over de grote oprijlaan naar het wachtende huis.

En voor het eerst sinds ik hier was aangekomen, had ik echt het gevoel dat ik thuiskwam.

Epiloog

Ik had geen idee hoe Kiera zou zijn als ze thuiskwam uit het ziekenhuis. Mevrouw March zei dat toen haar man Kiera vertelde dat ik bij hen zou blijven, het haar niet van streek had gemaakt.

'Ik zal niet zeggen dat ze dolblij was met het nieuws,' zei mevrouw March, 'maar ze keek opgelucht. Op het ogenblik kan dat gewoon zijn omdat ze niet van iets ernstigs beschuldigd wordt. Ik weet het. Ik heb altijd moeite gehad Kiera te begrijpen en ik verwacht dat dat zo zal blijven. Ik zal je hulp nodig hebben.'

'We zullen elkaar daarbij helpen,' zei ik. Ze lachte.

Ik verhuisde weer naar Alena's suite. Het was of ik een oude vriendschap weer opnam. Ik had me niet gerealiseerd hoezeer de suite en alles erin een deel van mijzelf was geworden. Ik deelde de suite met de herinnering aan Alena, maar had het gevoel dat hij nu ook meer van mij was.

Mijn schoolwerk ging in de week daarop met sprongen vooruit. Denacio nam zelfs de tijd om me in de muziekles te laten demonstreren wat het resultaat kon zijn van goed oefenen. Maar waar ik het meest van genoot was van de gezichten van mijn klasgenoten. Ze vroegen zich natuurlijk af waarom ik zo opgewekt en energiek was, zo'n gelukkige indruk maakte, na alles wat er gebeurd was. Ze wisten van de moeilijkheden waarin Ricky en Kiera's andere vrienden en vriendinnen verkeerden toen Kiera in het ziekenhuis was beland. Misschien waren ze vriendschappelijker tegen me omdat ze graag meer details wilden horen. Vroeger meende ik de status van beroemdheid te hebben bereikt omdat ik bevriend was met de oudere leerlingen en met hen uitging. Nu was het alleen omdat het spannend was om mij te kennen.

Natuurlijk vertelde ik hun niet veel, maar dat maakte hen nog vastbeslotener met me te praten, bij me te zijn en me bij hen thuis uit te nodigen. Door dat alles kreeg ik veel meer respect voor mijzelf. En Lisa Dirk vertelde me zelfs dat het leek of ik steeds minder mank begon te lopen.

Die vrijdag brachten ze Kiera thuis, maar ze moest nog in bed blijven. Al haar maaltijden werden bij haar gebracht, wat niets nieuws voor haar was, vermoedde ik. Toen ik thuiskwam, vertelde mevrouw March me dat ze boven was en aan de beterende hand. Dat wist ze omdat Kiera klaagde.

'Maar ik denk dat ze nog min of meer in shock is,' zei ze. 'Dokter Kindle zei dat er vaak psychologische problemen volgen na een dergelijk incident, dus dat ik me niet ongerust moet maken over iets wat ze nu zegt of doet.'

Ik wist dat ze probeerde me voor te bereiden op iets wat Kiera tegen me zou kunnen zeggen of doen, maar ik beschikte nu over veel meer kracht en zelfbeheersing. Ik was niet langer bang voor Kiera. Haar vriendinnen leken zich schuil te houden. Op school waren ze als tamme muizen. Ricky's situatie bleef onbekend. Als zijn ouders geen geld en invloed hadden gehad, zou hij zelfs niet meer op deze school zitten. De paar keer dat ik hem zag, zei hij niets tegen mij en ik niets tegen hem.

Kiera kon ik moeilijk vermijden, dus leek het me het beste om gewoon naar haar kamer te gaan. De deur stond open, en ze zat rechtop in bed, met haar rug tegen grote, zachte kussens.

'Hoe gaat het?' vroeg ik.

Ze staarde me aan alsof ze me nog nooit gezien had. 'Vreselijk,' antwoordde ze ten slotte. 'Ze willen dat ik nog een dag of drie in bed blijf. Ik heb mijn haar niet kunnen wassen, me niet kunnen opmaken, niks. Ik zie er niet uit!'

'Denk eens aan wat er gebeurd is, hoe het had kunnen aflopen,' bracht ik haar in herinnering.

'Nog steeds de brave meid.' Ze wendde haar hoofd af, maar keek me toen weer aan. 'Deidre belde me in het ziekenhuis en vertelde

ne wat er aan de hand was met Ricky. Ik heb gehoord dat hij jou
en paar dingen verteld heeft.'

'Klopt, ja.'

'Ben je nu gelukkig?'

'Meer dan verleden week, ja,' zei ik.

Ze grijnsde. 'Het ziet ernaar uit dat ik met je zal moeten leven.'

'Ziet ernaar uit.'

'Waarom zou je hier willen blijven na alles wat je hebt doorgemaakt? Ze zouden je waarschijnlijk hopen geld geven en je in een
comfortabel nieuw huis onderbrengen.'

'Waarschijnlijk.'

'Dus?'

'Ik blijf voor Alena. Niet dat ik Alena wórd,' voegde ik er snel aan
oe, 'maar ik blijf hier vanwege haar. Bovendien moet er iemand
zijn die op je past.'

'Leuk, hoor.' Ze zweeg even en kneep haar ogen tot spleetjes. Nu
komt het, dacht ik. 'Ik ben niet van plan te zeggen dat het me spijt,
als je daar soms op wacht.'

'Dat is oké. Ik kan wachten. Op een dag zeg je het wel.'

'Hoe komt het dat je zo arrogant bent geworden?'

'Ik heb een goeie lerares gehad,' zei ik.

Ik zag dat ze een glimlach onderdrukte. 'Ik wil je niet aardig vinden,' zei ze uitdagend.

'Uiteindelijk zul je dat toch doen.'

'En ik veronderstel dat jij mij aardig zult vinden?'

'Misschien. Uiteindelijk.'

'Uiteindelijk, uiteindelijk. Alles is uiteindelijk.'

'Dat is het ook. Toen mijn moeder en ik op straat leefden, vroeg
k me vaak af of we ooit van die straat af zouden komen, weer een
huis zouden hebben, een leven. Als ik het haar vroeg zei ze altijd:
"Straks". *Straks* is zo'n mooi woord. Zo vol belofte en hoop.'

'Heus?'

'O, ja. Straks kom je dit bed uit en straks ga je weer naar school.
Straks haal je je eindexamen en ga je naar de universiteit, en straks
eer je iemand kennen van wie je kunt houden, die van jou zal hou-

den, en straks ga je trouwen en krijg je een dochter die misschien net zo is als jij.'

'Alsjeblieft, zeg. Je praat net als mijn moeder.'

'We gaan allemaal praten als onze moeder.'

'Ze is jouw moeder niet.'

'Nee, maar ze weet waar ze staat, wanneer ze moet glimlachen, wanneer ze moet lachen en me troosten.'

'Ik krijg hoofdpijn van je.'

'Oké.' Ik draaide me om en wilde naar de deur lopen.

'Hé.'

'Wat is er?'

'Ik vind je nog niet aardig, maar ik haat je ook niet meer. Vraag me niet waarom. En zeg niet dat ik mijzelf meer haat of zoiets stoms.'

'Oké.'

'Hebben ze je weer verhuisd naar de suite hiernaast?'

'Ja.'

'Kom later terug, misschien kun je hier eten. Als je dat kunt verdragen.'

'Ik denk het wel. Ik heb op straat geleefd, weet je nog?'

Nu lachte ze echt.

Ik zou samen met haar eten, maar voor ik iets deed, vroeg ik mevrouw March om een gunst, en ze belde Grover om de auto voor te rijden.

Hij reed me naar het kerkhof waar mama was begraven. Het was een van die prachtige namiddagen in Californië; de schaduw van een paar verspreide wolken was verfrissend en de lucht die schoongeveegd was door de zeewind was prikkelend en fris. Toen ik op het kerkhof kwam, werd ik omgeven door de geur van pas gemaaid gras. Het was een geur die sprak van leven en vernieuwing, zelfs op een kerkhof.

De hele week had ik gekampt met een schuldgevoel omdat ik me weer gelukkig voelde. Het was de oude angst dat ik door het accepteren van de vrijgevigheid en genegenheid van de Marches verraad pleegde tegenover mama. Ik was op het kerkhof om haar

eer om vergiffenis te vragen, maar ik wilde het op een andere ma-
ier doen. Toen ik bij haar graf kwam, zette ik het foedraal neer en
aalde de klarinet tevoorschijn. Toen ging ik dicht bij haar graf-
teen zitten en begon te spelen.

En nog voor ik uitgespeeld was, wist ik zeker dat ze, waar ze zich
ok bevond, naar me glimlachte.

Beste Virginia Andrews-lezer,

Als u op de hoogte wilt blijven van het boekennieuws rondom
Virginia Andrews, dan kunt u een e-mail met uw naam sturen
naar info@uitgeverijdefontein.nl o.v.v. Nieuwsbrief Virginia
Andrews (uw gegevens worden uitsluitend voor deze mailinglijst
gebruikt).
Uitgeverij De Kern organiseert regelmatig kortingsacties en
prijsvragen waaraan u kunt meedoen.

Met vriendelijke groet,
Uitgeverij De Kern